DAS KIND MEINES MANNES

WEITERE TITEL VON NICOLE TROPE

In Deutscher Sprache

Das Kind meines Mannes

In Englischer Sprache

The Stay-at-Home Mother

The Foster Family

His Other Wife

The Stepchild

The Mother's Fault

The Family Across the Street

Bring Him Home

The Girl Who Never Came Home

The Life She Left Behind

The Nowhere Girl

The Boy in the Photo

My Daughter's Secret

NICOLE TROPE

DAS KIND MEINES MANNES

bookouture

Die Originalausgabe erschien 2022 unter dem Titel
„The Stepchild"
bei Storyfire Ltd. trading as Bookouture.

Deutsche Erstausgabe herausgegeben von Bookouture, 2023
1. Auflage März 2023

Ein Imprint von Storyfire Ltd.
Carmelite House
50 Victoria Embankment
London EC4Y 0DZ

deutschland.bookouture.com

ISBN: 978-1-83790-559-1
eBook ISBN: 978-1-83790-558-4

Für Isabella
Die Leserin, die zur Schriftstellerin wird

PROLOG

Das Kind bewegt sich nicht, die Augen sind geschlossen, die dunklen Wimpern ruhen auf den blassen Wangen. Die kleinen Hände, deren Fingernägel in einem leuchtenden Blau mit jeweils einem goldenen Streifen in der Mitte lackiert sind, liegen schlaff auf dem Boden. Im umliegenden Gebüsch des Parks rufen Elstern einander zu, ein Paar Regenbogenlori flattert von Baum zu Baum, und ein einsames Kaninchen hält auf ein Geräusch hin inne und verharrt an Ort und Stelle, während es darauf wartet, dass wieder Stille einkehrt. Es weht ein kühler Wind und schwere graue Wolken verdecken die Sonne; der Winter ist noch fühlbar, obwohl der Frühling nur noch wenige Tage entfernt ist.

Das kleine Mädchen trägt eine rosa Cord-Latzhose mit einem blauen Oberteil darunter. Dazu passende rosa Wildleder-Ugg-Boots vervollständigen sein Outfit. Feines schwarzes Haar steht ihm fächerförmig vom Kopf ab und bedeckt die graubraune Erde, auf der es liegt. Die Lichtung versteckt sich am Rande des Parks in einer kalten Ecke, in der das Gras nicht wachsen will.

Ein paar Leute gehen mit ihren Hunden im Park spazieren,

aber das Herrchen des braun-weißen Collies ist zu sehr damit beschäftigt, den grünen Lieblingsball seines Hundes zu suchen. Er hat ihn geworfen und aus irgendeinem Grund scheint der Hund ihn nicht zu finden. Er späht durch Bäume und um Büsche herum, aber er geht nicht auf die Knie, um das dumme Ding zu suchen. Zu Hause hat er Ersatzbälle. Das Frauchen des Deutschen Schäferhundes sucht nach einem Wasserhahn, um dem Hund Wasser zu geben. Sie weiß, dass es irgendwo im Park einen gibt, aber sie kann sich nicht erinnern, wo er sich befindet.

Niemand ist auf der Suche nach einem kleinen Mädchen. Noch nicht.

Später wird die Sonne herauskommen und Familien mit kleinen Kindern werden den Park bevölkern, um den Samstagnachmittag hier zu verbringen. Die Kinder werden in die Lichtungen hinein- und wieder hinausrennen, sich gegenseitig jagen und über das letzte Winterlaub stampfen. Besorgte Eltern werden ihnen folgen und aufpassen, sie auf dem großen Gelände nicht aus den Augen zu verlieren.

»Geh nicht zu weit weg«, wird eine Frau rufen.

»Bleib, wo ich dich sehen kann«, wird ein Mann befehlen.

Doch dann, wenn der Park voller Menschen ist, die vielleicht hinschauen, die vielleicht etwas sehen, die vielleicht etwas tun könnten ... dann wird es zu spät sein.

EINS

LESLIE

13:30 Uhr

Leslie lässt sich auf den Fahrersitz des grauen Range Rover gleiten und genießt den Geruch des Neuwagens, der noch immer von dem kastanienbraunen Leder ausgeht, obwohl das Auto schon einige Monate alt ist. »Ich brauche so ein teures Auto doch gar nicht«, hatte sie zu Randall gesagt, als er es ihr gekauft hatte. Er wollte, dass sie einen Wagen fuhr, der genauso teuer war wie sein schnittiger silberner Jaguar, sich aber gleichzeitig als Familienauto eignete.

»Aber ich möchte es dir kaufen«, hatte er geantwortet. Es war schwierig gewesen, sich an das Auto zu gewöhnen – seine Größe hatte Leslie beim Fahren nervös gemacht –, aber jetzt liebt sie den unaufdringlichen Luxus des Wagens, den sie eigentlich gar nicht gewollt hatte.

Sie blickt auf das Handy in ihrer Hand und schüttelt den Kopf. »So spät schon«, murmelt sie und steckt das Handy in ihre Tasche.

Als Leslie den Motor startet, klingelt es und ihr wird schwer ums Herz: Es ist Shelby. Die Schlange im Supermarkt war länger als erwartet, und sie ist jetzt schon fast zwei Stunden weg. Sie drückt eine Taste am Lenkrad, um den Anruf entgegenzunehmen, atmet tief durch und bereitet sich darauf vor, sich zu entschuldigen. Sie überlegt, was sie ihrer Stieftochter anbieten könnte, damit sie nicht den Rest des Wochenendes mit ihrer schmollenden Wut konfrontiert sein wird. Onlineshopping bei dem Shop, den sie so mag? Den großen Fernseher einen ganzen Abend lang für sich allein? Was wird wohl funktionieren? Die Optionen geistern ihr im Kopf herum. Shelby ist mit ihren zwölf Jahren geübt darin, die Lippen theatralisch zu verziehen, schwer zu seufzen und Türen hinter sich zuzuschlagen. Sie macht ihren Unmut jedem im Haus deutlich. Aber heute kann Leslie es ihr nicht verdenken. Sie hatte versprochen, sich zu beeilen.

»Hör zu, Shelby ...«, beginnt sie, bevor das Mädchen überhaupt etwas sagen kann.

»Sie ist weg!« Shelbys Stimme ist hoch und hysterisch.

»Was?«, fragt Leslie nach, denn sie ist sich unsicher, ob Shelby tatsächlich mit ihr spricht.

»Sie ist weg ... weg – Millie ist weg«, ruft Shelby, und ihre erstickte Stimme lässt ganz deutlich auf Tränen schließen.

»Was meinst du?« Leslie hat Mühe zu verstehen, was Shelby sagt, während sie sich darauf konzentriert, aus ihrer Parklücke herauszufahren. Sie bremst, als sie eine Frau sieht, die ihren Einkaufswagen hinter ihrem Auto entlangschiebt. »Was soll das heißen, weg?«, fragt sie. Ihre Stimme dringt durch das leicht geöffnete Fenster und veranlasst die Frau dazu, kurz anzuhalten und sie anzustarren, bevor sie weitergeht. »Wie kann sie weg sein? Wo ist sie? Hast du nach ihr gesucht? Hast du gesucht?« Sie lenkt den Wagen nach links und fährt los. Sie ist sicher, dass sie sich verhört hat. Millie versteckt sich vermutlich, sie muss irgendwo sein. Dreijährige Kinder verschwinden nicht einfach.

»Ich bin ...« Shelby hält inne, als müsste sie überlegen, was sie sagen soll, und spricht dann schnell weiter: »Ich bin aufs Klo gegangen, und sie ... Ich weiß nicht, sie muss einfach die Haustür aufgemacht haben und gegangen sein, sie ist einfach ... rausgegangen ... und sie ... ich habe sie gesucht. Ich habe überall nach ihr gesucht, aber sie ist nicht hier. Sie ist weg.«

Leslie hört zu, während Shelby beginnt zu schluchzen. Sie lässt ihre Hände das Lenkrad entlanggleiten und spürt, wie sie ein wenig abrutschen, weil ihr in dem kalten Auto kochend heiß ist, ihr Herz rast, ihre Gedanken schwirren. *Millie ist weg ... Sie ist weg ... Millie ist weg.*

»Leslie, kannst du mich hören? Hast du gehört, was ich gesagt habe?«, kreischt Shelby in ihrer fiebrigen Verzweiflung. »Sie ist weg, Millie ist weg.« Ihre Stimme wird immer lauter, und Leslie spürt, wie sich ihre eigene Kehle zuschnürt.

Sie biegt auf die befahrene Straße ab, in ihrem Kopf wirbeln Bilder und Geräusche durcheinander – und das eine Wort, das sie gehört hat, aber nicht hören will.

Weg.

ZWEI

SHELBY

Sie sitzt auf dem Sofa, die Arme um sich geschlungen, und versucht, sich besser zu fühlen. Wenn sie könnte, würde sie sich die schwarze Kapuze ihres Pullovers hochziehen und sie über dem Gesicht zusammenschnüren, um alles auszublenden. Die Polizei ist auf dem Weg. Ihre Mutter ist auf dem Weg, und ihr schwerer Seufzer am Telefon hat Shelby gezeigt, wie lästig ihr diese ganze Situation ist. Ihre Mutter zieht es vor, samstagnachmittags mit Trevor Netflix zu schauen, während sie Wein trinken und Cracker mit Käse essen.

Ihr Vater war auf Leslies Anruf hin vom Golfspielen zurückgekommen, kurz nachdem Leslie selbst zu Hause angekommen war, und durchkämmt nun die Nachbarschaft, klopft an Türen und fragt, ob jemand Millie gesehen hat, immer noch in seiner peinlichen weißen Hose und dem rosa-weiß karierten Hemd.

»Erzähl mir einfach, was passiert ist«, hatte er befohlen, als er das Haus mit dem Handy in der Hand betrat.

»Ich bin ...«, begann Shelby.

»Ich habe dir doch gesagt, sie ist nicht hier«, rief Leslie. »Ich habe überall geschaut. Such die Nachbarschaft ab. Ich habe die Polizei gerufen. Ich sehe jetzt noch mal im Haus nach.«

Ihr Vater hatte genickt, und Shelby konnte sehen, dass er dankbar war, gesagt zu bekommen, was er tun sollte. Es ist einfacher, gesagt zu bekommen, was man tun soll, als selbst zu denken.

»Bleib einfach da«, sagte Leslie zu ihr und deutete auf das Sofa. Und so hatte sie getan, wie ihr geheißen war, während Leslie durch alle Zimmer des Hauses und hinaus in den Garten lief, immer wieder Millies Namen schrie und dann ihren Vater anrief, um zu fragen, ob er sie gefunden habe. Shelby weiß, dass das alles sinnlos ist. Sie ist auf dem Sofa geblieben, wippt leicht vor und zurück und wünscht sich, irgendwo anders zu sein.

Es ist nach vierzehn Uhr und die Sonne ist endlich hinter den Wolken hervorgekommen und wirft ihr helles Licht auf alles, was sich ganz falsch anfühlt, denn draußen sollte kein blauer Himmel sein. Es sollte regnen, der Himmel sollte donnern und Hagel hinabschleudern, der gegen die Fensterscheiben schlägt. Aber stattdessen hat sich der Wind gelegt und die Sonne wärmt die Luft, als wäre es ein ganz normaler Samstag am Ende des Winters.

Shelby hält den Blick auf ihre Turnschuhe auf dem hellblauen Teppich gerichtet. Leslie hat ihr die Schuhe vor ein paar Wochen gekauft und damit Geld für etwas ausgegeben, das ihre Mutter für eine »lächerliche Extravaganz« hält, doch Shelby liebt die schwarzen Schuhe mit den rosa Streifen an den Seiten. Sie kann nicht aufblicken, kann den braunen Augen ihrer Stiefmutter nicht begegnen. Leslie geht jetzt auf und ab, während sie auf die Polizei wartet, und ab und zu sieht sie ihre Stieftochter an. Shelby merkt, dass sie sie ansieht, als wüsste sie etwas, als wüsste sie ohne den geringsten Zweifel, dass das alles Shelbys Schuld ist. Und sie hat Recht – es ist ihre Schuld.

Draußen steht Leslies Auto in einem seltsamen Winkel in der Einfahrt, die Einkaufstüten sind noch im Kofferraum.

Shelby hatte an der Haustür gestanden, als Leslie mit quietschenden Reifen in die Einfahrt gefahren war. Ohne den Motor abzustellen, war Leslie herausgesprungen, hatte sie an den Schultern gepackt und geschrien: »Wo ist sie, wo ist mein Kind?« In diesem Moment hatte Leslie mit ihren gefletschten Zähnen nicht mehr wie sie selbst ausgesehen, sondern wie eine wütende Hexe mit langen dunklen Haaren und blasser Haut, und Shelby bekam Angst. Sie spürte, wie ihr Körper begann zu schwanken, sie hörte, wie ihre Zähne aufeinanderklapperten, und sie sah den panischen Gesichtsausdruck ihrer Stiefmutter. »Bitte, Shelby«, flehte Leslie.

»Ich weiß es nicht, ich habe sie gesucht. Ich habe überall gesucht, aber ich kann sie nicht finden.« Ihre Stimme war hoch und dünn, so atemlos war sie.

Leslie hatte sie abrupt losgelassen und war durchs Haus gerannt, um nach Millie zu rufen, während Shelby stumm und verzweifelt dastand und ihr Magen sich bei dem Gedanken an Leslies vergebliche Mühe verkrampfte. Millie war nicht im Haus. Sie war nicht auf der Straße.

Leslie war zur offenen Haustür zurückgekehrt, wo Shelby wie erstarrt wartete. Sie war unsicher, was sie tun sollte und zu ängstlich, um sich zu bewegen. »Erklär mir, was passiert ist«, hatte Leslie gesagt, während ihre Hände auf dem Handy tippten, um Shelbys Vater anzurufen. Als er rangegangen war, wandte sie ihre Aufmerksamkeit dem Telefonat zu. »Du musst sofort nach Hause kommen, Randall ... Ich weiß, aber hör zu, hör mir einfach zu. Millie ist verschwunden. Shelby hat auf sie aufgepasst, und sie behauptet, Millie wäre weggegangen, hätte die Haustür geöffnet und wäre einfach gegangen. Wir können sie nicht finden. Sie ist einfach ... weg. Komm jetzt nach Hause. Soll ich die Polizei rufen? Muss ich die Polizei rufen? ... Okay, ja, ja, mach ich.«

Sie hatte aufgelegt und Shelby sah zu, wie sie mit zitternden Händen die Notrufnummer wählte. Leslie schwieg einige Sekunden lang, während ihre Brust sich hob und senkte und ihr Tränen über das Gesicht liefen, bevor der Anruf entgegengenommen wurde. »Ich muss mein Kind als vermisst melden, mein Kind ist weg«, hatte sie gesagt. Und dann hatte sie Shelby stehen gelassen, während sie telefonierte und Fragen zu Millies Alter und ihrer Adresse und der Dauer ihrer Abwesenheit beantwortete. Shelby hatte gehört, wie Leslie der Person am anderen Ende der Leitung sagte, sie sei seit zwanzig Minuten weg, was sie sich in dieser Sekunde einfach ausgedacht haben musste, denn damit lag sie falsch. Millie war zu diesem Zeitpunkt schon seit fast einer Stunde verschwunden – seit fast *einer* Stunde.

Als Leslie das Telefonat mit der Polizei beendet hatte, stellte sie sich vor Shelby und holte tief Luft. Shelby merkte, dass sie versuchte, sich zu beruhigen. Dann hob sie die Hand und sagte: »Erklär es mir einfach, Shelby, erklär mir genau, was passiert ist.«

»Ich bin nach oben ins Bad gegangen. Ich war nur eine Minute weg, dann bin ich die Treppe runter und sie war einfach verschwunden. Ich habe sie an ihrem Tisch sitzen lassen, aber sie muss die Tür geöffnet haben, die Haustür.« Shelby hatte ihre zurechtgelegte Erklärung schnell ausgespuckt. Sie war sie ein paarmal in ihrem Kopf durchgegangen, damit sie glaubwürdig klang.

Leslie nickte, während Shelby sprach, und versuchte zu verstehen, was passiert war. »Ich habe der Polizei gesagt, dass sie seit zwanzig Minuten vermisst wird; ich meine, du hast mich ja vor zehn Minuten angerufen und darum habe ich angenommen, dass ... Wie lange ist sie schon weg?«

»Länger«, hatte Shelby geflüstert und ihren Kopf gesenkt.

»Was?«

»Ich habe eine Weile gesucht, ich dachte, sie wäre nur albern und versteckt sich oder spielt oder so. Und dann habe ich gemerkt, dass sie weggelaufen ist.« Selbst in ihren eigenen

Ohren klang diese Entschuldigung erbärmlich, erfunden – wie eine Lüge.

»Warum sollte sie das tun?«, rief Leslie. »Das hat sie noch nie gemacht. Warum sollte sie das ausgerechnet jetzt tun?« Sie schien ihre Frage an Shelby, an sich selbst und an das Universum zu richten, während sie zur strahlend weißen Decke des Flurs hinaufblickte.

Shelby hatte nur den Kopf schütteln können, während sie die Wahrheit tief in sich versteckte, damit sie nicht versehentlich aus ihr heraussprudelte. Leslie hatte sich die Stirn gerieben und durch die offene Haustür auf die leere Straße hinausgestarrt. »Du musst den Motor ausmachen«, sagte Shelby leise.

»Was?«, hatte Leslie geschrien, und Shelby hatte einfach nur auf den SUV gezeigt, damit sie nichts mehr sagen musste. Leslie verließ das Haus, stellte den Motor ab und schloss die Autotür. Shelby war ihr gefolgt, weil sie nicht wusste, was sie sonst tun sollte, und sie öffnete den Mund, um zu fragen, ob sie Leslie die Einkäufe ins Haus bringen sollte, denn dann hätte sie wenigstens eine Hilfe sein können, hätte irgendetwas tun können. Aber Leslie hatte sie nur angeschaut und gesagt: »Geh rein!« – in einem Ton, den Shelby nicht von ihr kannte. Sie konnte die Wut in diesen beiden Worten spüren.

Jetzt schaut Shelby auf ihr Handy, das sie in der Hand hält, auf den Bildschirmschoner von ihr und Kiera, wie sie Grimassen für die Kamera schneiden. Es ist Viertel nach zwei. Die Zeit scheint schneller zu vergehen, als sie sollte, und gleichzeitig schleicht sie dahin. Millie ist seit ... Sie muss die Uhrzeit wissen, muss in der Lage sein, der Polizei eine genaue Zeit zu nennen, denn die werden danach fragen. Sie schaut wieder auf ihr Handy. Viertel nach eins. Als sie um Viertel nach eins die Treppe herunterkam, war Millie weg, das Wohnzimmer leer. Sie hatte Millie ein Avocado-Sandwich zum Mittagessen gemacht. *So ein Mist.* Sie hatte Millie ein Avocado-Sandwich machen sollen. Würde Leslie bemerken, dass die Avocado in der Obstschale – die dunkelgrüne Avocado, die sie in die Hand genommen und leicht gedrückt hatte, bevor sie gegangen war, und über die sie gesagt hatte: »Die ist reif. Kannst du Millie ein Sandwich zum Mittagessen machen, wenn ich bis dahin nicht zurück bin?« –, dass diese Avocado noch da ist, unangetastet?

Sie könnte einfach in die Küche gehen und sie wegwerfen, aber was, wenn jemand sie dabei erwischt? *Millie hatte noch keinen Hunger*, probt sie in Gedanken. *Millie wollte nichts essen, darum habe ich gewartet, dann bin ich nach oben ins Bad gegangen, und als ich danach wieder runtergekommen bin, war sie ... weg.*

Ihr Vater kommt zurück ins Haus. »Keiner hat sie gesehen«, keucht er, sein Gesicht glänzt vom Schweiß. »Ich gehe wieder raus. Ich gehe in den Park.«

»Vielleicht warten wir noch ein bisschen?«, schlägt Leslie vor und schaut auf ihr Handy. »Die Polizei ist doch gleich hier.«

»Ich hole mir ein Glas Wasser«, sagt er und läuft in die Küche. Er sieht Shelby nicht an und sie schlingt ihre Arme fester um ihren Körper. Ihr ist kalt, sie fühlt sich wie betäubt, aber auch verängstigt, wütend und traurig. Sie fühlt alles und nichts gleichzeitig. Sie schaukelt weiter vor und zurück.

Nach Leslies Geschrei und dem Geschrei ihres Vaters ist es jetzt gespenstisch ruhig. Die wichtigen Anrufe sind getätigt worden. Die richtigen Leute sind auf dem Weg, und es gibt nichts zu tun, außer zu warten. Die Zeit scheint stillzustehen, sie schwebt zwischen dem Moment, in dem nur wenige Menschen von Millie wussten, und dem Moment, in dem alle von Millie wissen werden. Werden die Polizisten sie ansehen und wissen, was los ist? Können sie Menschen Lügen an ihrem Gesicht ablesen? Sie hat mit ihrem Vater mal einen Dokumentarfilm über Verhörtechniken der Polizei gesehen – beziehungsweise saß sie neben ihm und schaute auf ihr Handy, während er den Film guckte –, und sie erinnert sich daran, dass jemand, der lügt, oft sein Gesicht berührt. Sie setzt sich auf dem grauen

Sofa auf ihre Hände und spürt das glatte Wildleder unter ihren Fingern.

Was habe ich getan? Was habe ich getan? Was habe ich nur getan? Die Worte fliegen in ihrem Kopf wild im Kreis, ohne irgendwo landen zu können.

Sie bewegt die Füße auf dem Teppich und erzeugt eine dunkelblaue Linie, wenn sie ihn wegdrückt, so wie Millie es gern mit ihrer Hand tut. Millie liebt die Farben Blau und Gold. Sie liebt es, die Nägel lackiert zu bekommen. Sie hat ein Grübchen auf einer Wange und die gleiche Augenfarbe wie sie selbst.

Millie ... Millie liebte die Farben Blau und Gold. Millie ist. Millie war.

Shelby ist in der Hölle.

DREI

RUTH

Ich falte das Geschirrtuch erst einmal, dann zweimal, und dann mache ich ein perfektes Quadrat daraus. Zufrieden seufzend lege ich es auf den Stapel neben mir, beiße mir aber auf die Lippe, als er leicht wackelt. Der Stapel lehnt an der Wand, aber da er von Knöchel- auf Knie-, dann auf Hüft- und schließlich auf Schulterhöhe gewachsen ist, ist er nicht mehr so stabil. Ich falte die Geschirrtücher auf dem Esszimmertisch, den ich von meiner Großmutter geerbt habe, dem Tisch mit den schönen geschnitzten Beinen und der glänzenden Holzfurnierplatte. Ich beobachte den Stapel Geschirrtücher einen Moment lang und warte ab, was passiert, aber er scheint sich stabilisiert zu haben.

Meine Stapel müssen stabil sein. Um mich herum, in diesem Raum, befinden sich die ordentlichen Stapel meiner Sammlungen. Geschirrtücher, Bücher, Lokalzeitungen, Plastikbecher, Verlängerungskabel, Zeitschriften, Wäschekörbe und viele andere Dinge. Ich bin eine Sammlerin von Alltagsgegenständen, von unauffälligen, aber notwendigen Dingen. Jemand – ein Therapeut, zu dem mich meine Mutter schickte – nannte mich einmal einen Messie, aber ich sehe mich nicht so. Ich habe diese Sendung gesehen, in der sie Messies filmen und dann versuchen, ihnen zu helfen. Deren Häuser quellen über vor Schmutz, Unordnung und Ungeziefer. In deren Häusern laufen Katzen und Hunde herum und machen überall Unordnung. Mein Haus, mein Zuhause, ist nicht so. Alles ist ordentlich und sauber und aufgeräumt, auch wenn einige Räume nicht benutzt werden können, weil sie mit meinen schönen Sammlungen vollgestellt sind. Ich putze ständig, entferne den Schmutz, stelle die Ordnung wieder her und reinige alles. Jedes Mal, wenn ich eine Sammlung ergänze oder einen Stapel in Ordnung bringe, spüre ich ein warmes Gefühl der Sicherheit in mir.

Von außen betrachtet gibt es nichts, was mein Haus von den anderen in diesem Viertel unterscheidet. Ein paar Vororte weiter verdrängen große Villen die alten Häuser, ragen hoch über die Straßen und nehmen den ganzen Platz ein, aber in meinem Vorort stehen noch sechzig Jahre alte Häuser nebeneinander, die Teil der Landschaft sind, anstatt sie zu verschandeln. Mein Haus ist ein kleines, holzverschaltes Gebäude mit einem schwarzen Ziegeldach und cremefarbenen Wänden. Mein Vorgarten ist ordentlich gepflastert, vom kleinen Metalltor bis zur Tür, allerdings ist das Gras nicht so grün, wie ich es gern hätte. Das Auto meiner verstorbenen Großmutter, ein gelber Käfer, steht in der Einfahrt. Ich halte ihn in Schuss, weil ich weiß, dass ich damit sicher unterwegs bin, wenn ich das Haus mal verlassen muss. Die Sitze riechen immer noch nach dem leichten Lavendelduft ihres Parfums, und ich spüre, dass sie bei mir ist, wenn ich das Auto benutze.

Das Innere des Hauses ist alt und spiegelt die Tatsache wider, dass es auch meiner Großmutter gehörte, aber die leuchtend grüne Laminatküche könnte auch gestern eingebaut worden sein.

Meine Großmutter war sehr pingelig, was Sauberkeit und Ordnung angeht, genau wie ich. Sie hat nicht so viele Dinge gesammelt wie ich, aber das kleine Wohnzimmer wird immer noch von ihrem großen antiken Holzschrank dominiert, hinter dessen Glasscheiben Porzellanfiguren von Clowns und Tieren stehen. Als sie noch lebte, habe ich ihr immer geholfen, all die zerbrechlichen Figuren aus dem Schrank zu nehmen und sie vorsichtig mit Wasser abzuspülen, um den Staub zu entfernen. Ihre Hände waren zu diesem Zeitpunkt bereits wie eingefroren, da die Arthritis einen Teil ihres Körpers nach dem anderen lähmte, aber sie schaffte es immer noch, sich um sich selbst zu kümmern. Sie erklärte mir, woher sie jede einzelne der kleinen Figuren hatte, und erzählte mir von den Reisen, die sie mit meinem lange verstorbenen Großvater unternommen hatte. Sie hatte eine besondere Vorliebe für alles, was mit Katzen zu tun hatte. Ich mag keine Katzen. Ich hätte gern einen Hund, aber ich glaube nicht, dass ich mit der Unordnung zurechtkäme. Obwohl ich mich nach einem Hund sehne, möchte ich keinen Groll gegen das arme Tier hegen. Ich sehe mir stattdessen lieber Sendungen über Hunde an und schaue mir Facebook-Posts mit Hunden an. Immer wenn ich richtig traurig bin, was ziemlich oft vorkommt, hilft mir das Internet, auf bessere Gedanken zu kommen. Golden Retriever sind meine Lieblingsrasse, aber ich mag auch kleine Hunde, wie die feinen weißen Pudel, die von ihren Besitzern herausgeputzt werden.

Meine Großmutter liebte Hunde ebenfalls, aber nachdem ihr kleiner Foxterrier gestorben war, brachte sie es nicht übers Herz, sich einen neuen anzuschaffen. Sie selbst starb vor zwanzig Jahren, als ich gerade achtzehn war. Ich erinnere mich an sie als die Eleganz in Person, mit ihrem langen schneeweißen Haar, das sie hoch auf dem Kopf zusammengesteckt trug. Jeden Tag hatte sie ein zweiteiliges Strickkostüm an und immer dieselbe Perlenkette. Meine Mutter und ich zogen bei ihr ein, als ich sechzehn war. Wenn es ihr besser gegangen wäre, wenn sie stärker gewesen wäre, hätte ich ihr sagen können, warum ich mich weigerte, das Haus zu verlassen, warum ich mich weigerte, zur Schule zu gehen, und warum ich meine Sammlungen begonnen hatte. Aber sie war bereits so schwach, und ich wusste, dass sie meine Probleme nicht zusätzlich zu ihren eigenen bewältigen konnte. Ich begnügte mich damit, sie jeden Nachmittag in ihrem Zimmer zu besuchen und sie mit Geschichten aus dem Fernsehen zu erheitern, die sie manchmal zum Lachen brachten. Ich vermisse sie ständig, und so staube ich jeden Tag ihren Schrank ab und achte darauf, dass das Glas sauber ist und man alle Figuren gut sehen kann. So fühle ich mich ihr nahe. Wenn ich mit dem Schrank fertig bin, gehe ich durch das Haus und putze alles andere. Dabei habe ich ein Staubtuch in der Hand und Musik in den Ohren. Lateinamerikanische Musik mit Trommeln und Pfeifen und schönen Stimmen, die mich zum Tanzen bringt.

Wenn ich nicht gerade putze, versuche ich Ruhe und Gelassenheit zu bewahren, aber es gibt Momente, in denen eine Erinnerung auftaucht, ein Stück meines Lebens, das ich am liebsten auslöschen würde, und dann bäumt sich meine verhasste Vergangenheit vor mir auf und will beachtet werden. Wenn ich in Panik gerate, mein Atem unregelmäßig wird und mein Herz rast, dann retten mich meine Sammlungen. Dann werfe ich einen Stapel um und knie mich hin, um ihn ordentlich wieder aufzubauen, denn ich weiß, dass mir das hilft. Mit jedem gestapelten Gegenstand und jedem fertigen Stapel wird meine Atmung wieder ruhiger und mein Herzschlag langsamer. Ich nehme an, ich hätte auch zu Pillen greifen und für den Rest meines Lebens zur Therapie gehen können, aber das hier ist besser, finde ich. Bestimmt ist es besser.

Ich nehme das letzte Geschirrtuch und falte es erst einmal, dann zweimal, dann zu einem perfekten Quadrat und lege es auf den Stapel an der Wand. Ich bewundere die verschiedenen Farben und Muster, die gemeinsam zu einem hohen Turm aus ordentlichen Quadraten verschmelzen. Ich habe sie jetzt fünfmal neu gestapelt: Erst gefaltet und gestapelt, dann umgestoßen, wieder gefaltet und gestapelt, wieder umgestoßen und so weiter, und endlich hat sich meine Atmung normalisiert und ich spüre, wie der Schweiß in dem kalten Raum auf meinem Körper trocknet.

Das war wirklich übel, aber nach dem, was passiert ist, war das auch kein Wunder. Ich bin froh, dass es mir gelungen ist, die Attacke hinauszuzögern, bis ich zu Hause ankam, aber als ich hier war und die Tür abgeschlossen hatte, begann etwas, mein Herz zusammenzudrücken, und ich wusste, dass ich sie nicht länger zurückhalten konnte. Ich schaue jetzt auf den Stapel Geschirrtücher, hebe schnell die Hand und werfe ihn noch einmal um, dann fange ich wieder von vorn an. Sechs ist eine gute Zahl. Es ist besser, wenn ich mir absolut sicher bin, dass es vorbei ist und die Panik nicht mehr in meinem Körper wütet.

Einmal, zweimal, ein ordentliches Quadrat.

Was mir angetan wurde. Was ich jemandem angetan habe. Was jetzt getan werden muss.

VIER

LESLIE

14:30 Uhr

Zwei Polizisten sind da, ihre Uniformen stören in ihrem Haus, ein Anblick, den sie hier nie erwartet hätte. Einer von ihnen ist ein älterer Mann mit grauem Haar, einer leichten Wampe, blauen Augen und einer Knollennase voller roter Äderchen. Er wird von einem jüngeren Mann mit dichten blonden Locken und grünen Augen begleitet, der beinahe engelsgleich aussieht.

»Ich bin Constable Dickerson«, stellt sich der ältere Mann vor. »Und das ist Constable Willow«, ergänzt er und zeigt auf den jüngeren Mann, der daraufhin nickt und lächelt.

»Leslie«, erwidert Leslie. Sie deutet auf Randall und Shelby. »Und das sind mein Mann Randall und meine ... Stieftochter Shelby.«

Randall ist leicht verschwitzt, weil er die Straße auf- und abgerannt ist und nach ihrer gemeinsamen Tochter gerufen hat. Sein lockiges braunes Haar steht ab und seine Brille ist mit Fingerabdrücken verschmiert, weil er sie ständig anfasst. Immerhin hat er sich umgezogen und trägt jetzt eine Jeans und einen marineblauen Pullover, der zu seinen Augen passt. Heute

Morgen hatte sie ihn noch ausgelacht, als er sich fürs Golfspielen herausgeputzt hatte.

»Du siehst lächerlich aus. Ich glaube kaum, dass du dich so anziehen musst, um ernst genommen zu werden«, hatte sie gesagt.

»Nein, aber dieses Outfit sorgt immer für Lacher, und dann entspannen sich alle, und wenn die Leute entspannt sind, ist das Geschäft quasi unter Dach und Fach«, hatte er geantwortet und sich neben sie aufs Bett gesetzt. »Hast du heute viel vor?«, fragte er und streichelte sanft ihren Arm.

»Ach, du weißt schon«, hatte sie gesagt und mit der Hand in der Luft gewedelt. »Einkaufen.« Mehr brauchte er nicht zu wissen.

»Wir sehen uns heute Abend zu Pizza und Wein«, hatte er gesagt, war gegangen und hatte sie mit ihrer Tochter und ihrer Stieftochter und einem ganzen Tag, den sie irgendwie überstehen musste, allein gelassen.

Die Polizisten bitten sie, alle im Wohnzimmer zu bleiben, während sie durch das Haus gehen und die bereits kontrollierten Räume erneut überprüfen. Sie hat keine Ahnung, warum, aber die werden schon wissen, was sie tun.

»Bitte legen Sie Ihre Telefone weg, wenn das für Sie in Ordnung ist«, weist Constable Dickerson sie an, und Leslie gehorcht und steckt ihr Handy in die Tasche ihrer schwarzen Jeans. Sie hat gar nicht bemerkt, dass sie es noch in der Hand gehalten hat.

Während sie warten, geht sie im Wohnzimmer auf und ab und zählt die Minuten. Sie will weiter nach Millie suchen.

»Hat sie ihr Mittagessen gegessen?«, fragt sie Shelby, denn sie will sich gar nicht ausmalen, dass ihr Kind sich nicht nur verirrt hat, sondern auch noch hungrig ist. *Hat sie sich bloß verirrt? Verirrt, ja, sie hat sich nur verirrt, was bedeutet, dass sie bald gefunden wird.*

»Sie hatte keinen Hunger«, sagt Shelby, die ihre Arme fest

um sich geschlungen hat, als ob es im Haus kalt wäre, was es wegen der offenen Haustür vermutlich auch ist. Leslie selbst ist warm, das Blut rast ihr durch den Körper, ihr Atem geht schneller als sonst. Sie hatte noch nie eine Panikattacke, aber es fühlt sich so an, als wäre das der Beginn einer solchen. Sie sieht Shelby an und wartet darauf, dass sie ihr erklärt, warum Millie – ein Kind, das es liebt, zu essen – keinen Hunger hatte, aber Shelby starrt nur auf ihre Füße. Das Geräusch von Schritten im Obergeschoss wird von dem Quietschen der Türen begleitet, die geöffnet und geschlossen werden. *Sie ist nicht da. Ich weiß, dass sie nicht da ist.*

Constable Willow kehrt ins Wohnzimmer zurück. »Kommt man irgendwie unter das Dach?«, fragt er Randall.

»Ich weiß nicht ... Ähm, Les, weißt du, wie man dorthin kommt?«, fragt ihr Mann sie. Er hatte nur wenig mit dem Kauf und der Renovierung des Hauses zu tun, denn er war meistens auf der Arbeit, während Leslie sich mit den Bauunternehmern und den unzähligen Entscheidungen herumschlug, die nötig gewesen waren, um das Haus zu ihrem Zuhause zu machen. »Du hast wunderbare Arbeit geleistet«, hatte er zu ihr gesagt, als sie einzogen, aber sie wusste, dass ihm alles egal war, solange sie glücklich war.

»Neben unserem Schlafzimmer gibt es ein Gästezimmer, und an einer Wand befindet sich eine Tür hinter einem Vorhang, die unters Dach führt«, erklärt Leslie, »aber da würde sie nicht reingehen.« Millie hat Angst vor der Tür, die in den leicht muffig riechenden Dachraum führt, der mit Kabeln und Schläuchen der Klimaanlage vollgestopft ist. Sie traut sich deshalb nicht einmal in das Gästezimmer. »Da wohnt ein Monster«, berichtet sie Leslie immer wieder.

»Da wohnt kein Monster, das verspreche ich dir«, antwortet Leslie dann, aber die Ängste eines Kindes sind hartnäckig und Millie möchte, dass die Tür zum Gästezimmer geschlossen bleibt.

»Es ist wichtig, überall nachzusehen«, sagt der Polizist, verschwindet wieder und lässt die drei schweigend zurück.

Randall schaut auf sein Handy, und Shelby blickt zu ihm auf, nimmt dann ihr eigenes Handy aus der Tasche und starrt ebenfalls darauf.

»Shelby, bitte leg dein Handy weg«, sagt Leslie und ist dankbar, dass Randall seins ebenfalls weglegt.

Shelby wirft ihr einen finsteren Blick zu, und Leslie schaut aus dem Wohnzimmerfenster auf den Vorgarten, wo die Sonne das perfekte grüne Gras zum Leuchten bringt. Sie kann Shelbys Wut spüren. Sie hätte sie nicht an den Schultern packen und schütteln sollen, um eine Antwort zu bekommen, als sie nach Hause kam; sie hätte sie nicht als ihre Stieftochter vorstellen sollen, obwohl sie das ja ist. Sie hätte ihr Kind nicht mit ihr allein lassen dürfen. Das war ihr größter Fehler. Denn jetzt ist ihre Tochter, ihr dreijähriges Mädchen, verschwunden, weg. Shelby sollte auf ihre kleine Schwester aufpassen. Sie sollte sich um sie kümmern. Leslies Tochter ist weg, und ihre Stieftochter ist hier. Das alles fühlt sich so falsch an, dass Leslie beginnt, an ihren Haaren zu ziehen. Sie tut so, als würde sie versuchen, sie zu glätten, dabei reißt sie sich eigentlich unauffällig ein paar Strähnen heraus, um diese um ihre Finger zu wickeln. »Irgendwann hast du gar keine Haare mehr, wenn du so weitermachst«, hört sie ihre Mutter sagen, und obwohl Leslie ihre Mutter damals bei diesen Worten böse angefunkelt und gehasst hatte, wünscht sie sich gerade, ihre Mutter wäre jetzt hier. Doch sie weiß, dass das nicht möglich ist, und so wandert ihre Hand wieder zu ihrem Kopf, wo sie an ein paar weiteren Strähnen rupft.

»Also gut«, beginnt Constable Dickerson, der gefolgt von Constable Willow ins Wohnzimmer zurückkehrt. »Gehen wir die Sache von Anfang an durch.«

Er nimmt einen Esszimmerstuhl aus Leder vom Kopfende des Tisches und trägt ihn zurück zum Sofa, wo er ihn Shelby gegenüber platziert und sich mit einem Grunzlaut hinsetzt. Constable Willow steht neben ihm, ein kleines blaues Notizbuch und einen schwarzen Stift in den Händen. Wenn Leslie beschreiben müsste, wie er aussieht, würde sie »eifrig« sagen – als ob das hier gerade alles ziemlich aufregend wäre. Sie reißt sich eine weitere Haarsträhne aus, dann sieht sie Randall an, der leicht den Kopf schüttelt. Er sitzt neben Shelby auf dem Sofa, aber er beobachtet Leslie. Wenn er neben ihr stünde, würde er ihr sanft die Hand aus dem Haar ziehen. Er weiß, dass diese Handlung bedeutet, dass sie panisch ist und das Gefühl hat, die Kontrolle zu verlieren. Und jetzt ist sie auch noch verängstigt und wütend und beschämt und ... Sie spürt, wie ihre Hand wieder zu ihren Haaren wandert, und presst schnell beide Hände aufeinander, um sich zu stoppen.

»Wie alt bist du, Shelby?«, fragt Constable Dickerson. Seine Stimme weist nicht den üblichen Tonfall auf, den die meisten Menschen haben, wenn sie mit Kindern sprechen.

»Zwölf«, antwortet Shelby, und zwei leuchtende rosa Flecken blitzen auf ihren Wangen auf, als alle Erwachsenen im Raum sie anstarren. Sie hat die gleichen hellblauen Augen wie Millie, die sie beide von Randall geerbt haben, aber sie hat das dicke blonde Haar ihrer Mutter. Es hängt ihr in perfekten Wellen den Rücken hinab. Als Teenagerin hatte Leslie mit feinem Haar zu kämpfen, das immer nur gerade herunterhing, egal was sie auch versuchte, und Mädchen wie Shelby um ihre scheinbar mühelose Schönheit beneidet. Shelby ist groß und schlank, wie ihr Vater, und es gab bereits Gespräche über eine Karriere als Model. Ihre Mutter Bianca möchte ihre Tochter unbedingt bei einer Agentur unterbringen, aber Randall ist dagegen. »Sie ist zu jung. Du weißt doch, was mit jungen Mädchen passiert, die in die Modelbranche einsteigen.« Er ist in dieser Sache sehr standhaft, was ungewöhnlich für ihn ist. Er gibt Biancas Wünschen sonst immer nach, denn die Schuldgefühle wegen ihrer Situation zehren an ihm. »Sie hat ihre Wahl getroffen«, sagt Leslie dann zu ihm, aber immer wenn Bianca mit ihm spricht, betont sie, dass ihr Leben nicht so einfach ist, wie es sein sollte. Ständig erwähnt sie irgendeine Rechnung, die sie bezahlen muss. Leslie hat erst vor Kurzem bemerkt, dass Randall ihr daraufhin stets anbietet, die entsprechende Rechnung für sie zu übernehmen.

»Sie ist jetzt wieder verheiratet«, hatte Leslie vor ein paar Monaten zu Randall gesagt. »Ich bin sicher, Trevor würde es gar nicht gefallen, dass du im Grunde seine Rechnungen bezahlst.«

»Jetzt, wo sie ihn hat, werde ich damit aufhören. Ich habe das nur gemacht, weil ... Ich will mir einfach nicht vorstellen, dass Shelby ihr zuhört, wie sie darüber spricht, dass sie nicht genug Geld hat, während ich doch die Mittel habe, um ihr zu helfen.«

Leslie hatte es dabei bewenden lassen. Es ist sein Geld, und obwohl es durch ihre Ehe auch ihr Geld ist, arbeitet sie ja auch selbst und gemeinsam haben sie mehr als genug. Es stört sie einfach nur aus Prinzip. Als Bianca und Randall sich scheiden ließen, hatte sie ihm eine E-Mail geschickt, in der sie ihm drohte, er solle bloß nicht bei ihr angekrochen kommen, falls er seine Rechnungen nicht bezahlen könne. Das Universum hat anscheinend einen besonderen Sinn für Humor.

Leslie hatte erwartet, dass Shelby ihren Vater in Bezug auf die Modelsache unter Druck setzen würde, so wie sie es bei den Sperrstunden, den Hausaufgaben und den Babysitterpflichten tut, aber sie hat sich dazu bisher nicht geäußert. Sie scheint weniger interessiert daran zu sein als ihre Mutter und begnügt sich damit, ihre Social-Media-Konten mit Selfies und Bildern zu füllen, über die sie selbst die Kontrolle hat und bei denen sie die Möglichkeit hat, zu bestimmen, wer sie sehen kann und wer nicht. Vielleicht gefällt ihr der Gedanke an Castings und die Konkurrenz mit anderen hübschen Mädchen nicht, oder vielleicht bereitet ihr die ungewollte Aufmerksamkeit Sorgen, die einem zuteilwird, wenn das eigene Gesicht öffentliches Eigentum ist.

»Man muss ganz früh aufstehen und darf gar kein Fast Food essen ... nie. Das würde mich verrückt machen«, hatte sie Leslie und Randall eines Abends beim Essen erzählt. »Aber vielleicht mache ich es doch irgendwann. Ich weiß noch nicht.« Shelbys ganzes Leben liegt noch vor ihr, und sie hat alle Möglichkeiten der Welt, denn sie ist hübsch und klug und ihr Vater hat genug Geld, um ihr alles zu kaufen, was sie will. Leslies Kindheit hingegen war ganz anders: Sie wuchs bei einer alleinerziehenden Mutter auf, die ihr beibrachte, dass Geld kostbar ist und man es nicht verschwenden darf. Leslies Vater scherte sich nicht um die Unterhaltszahlungen für sein Kind und zahlte oft nicht so viel, wie er sollte. Leslie wurde in dem Glauben groß, dass sie unterdurchschnittlich war – egal ob es um ihr Aussehen, ihre Intelligenz oder ihre sportlichen Fähigkeiten ging. Ihre Mutter bemühte sich zwar sehr, sie vom Gegenteil zu überzeugen, aber Leslie war lieber realistisch, und das ist sie immer noch. Shelby führt ein ganz anderes Leben als sie damals. Sie ist ein privilegiertes Kind, von dem nur sehr wenig verlangt wird, und heute sollte sie sich einfach nur ein paar Stunden lang um eine Dreijährige kümmern. Leslies Hand macht sich wieder auf den Weg zu ihrem Kopf. Erst der Schmerz, den das Ausreißen der Haarsträhnen ihr bereitet, macht es ihr möglich, dem Constable wieder zuzuhören.

»Also«, sagt Constable Dickerson gerade zu Shelby. »Kannst du mir genau erzählen, was heute Nachmittag passiert ist?«

»Ich ... ähm ... ich habe auf Millie aufgepasst, während Leslie einkaufen war. Sie wollte nur eine Stunde weg sein, aber sie war ... länger weg«, erzählt das Mädchen.

Leslie mischt sich ein, die Rechtfertigung sprudelt nur so aus ihr hervor. »Die Schlangen waren lang und ich habe nicht gemerkt, wie spät es war. Es hat einfach länger gedauert, als ich dachte.«

Constable Dickerson dreht sich um, sein ganzer Körper bewegt sich dabei in dem Stuhl. »Alles klar, danke, aber gerade wollen wir Shelbys Version hören.« Er sieht Leslie noch einen Moment lang an, und sie nickt angesichts seiner Zurechtweisung und beißt sich auf die Lippe.

Shelbys Hände bewegen sich auf ihren Armen auf und ab und zerren am Stoff ihres schwarzen Kapuzenpullis. »Sie war so lange weg, viel, viel länger, als sie gesagt hat, und ich wollte mich *eigentlich* mit einer Freundin treffen.«

Leslie nickt erneut, zustimmend diesmal, obwohl der Constable sie gar nicht ansieht. Sie steht in der Nähe des Bogens, der vom Flur des offen gestalteten Hauses ins Wohnzimmer führt. Von dort aus kann sie die Haustür sehen, eine breite weiße Holztür mit einer großen Zinnklinke. Sie steht noch in genau dem Winkel offen, in dem sie sie geöffnet hat, als sie nach Hause kam und hineinrannte, um ihr Kind zu rufen. Trotz des Winterwindes, der hereinweht und sie alle frösteln lässt, erlaubt sie niemandem, sie zu schließen.

Ihr Blick schweift immer wieder von der Tür zu Shelby und zurück, denn Millie wird sicher jeden Moment reinkommen. Sie ist ein schlaues kleines Mädchen. Sie führt ihre Eltern auf ihren regelmäßigen Sonntagsspaziergängen durch das Viertel: »Und jetzt gehen wir hier runter und dann sehen wir den Hundi mit dem Fleck am Popo, und dann gehen wir hier lang, komm schon, Mum, wir müssen schnell zum Katzenhaus, sonst ist sie nicht da.« Sie würde den Weg zurück nach Hause finden, wenn sie aus irgendeinem seltsamen Grund wirklich allein einen Spaziergang gemacht hatte. Ist sie spazieren gegangen? Ist sie weggelaufen? Ist ihr etwas anderes, etwas Schreckliches zugestoßen? Leslie schüttelt den Kopf und schaut wieder zur Tür. Sie wohnen in einer sicheren Gegend.

Wenn man hier ein Kind allein draußen sieht, hält man an

und stellt ihm Fragen, vielleicht ruft man sogar die Polizei. Die Straße ist normalerweise sehr ruhig, die meisten Anwohner parken ihre Autos in Garagen hinter hohen Toren, aber Leslie hat hier auch schon Leute gesehen, die regelmäßig mit ihren Hunden spazieren gehen und einander und ihrer Familie zunicken, wenn sie draußen unterwegs sind. Es hat doch bestimmt irgendjemand etwas gesehen? Aber wo ist sie dann? Wo ist ihr Kind? Das Bild einer Gestalt in einem alten Lieferwagen taucht in ihrem Kopf auf. Er hält neben einer unbekümmert über die Straße schlendernden Millie an, und der Fahrer bietet ihr etwas Unwiderstehliches an, um sie in den Wagen zu locken. Sie spürt, wie ihre Hand sich zum wiederholten Male in Richtung ihres Kopfes bewegt. Das brennende Stechen, das sie spürt, als sie sich ein kleines Bündel Haare ausreißt, hilft ihr, dieses Bild zu verdrängen. Die schattenhafte Gestalt in einem Lieferwagen, die Kinder von der Straße entführt, ist schließlich eine Erfindung von Schriftstellern und Filmemachern. Das passiert nicht wirklich. Aber was *ist* dann passiert?

Die Schlangen an der Kasse im Supermarkt waren lang, zu lang, zumal sie nicht direkt dorthin gegangen war. »Ich hole nur schnell etwas zu essen, Shelby«, hatte sie Stunden zuvor versprochen, als sie noch angenommen hatte, es wäre ein ganz normaler Samstag. Ein gewöhnlicher Samstag, an dem sie mit ihrer Tochter und ihrer Stieftochter zu Hause festsaß, während Randall mit potenziellen Kunden Golf spielte oder im Garten herumwerkelte oder einer der anderen hundert Aktivitäten nachging, mit denen er gern seinen Samstag verbrachte, und von denen keine etwas damit zu tun hatte, Zeit mit der Familie zu verbringen.

»Ich bin erschöpft von der Arbeit, Les«, sagt er immer, wenn er mal nicht mit Kunden unterwegs ist.

»Das verstehe ich ja, aber ich arbeite auch, und es wäre schön, wenn wir als Familie etwas zusammen unternehmen würden, vor allem wenn Shelby hier ist.« Sie stellt sich dann vor, wie sie zu viert genau die Art von Familie bilden, nach der sie sich als Einzelkind stets gesehnt hatte. Sie ist neununddreißig und glaubt nicht, dass sie noch ein weiteres Kind bekommen würde, aber sie hofft, dass sich Shelby irgendwann wie ihr eigenes Kind anfühlen wird. Von dem Tag ihres ersten Treffens an hatte sie sich bemüht, ihre Stieftochter kennenzulernen, sie zu verstehen und sogar zu lieben. Aber Shelby war schon immer aufmüpfig, und wenn sie miteinander sprechen, kann Leslie fast Biancas Stimme im Kopf des Mädchens hören, die davor warnt, ihrer Stiefmutter zu nahe zu kommen.

Shelby liebt ihre Mutter und ist Leslie gegenüber feindselig, manchmal auch Millie gegenüber. Zumindest vermutet Leslie das. Am letzten Wochenende, das sie zusammen verbrachten, hatte Millie Shelby ihren neuen Computer gezeigt, und Shelby hatte gesagt: »Dreijährige haben normalerweise keinen Computer. Ich hatte jedenfalls keinen, als ich drei war.« Leslie weiß, dass diese Worte direkt von Bianca stammen, die Millie wahrscheinlich für verwöhnt hält, aber Shelby wird von Randall genauso verwöhnt. Dafür sorgt er schon.

»Die Welt ist heute anders«, hatte Leslie gesagt, die sich wie immer von ihrer Stieftochter verurteilt fühlte.

»Sie mag dich, Les, wirklich«, verspricht Randall ihr stets, wenn sie ihm sagt, dass sie sich Sorgen um ihre Beziehung macht. »Es ist nur schwer für sie, dir nahezukommen, denn Bianca ist ... na ja, du weißt schon.«

Leslie weiß es. Millie liebt Shelby natürlich abgöttisch. Ihre Augen beginnen zu leuchten, sobald ihre große Schwester den Raum betritt. Sie freut sich mehr darüber, sie zu sehen, als über irgendetwas anderes, und Shelby kann wirklich gut mit ihr umgehen – wenn sie will –, dann ist sie geduldig und freundlich und hat kein Problem damit, sich immer wieder die gleichen Dinge anzuhören. Leslie führt sich das andauernd vor Augen. Shelby liest Millie Geschichten vor, lackiert ihr die Nägel und schaut mit ihr Kindersendungen im Fernsehen, während sie beide Popcorn knabbern. Sie liebt ihre kleine Schwester. Aber manchmal hat sie keine Lust, Zeit mit ihr zu verbringen. Das ist ganz normal. Es ist wirklich normal und muss gar nichts bedeuten, aber ... wo *ist* Millie?

Heute hatte Shelby keine Lust, Zeit mit ihrer kleinen Schwester zu verbringen.

»Warum kannst du Millie nicht mitnehmen?«, hatte sie vorhin protestiert. »Warum? Es ist auch mein Samstag und ich möchte mich mit Kiera treffen. Ihre Mum hat gesagt, sie fährt uns zum Shoppen, damit wir uns Ohrringe kaufen können.«

»Ich weiß, aber mit Millie dauert alles länger.«

»Stimmt nicht«, beschwerte sich ihre Tochter empört. »Ich mag den Laden. Ich kriege was Leckeres und kann mit den Frauen und Männern reden, der einkaufen.«

»*Die* einkaufen«, korrigierte Leslie sie. »Ich springe nur schnell rein und wieder raus, Süße. Bitte, Shelby, ich beeile mich.« Schon während sie die Worte sagte, wusste sie, dass sie log, und sie fragte sich, ob Shelby das an ihren leicht geröteten Wangen erkennen konnte. Für einen Lebensmitteleinkauf war sie zu schick angezogen, und sie trug Make-up und High Heels.

»Okay, mach halt, aber beeil dich.« Shelby hatte einen genervten Blick aufgesetzt, und Leslie hatte sich auf die Lippe gebissen, weil sie Shelby nicht für ihre Unhöflichkeit tadeln konnte, da sie sie gerade um einen Gefallen gebeten hatte.

Wenn sie direkt in den Supermarkt gegangen wäre, hätte sie nur eine Stunde gebraucht und dann wäre vielleicht ... Sie wirft wieder einen Blick in Richtung Tür, während Shelby mit dem Constable spricht.

»... Und ich musste wirklich dringend ... auf die Toilette, also bin ich nach oben gegangen, und sie hat an ihrem Tisch gespielt und gemalt und so, und als ich wieder nach unten gekommen bin, war sie weg und die Haustür stand auf. Ich bin durchs Haus gerannt und habe sie gerufen, und ich bin sogar vorne rausgegangen und die Straße hoch, aber sie war einfach ...

weg«, beendet sie ihre Ausführung, und in genau diesem Moment stürzt ihre Mutter Bianca mit hartem Gesichtsausdruck und angespanntem Körper durch die Haustür, und Leslie merkt sofort, dass sie sich auf einen Kampf vorbereitet hat.

Randall steht direkt neben seiner Tochter, er kann sie berühren, doch jedes Mal, wenn er das tut, schüttelt Shelby seine Hand ab. Als er seine Ex-Frau sieht, erhebt er sich vom Sofa, und Leslie schluckt ihre übliche Verärgerung darüber herunter, wie entschuldigend er immer vor ihr wirkt.

»Warum genau spricht die Polizei mit unserer Tochter, ohne dass ich dabei bin?«, herrscht Bianca ihn an.

»Sie erzählt ihnen nur, was passiert ist«, erklärt Leslie. Bianca hat sie nicht gegrüßt, hat sie nicht einmal angeschaut.

Sie ist eine imposante Frau, groß und kräftig, und Leslie hat den Eindruck, dass sie jeden Aspekt ihres Lebens vollständig unter Kontrolle hat – außer Randall. Das Recht, Randall zu kontrollieren, hat sie vor sieben Jahren verloren. Als sie sich jetzt im Raum umschaut, spürt Leslie, wie sie selbst noch kleiner wird. Wäre sie einfach direkt in den Supermarkt gegangen, wäre das alles nicht passiert, davon ist sie überzeugt. Und sie ist auch davon überzeugt, dass es wahrscheinlich nicht mehr lange dauern wird, bis man ihr auf die Schliche kommt, und dann wird die Schuld für das Verschwinden ihres kleinen Mädchens ganz allein auf ihren Schultern lasten, und sie wird unter der Last zusammenbrechen, einfach komplett zusammenbrechen.

Sie hatte nie wirklich heiraten wollen, und obwohl sie sich ein Kind gewünscht hatte, fürchtete sie sich auch davor, denn sie wusste, dass man ein Kind mit Haut und Haar liebt, und sie wusste auch, dass sie alle Menschen verloren hatte, für die sie je so empfunden hatte. Ihr Vater war gestorben, als sie zwölf war – es war zwar weit weg von ihr passiert, aber sie war noch in einem Alter gewesen, in dem sie sich an den Gedanken geklammert hatte, dass er sie liebte und dass sie sich eines Tages nahe sein würden. Ihre

Großmutter und ihr Großvater waren nur ein paar Jahre später gestorben. Als sie Randall heiratete und Millie bekam, dachte sie, sie hätte jetzt genug Menschen verloren, aber sie irrte sich. Ihre Mutter verstarb kurz nach Millies Geburt, und ihr Tod ist bis heute ein Verlust, den Leslie nicht begreifen kann, wenn sie daran denkt.

»Ich gehe mal ein bisschen Käse kaufen«, hatte ihre Mutter gesagt, als sie eines Donnerstagnachmittags anrief. »Brauchst du was? Ich komme nachher vorbei, um mit meiner Maus zu kuscheln.« Sie bezeichnete Millie immer als ihre »Maus«, was Leslie jedes Mal zum Lächeln brachte. Sie war sehr dankbar, dass sie ihre Mutter hatte, mit der sie Millie teilen konnte. Selbst Randall war nicht so fasziniert von seiner Tochter wie sie und ihre Mutter es waren. »Gutes Timing«, hatte sie geantwortet. »Ich koche einen Eintopf zum Abendessen und habe Kartoffeln vergessen; kannst du mir einen Sack Babykartoffeln mitbringen?«

»In Ordnung, bis nachher«, hatte ihre Mutter gesagt, und Leslie hörte das Klicken, das bedeutete, dass ihre Mutter ihre lilafarbene Brille abgenommen und in ein Etui gesteckt hatte, damit sie sich eine andere Brille zum Autofahren aufsetzen konnte. Leslie wusste, dass sie einen Velours-Trainingsanzug anhatte, denn ihre Mutter hatte schon vor langer Zeit beschlossen, dass sie nur noch bequeme Kleidung tragen würde.

Nach eineinhalb Stunden war Leslie genervt. Der Eintopf musste noch eine Weile kochen, sonst würde das Fleisch nicht zart genug sein. Sie rief ihre Mutter auf dem Handy an, aber sie ging nicht ran. Eine halbe Stunde später begann sie, sich Sorgen zu machen, übergab die sechs Monate alte Millie an Randall und fuhr zum Haus ihrer Mutter, wo kein einziges Licht brannte. Sie fuhr wieder nach Hause und machte sich noch mehr Sorgen. Es war ungewöhnlich, dass ihre Mutter nicht ans Telefon ging und dass sie abends nicht zu Hause war.

Eine weitere Stunde verging, dann klingelte ihr Handy und

zeigte eine unbekannte Nummer an, die sich als die des Krankenhauses herausstellte. Ihre Mutter hatte auf dem Parkplatz des Supermarkts einen schweren Herzinfarkt erlitten. Der junge Mann, der die stehen gelassenen Einkaufswagen auf dem Parkplatz einsammelte, hatte sie über dem Lenkrad zusammengesackt gefunden.

Als Leslie viele Wochen nach der Beerdigung endlich das Auto ihrer Mutter auslud, um es zu verkaufen, fand sie unter anderem den Sack mit den Babykartoffeln, die schimmelten und keimten. Sie weinte, bis sie nicht mehr richtig atmen konnte.

Nach dem Tod ihrer Mutter war Leslie klar geworden, dass sie mit Ausnahme von Randall und Millie allein auf der Welt war, und ein paar Monate lang war sie übermäßig wachsam gewesen, hatte Randall um regelmäßige Kontrolluntersuchungen beim Arzt gebeten und Millie bei jedem kleinen Temperaturanstieg in die Notaufnahme geschleppt. Sie glaubte nicht, dass sie es überleben würde, noch jemanden zu verlieren, den sie liebte.

Und jetzt steht sie hier. Die Menschen, die sie liebt, wollen einfach nicht bei ihr bleiben. Ihr kleines Mädchen ist verschwunden, und es ist ihre Schuld. Es kann nur ihre Schuld sein, oder?

»Nun, jetzt bin ich da«, sagt Bianca herrisch, setzt sich neben ihre Tochter und legt den Arm um sie. »Du kannst weiterreden.«

Leslie beobachtet die drei auf dem Sofa: Randall, Bianca und Shelby. Sie sehen aus wie eine Familie: Shelby ist so offensichtlich eine Kombination aus ihren beiden Eltern. Noch vor ein paar Stunden waren Leslie, Randall und Millie eine Familie gewesen. Sie hat keine Ahnung, was sie jetzt ist. Überhaupt keine Ahnung.

Ein Schluchzer steigt ihr in die Kehle, als sie sich vorstellt, wie ihre Tochter nach ihr ruft, und sie hält sich die Hand vor den Mund und schluckt den Schmerz hinunter.

»Ich muss sie suchen gehen«, sagt sie mit brüchiger Stimme und Tränen auf den Wangen.

Der Constable dreht sich wieder in seinem Stuhl. »Nicht jetzt«, sagt er freundlich. »Noch nicht.«

FÜNF

SHELBY

Shelby gefällt es gar nicht, wie der alte Polizist sie ansieht, als könnte er die Wahrheit in ihren Augen erkennen. Er kann sie erkennen, und jeden Moment wird er sagen: »So, wir wissen, was passiert ist, und wir müssen dich auf die Polizeiwache bringen und dich anklagen.«

»Kann ich auf die Toilette gehen?«, fragt sie ihre Mutter, denn ihre Blase fühlt sich plötzlich an, als würde sie gleich platzen, so wie kurz vor einer Klassenarbeit. In der Schule machen die Jungs sich vor ihr immer zum Affen, um ihre Aufmerksamkeit zu erregen, aber wenn es um Klassenarbeiten geht, fühlt sie sich wie der dämlichste Mensch der Welt. In den meisten Fächern gehört sie zu den Besten in ihrer Klasse, aber das hilft nicht, denn jede Klassenarbeit könnte ans Licht bringen, dass sie eigentlich eine dumme Versagerin ist.

Nun, sie *hatte* zu den Besten in ihrer Klasse gehört. Letzten Monat ist sie bei zwei Prüfungen durchgefallen und musste dreimal nachsitzen. Ihre Mutter fragt ständig: »Was ist nur los mit dir?«, und ihr Vater fragt: »Bedrückt dich etwas?«, und so hat sie gemerkt, dass sie sich plötzlich wieder sehr für sie interessieren, nun da sie so viel Mist baut. Hätte ihr jemand im Alter von sechs Jahren gesagt, dass sich ihre Eltern eines Tages nicht mehr für sie interessieren würden, hätte sie gelacht. Mit sechs war sie der Mittelpunkt der Welt für ihre Eltern gewesen, mit sieben merkte sie, dass sie ein kompliziertes eigenes Leben hatten, und jetzt weiß sie, dass sie überhaupt kein Interesse an ihr haben. Es sei denn, sie baut Mist – und das kann sie mittlerweile richtig gut.

Ihre Mutter ist mit ihrem Handy beschäftigt und schreibt sich zweifellos mit ihrem Stiefvater. Wenn jemand sie beide, Shelby und Trevor, nebeneinanderstellen und sagen würde: »Einer von ihnen muss sterben«, dann würde ihre Mutter zögern, bevor sie ihre Tochter retten würde, davon ist Shelby überzeugt. Vielleicht ist das dramatisch, aber manchmal fühlt es sich eben so an. »Es muss sich nicht immer alles um dich drehen, Shelby«, ist gerade der Lieblingssatz ihrer Mutter, aber Shelby fragt sich, ob sich überhaupt noch irgendetwas um sie dreht.

»Natürlich, natürlich darfst du das, Schatz«, antwortet ihr Vater für ihre Mutter, die sie wahrscheinlich gar nicht gehört hat, und drückt ihr die Schulter, sodass sie seine Hand erneut abschütteln muss.

Sie steht vom Sofa auf und läuft die Treppe hoch in das Badezimmer, das an ihr Zimmer angeschlossen ist, weil sie weit weg von allen sein will. Es ist mit kühlen braunen und cremefarbenen Marmorfliesen ausgestattet und hat eine riesige Badewanne und einen Waschtisch mit einem Spiegelschrank, der groß genug für ihr ganzes Make-up ist. Das Badezimmer gehört ihr allein, und sie liebt es – sie liebt es, seit Leslie ihr verkündet hatte, es gehöre ihr, wenn sie zu Besuch komme –, aber sie hasst es auch, weil Leslie nicht ihre Mutter ist und dies das Haus sein sollte, in dem sie mit ihrer Mutter und ihrem Vater lebt, nicht mit ihrer Stiefmutter. Dann wäre alles in Ordnung; na ja, nicht komplett in Ordnung, denn sie würde sich immer noch jeden Tag in der Schule quälen müssen, aber es wäre besser.

Ihre Eltern haben sich scheiden lassen, als sie fünf Jahre alt war, beziehungsweise hatte ihre Mutter damals eines Abends zu ihrem Vater gesagt: »Es reicht, Randall. Du interessierst dich für nichts außer für diese blöde Software, die sich nie verkaufen wird. Vergiss die Software oder lass mich mein Leben führen.« Eigentlich hätte Shelby schlafen sollen, aber sie war wach und hörte zu, wie sich ihre Eltern stritten. Das hatte sie schon in den Monaten vor der Trennung getan. Wenn sie an diese Zeit zurückdenkt, weiß sie, dass ihre Streitereien irgendwann mehr als das Gezanke gelangweilter Eheleute waren, die sich über das Müllrausbringen und die Unordnung in der Küche beschwerten. Damals fing sie an, sie zu belauschen. Nach der Scheidung versicherten ihr beide Eltern, dass sie sie liebten, und sie gewöhnte sich daran, zwischen der Wohnung ihres Vaters und der Wohnung ihrer Mutter hin- und herzuziehen und sich all die Dinge zu merken, die sie jeweils mitnehmen musste. In den Wohnungen galten jeweils andere Regeln, aber das war irgendwie auch von Vorteil für sie. Es war schön, ein wenig Abstand von ihrer Mutter zu haben, die wollte, dass sie früh ins Bett ging oder leise spielte oder sie einfach nur in Ruhe ließ. Ihrem Vater machte es nichts aus, wenn sie lange aufblieb, er ließ sie essen, was sie wollte, und obwohl er immer mit der Arbeit beschäftigt war, schien er sich trotzdem zu freuen, sie zu sehen. Sie glaubte, dass bald wieder alles in Ordnung sein würde. Doch dann änderte sich alles.

Sie wird sich nie daran gewöhnen, wie wütend ihre Mutter über alles ist, vor allem darüber, dass ihr Vater tatsächlich jemanden gefunden hat, der Millionen von Dollar in seine Software investierte, womit er ein großes Unternehmen aufbaute, als sie sechs war. Und dann lernte er Leslie kennen und heiratete sie. Das machte ihre Mutter so wütend, dass sie eine Tasse gegen die Küchenwand warf, woraufhin diese zerbrach und die Scherben überallhin flogen. Shelby erinnert sich, dass sie an diesem Abend Angst vor ihr hatte. Ihre Mutter schien überhaupt nicht mehr ihre Mutter zu sein. »Nach allem, was er mir angetan hat, was bleibt mir da? Nichts! So ist es nämlich, rein gar nichts«, hatte sie geschrien. Sie schrie nicht Shelby an, sondern die ganze Welt, aber Shelby war trotzdem traurig, weil ihre Mutter ja noch sie hatte und sie doch nicht nichts war.

Im Badezimmer geht sie auf die Toilette und steht dann lange vor dem Spiegel, wäscht sich die Hände und lässt sich von dem warmen Wasser beruhigen. Sie schaut sich im Spiegel an und ihr gefällt nicht, was sie dort sieht. »Was hast du getan?«, flüstert sie sich selbst zu. »Was hast du nur getan?« Während sie das Wasser laufen lässt, holt sie ihr Handy aus der Tasche und überlegt, ob sie Kiera eine Nachricht schicken soll, aber dann lässt sie es bleiben. Stattdessen liest sie noch einmal die letzten Nachrichten im Chatverlauf mit Kiera durch und spürt, wie ihr ein Schauer über den Rücken läuft. Was, wenn sie ihr Handy überprüfen? Das macht die Polizei doch immer, oder?

Ich kann leider nicht kommen, meine Stiefmutter zwingt mich zum Babysitten.

OMG, das macht sie immer. Es ist nicht fair, dass du den Samstagnachmittag mit der kleinen Göre verbringen musst.

Ich weiß, und es ist immer so. Das ist so nervig.

Ja, es ist einfacher, Einzelkind zu sein, das steht fest.

Ich weiß. Ich wünschte, ich wäre noch eins!!!!

Ihre Finger wischen über die Nachrichten, und dann löscht sie sie schnell, bevor jemand nach ihr suchen kommt. Sie werden nicht mit Kiera sprechen. Oder? In ihrer Brust klopft ihr Herz schneller. Was, wenn sie Kiera nach ihrem Handy fragen?

»Das werden sie nicht«, beruhigt sie ihr Spiegelbild. Sie wird ihnen nicht sagen, dass Kiera hier war, und Kiera wird es auf keinen Fall jemandem erzählen. Kiera ist gut darin, Geheimnisse zu bewahren, vor allem wenn sie mit ihr selbst zu tun haben.

Sie nimmt ihre Bürste mit dem Holzgriff in die Hand und beginnt, ihr Haar langsam und sanft zu kämmen, während sie ihr Spiegelbild betrachtet. Das Kämmen ihrer Haare beruhigt sie immer. Früher hat ihre Mutter das gemacht, auch als sie eigentlich schon zu alt dafür war, aber jetzt macht sie es nicht mehr. Ihre Mutter interessiert sich eigentlich nur noch für Trevor, und manchmal bemerkt Shelby ihren Blick, der verrät, dass sie es kaum erwarten kann, dass sie erwachsen wird und auszieht und die beiden allein lässt. Shelby kann es selbst auch nicht erwarten, erwachsen zu werden, allein zu leben, mit der Schule fertig zu sein und die Kontrolle über ihr Leben zu haben und darüber, wer daran teilhaben darf.

Millie ist erst seit drei Jahren in ihrem Leben, aber in diesen drei Jahren hat sie alles verändert. Shelby wurde von der wichtigsten Person im Leben ihres Vaters zur zweitwichtigsten, und manchmal scheint sie auch komplett unwichtig zu sein. Niemand kann mit einem Baby oder einem Kleinkind mithalten, egal wie klug oder hübsch man ist. Ihre Mutter will sie nicht wirklich im Haus haben, und ihr Vater interessiert sich nur für sein neues Kind, und Shelby ist ... nichts. Ihre Mutter hatte vor all den Jahren schon recht.

Sie wischt sich eine Träne von der Wange. Sie wünschte, sie könnte einfach allen die Wahrheit sagen, aber es ist komplizierter, als einfach nur ein Geständnis zu machen. Wie es wohl im Gefängnis ist? Sie erschauert. Sie will nicht ins Gefängnis. Sie muss weiter lügen.

Als es passiert ist, wusste sie, dass Leslie bald nach Hause kommen würde, und sie wusste, dass es keine Möglichkeit gab, das Verschwinden ihrer kleinen Schwester zu verheimlichen, und darum hatte sie sie angerufen, nachdem sie die Haustür weit geöffnet hatte, und sie hatte geweint und geschrien, dass Millie weg war.

Sie nimmt ihr Handy wieder in die Hand und starrt auf das Bild von ihr und Kiera. Kiera ist ihre erste richtige beste Freundin, so wie eine beste Freundin aus einem Film. Kiera und ihre Mutter sind erst vor ein paar Monaten hierhergezogen. Sie hat nie einen Vater gehabt. Ihre Mutter wurde von einem Samenspender schwanger, was Kiera ihr erzählt hatte, als sie das erste Mal bei ihr übernachtete. »Ekelhaft«, hatte Shelby gekichert, und Kiera hatte mit ihr gelacht. »Ja, oder? Wirklich eklig, aber sie wollte unbedingt ein Baby.«

»Hättest du gern einen Vater?«, hatte Shelby gefragt, während sie sich alle braunen M&M's in den Mund steckte.

»Ich weiß nicht. Du hast doch einen Vater und einen Stiefvater. Wie ist das so?« Kiera aß die anderen M&M's und stopfte sie sich alle durcheinander in den Mund. Shelby zuckte mit den Schultern, denn sie wusste nicht, wie sie über diese Dinge sprechen sollte, außer zu sagen, dass ihre Eltern sie in den Wahnsinn trieben.

Sie wollte nicht, dass es schlecht klang, zwei Väter zu haben – sie wollte, dass Kiera sie beneidet, nur ein bisschen, denn es gibt vieles, um das sie Kiera beneidet. Zum Beispiel, dass sie keine Angst davor hat, anderen Kindern oder Lehrern oder sogar dem Direktor zu sagen, was sie denkt, dass sie die schnellste Läuferin der Schule ist, dass sie sich nicht um die Meinung anderer schert. Bei Kiera sieht alles so einfach aus, aber für Shelby ist alles kompliziert und chaotisch und ihr Leben macht sie meistens traurig.

Millie hat nur einen Vater, Shelbys Vater, und manchmal, wenn Shelby die beiden beobachtet, wie sie ganz ruhig und konzentriert zusammen puzzeln, dann fragt sie sich, ob er jemals auf die gleiche Art und Weise Zeit mit ihr verbracht hat. Sie glaubt es nicht. Aber vielleicht lag das auch nur daran, dass er immer an seiner Software gearbeitet hat, als sie klein war, und jetzt ist er der Chef eines Unternehmens und sehr, sehr reich. Oder vielleicht liegt es daran, dass er Millie mehr liebt als Shelby, denn alle lieben Millie. Shelby nennt sie Millie Billy, und ihr Vater und Leslie nennen sie Millie Molly, nach einer Figur aus einem Kinderbuch, das Leslie mag.

Shelby beugt sich vor und hält ihre Hände wieder unter das fließende Wasser, dreht den Hahn auf kalt und wartet, bis es abgekühlt ist. Sie trinkt in großen Schlucken, ihr Mund ist so trocken. Sie hat keine Ahnung, wie sie das wieder in Ordnung bringen soll. Der Verlust ihrer kleinen Schwester fühlt sich nicht echt an, aber sie weiß, dass sie tot ist. Sie hat es mit ihren eigenen Augen gesehen. Sie will weinen, aber sie fühlt sich innerlich wie tot, als ob die Shelby, die fühlen kann, auch tot wäre.

»Shelby«, hört sie ihren Vater von unten rufen, und sie weiß, dass sie sich nicht mehr länger im Badezimmer verstecken kann. Sie öffnet die Tür und geht in den Flur. Millies Zimmer befindet sich direkt neben ihrem, und die Tür ist offen. In Millies Zimmer ist alles rosa, vom Teppich über die Vorhänge bis hin zur Bettdecke und der Kuscheldecke auf dem Bett. Sie hat ihren Schlafanzug auf dem Boden liegen lassen, und Shelby betritt das Zimmer, atmet den speziellen fruchtigen Geruch ihrer Schwester ein und hebt den Schlafanzug auf. Sie faltet ihn zusammen und legt ihn unter das Kopfkissen.

»Gute Nacht, Millie Billy«, flüstert sie. »Mach's gut.«

Und dann hält sie den Atem an, um nicht den Mund zu öffnen und zu schreien, ganz laut zu schreien, weil ihre Brust so schmerzt und ihre Augen brennen und das Leben, wie sie es bisher kannte, vorbei ist.

SECHS

RUTH

In der Küche schneide ich einen säuerlichen roten Apfel in Scheiben und lege die Scheiben in einen perfekten Kreis, dann schneide ich hauchdünne Scheiben Cheddar und lege sie auf den Apfel. Reiscracker bilden den Abschluss dieses perfekten späten Mittagessens, genau zehn Reiscracker, zehn Apfelscheiben und zehn Käsescheiben. Ich sitze vor dem Fernseher und schaue eine Seifenoper, die ich mag, während ich auf die Nachrichten warte. Ich liebe die schönen Häuser mit den schönen, aber schrecklich problembehafteten Menschen, die sich immer Zeit zum Nachdenken nehmen, bevor sie sprechen. In die Handlung kann man jederzeit leicht ein- und wieder aussteigen, darum finde ich es so beruhigend, Seifenopern zu schauen.

Ich habe in den letzten zehn Jahren jeden Tag das Gleiche zu Mittag gegessen. Normalerweise esse ich genau um dreizehn Uhr, aber heute war ich zu dieser Zeit beschäftigt, und dann dauerte alles länger, als ich dachte, wegen ... dem, was ich gesehen habe. Aber auch wenn es schon spät ist, muss ich mein Mittagessen einnehmen, sonst fühlt sich der Tag nicht richtig an. Es fühlt sich nicht richtig an, ganz und gar nicht, aber ich muss das in die Hand nehmen, was ich in die Hand nehmen kann, und das Mittagessen ist da ein guter Anfang.

Ich bin ein Gewohnheitstier. Das war ich früher nicht. Vor ... vor allem war ich ein normales dreizehnjähriges Kind mit lockigem braunem Haar, Sommersprossen und einer Lücke zwischen meinen übergroßen Vorderzähnen. Wenn ich jetzt in den Spiegel schaue, was ich meistens vermeide, dann sehe ich, dass meine Haare immer noch braun und lockig und lang sind und zwischen meinen Vorderzähnen immer noch eine Lücke klafft, aber die ist jetzt kleiner. Ich achte sehr streng auf meine Mundhygiene, putze mir zweimal am Tag die Zähne und verwende danach Zahnseide. Ich war nicht mehr beim Zahnarzt, seit meine Mutter und ich in dieses Haus gezogen sind und ich mich geweigert habe, es zu verlassen. Ich habe mich geweigert, zur Schule, zum Einkaufen oder zum Zahnarzt zu gehen.

»Nein«, sagte ich immer, wenn sie mich bat, mit ihr irgendwohin zu gehen. Einfach: »Nein.« Ich habe mich nicht mit ihr gestritten, damit hätte sie fertig werden können. Sie hätte mitgestritten, geschrien und gebrüllt, aber es gab nichts, was sie tun konnte, wenn ich einfach ablehnte. Eine der Stärken meiner Mutter war ihre Fähigkeit, Menschen ihre Perspektive zu zeigen, aber wenn man ihr nicht zuhörte, konnte sie nicht viel ausrichten. An dem Tag, als wir in dieses Haus einzogen, in das Haus meiner Großmutter, fühlte ich mich endlich sicher. Ich musste meine Stapel anlegen, um mich sicher zu fühlen, und ich wusste gleichzeitig, dass ich mich nicht mehr sicher fühlen würde, wenn ich das Haus verlassen, aus der Tür und hinaus in die Welt gehen würde. Denn alles, was passiert war, würde möglicherweise wieder passieren. Und so blieb ich drinnen, umgeben von meinen Stapeln, sicher vor allem und jedem.

Das Einzige, wozu ich mich freudig bereit erklärte, war es, Autofahren zu lernen. Meine Mutter brachte es mir in dem gelben Käfer bei, und obwohl ich jedes Mal einige meiner

Stapel umwerfen und wieder aufbauen musste, bevor ich in das Auto stieg, wusste ich, dass ich hinter den verschlossenen Türen und getönten Scheiben sicher war, abgeschirmt von der Welt. Heute ist es mein geschützter fahrender Raum, und einzusteigen fällt mir nicht mehr schwer. Diesen Raum wieder zu verlassen, sobald ich mein Ziel erreicht habe, ist jedoch etwas ganz anderes, aber ich versuche es immer wieder. Wochen vergehen, in denen ich mit dem Auto nur eine Runde um den Block fahre, um sicherzugehen, dass es einwandfrei funktioniert. Aber manchmal halte ich an einem Park oder am Strand an, steige aus und lege meine Hand auf die Motorhaube, um einen anderen Blick zu genießen als den auf meinen kleinen Garten. Ich bleibe so lange stehen, bis das Adrenalin in mir hochsteigt und mich zwingt, zu meinen Sammlungen zurückzukehren.

Wir sind oft zur Therapie gegangen, meine Mutter und ich. Wir gingen zusammen und wir gingen getrennt, aber niemand konnte mir helfen, meine Angst zu überwinden, nach draußen in die Welt zu gehen, in der andere Menschen waren.

»Können Sie mir sagen, seit wann Ruth Angst davor hat, aus dem Haus zu gehen?«, fragte eine Therapeutin namens Beth Hawley meine Mutter. Ich ging zu Beth, als ich siebzehn Jahre alt war. Sie hatte langes graues Haar, das sie zu einem Dutt zusammengebunden hatte, und sie kam immer zu spät und war dann noch durcheinander von einer anderen Therapiestunde.

»Nein«, antwortete meine Mutter und schüttelte schnell den Kopf. Sie hatte wirklich lange darüber nachgedacht, aber die Antwort auf diese Frage fiel ihr nicht ein. Ich glaube schon, dass sie es wusste. Sie hatte es gesehen, hatte es bemerkt, aber sie dachte, es sei nur ein Ausrutscher, etwas Unbedeutendes gewesen, und dass ich mich davon erholt hätte – denn *sie* hatte sich definitiv davon erholt.

Meine Mutter, Beth und ich saßen auf dem Sofa in

unserem Wohnzimmer, das für diesen Besuch aufgeräumt und geputzt worden war. Auf dem elegant geschnitzten, filigranen Holztisch stand eine silberne Teekanne neben einigen zarten weißen Porzellantassen, die allesamt meiner Großmutter gehörten, die zu diesem Zeitpunkt in ihrem Zimmer war und den Tag verschlief. Im Haus meiner Großmutter traute ich mich zumindest, mein Zimmer zu verlassen. In unserem alten Haus, das in einer Sackgasse auf einem winzigen Grundstück gestanden hatte, hatte ich mich vor der Welt in meinem Zimmer versteckt, und dort blieb ich, bis wir zu meiner Großmutter zogen.

Mit zwölf wechselte ich die Schule und kam von meiner kleinen, sicheren Grundschule auf eine große, weitläufige Highschool mit über tausend Schülern. Ich fühlte mich sofort verloren, verwirrt und einsam, aber schließlich lebte ich mich doch ein und fand Freunde, und ich hätte ein ganz passables Leben haben können, wenn die Dinge nicht passiert wären, die passiert sind, als ich dreizehn, vierzehn und fünfzehn war. Meine selbst auferlegte Abschottung von der Welt begann womöglich mit der leichten Panik, die ich jeden Morgen empfand, wenn ich zur Schule gehen musste, aber ich hatte ja keine Ahnung, was mich erwartete. Überhaupt keine Ahnung.

Ich bin lange zur Therapie gegangen. Aber die Sache ist die: Wenn man nicht bereit ist, sich zu ändern, funktioniert es nicht. Wenn man nicht entschlossen ist, sich selbst zu helfen, und man seine schrecklichen Geheimnisse nicht preisgeben kann, ist sie im Grunde nutzlos.

Nachdem wir bei meiner Großmutter eingezogen waren, war es in Ordnung für mich, außerhalb meines Zimmers zu sein, solange ich schnellen Zugriff auf einen Stapel von Dingen hatte, die ich umwerfen und wieder aufbauen konnte, wenn es an der Tür klingelte, jemand anrief oder eine Panikattacke aus dem Nichts auftauchte, während ich fernsah.

Was ist los mit dir? Was ist nur los mit dir? Was kann denn bloß los mit dir sein?, jammerte meine Mutter.

»Lass sie in Ruhe, Nora«, sagte meine Großmutter, die Eleanor hieß, immer zu meiner Mutter, wenn sie verzweifelt war. Sie kannte den Wert des Sammelns, und heute frage ich mich, ob das daran lag, dass sie selbst eine Sammlerin war, oder weil sie verstand, was ich zu tun versuchte. Es wurde nie offen darüber gesprochen; niemand hat je gefragt: »Wovor genau versteckst du dich, Ruth?« Oder, was noch wichtiger gewesen wäre: »Vor *wem* versteckst du dich, Ruth?« Alle paar Monate fragte mich meine Mutter, was los sei, was für ein Problem ich habe, warum ich mich so verhalte, aber ich wusste, dass ihre Fragen mir nur die Freiheit geben sollten, nicht zu antworten. Manchmal wollen die Leute die Antworten gar nicht hören. Wenn jemand auf der Straße an einem Bekannten vorbeigeht und fragt: »Hey, wie geht's?«, dann will er nichts weiter hören als: »Gut, danke, und dir?« Meine Mutter wollte unbedingt, dass es mir »gut, danke«, geht.

Sie tat ihr Bestes, aber um wirklich etwas zu bewirken, hätte sie sich selbst und ihre Bedürfnisse hintanstellen müssen, und das konnte sie nicht. Das Haus meiner Großmutter, das jetzt mein Haus ist, ist ein geschützter Raum. Ich spüre hier ihren Geist, der über mich wacht und mich beschützt, genau wie in ihrem Auto.

Während einer Werbepause überprüfe ich meinen Kontostand, was ich zwei- oder dreimal am Tag tue. Als sie starb, hinterließ mir meine Mutter ein kleines Erbe und dieses Haus. Sie arbeitete im Einzelhandel – zwischen zwei Ehemännern und nachdem sie die Idee eines Ehemanns endlich aufgegeben hatte – und sie war ziemlich gut in ihrem Job. Sie verkaufte alles, von Kleidung bis hin zu Autos. Ich habe genug, um über die Runden zu kommen. Ich brauche nicht viel.

Seit dem Tod meiner Mutter vor sechs Monaten hat sich etwas in mir gelöst – oder vielleicht habe ich mich von allem befreit, was ich vor ihr verborgen habe – und ich habe begonnen, mich hinauszuwagen. Das musste ich natürlich auch. Es gab ja niemanden mehr, der mir Dinge brachte, die ich in meine Sammlungen aufnehmen konnte. Schon vor ihrem Tod habe ich angefangen, nachts mit behandschuhten Händen durch die Straßen zu streifen, vor allem in den Nächten vor der Abholung des Recyclingmülls. Das Älterwerden hat wohl dazu beigetragen, dass ich mich mehr und mehr in der Lage fühlte, mit dem fertig zu werden, was mir begegnen würde. Und das kleine Taschenmesser, das ich bei mir trug, hat sein Übriges dazu beigetragen. Es sieht zwar harmlos aus, fährt aber auf Knopfdruck eine Klinge aus, die groß genug ist, um Schaden anzurichten, und scharf genug, um Schmerzen zu verursachen.

Seit dem Tod meiner Mutter zwinge ich mich, auch tagsüber rauszugehen und nicht nur irgendwohin zu fahren und die Aussicht zu bewundern, sondern tatsächlich mit der Welt zu interagieren, der unsicheren, ungewissen, chaotischen Welt. Ich sage mir immer: *Du schaffst das*. Ich habe nämlich Angst, dass ich eines Tages wirklich dieses Haus verlassen muss und einfach nicht in der Lage dazu sein werde. Ich habe Angst, allein hier drin zu sterben, weil ich zu viel Angst habe, Hilfe zu holen. Mein Backenzahn tut manchmal weh, und ich mache mir Sorgen, dass ich Karies habe. Es mag möglich sein, Ärzte und Zahnärzte für immer zu meiden, besonders dank des Internets und seiner endlosen Ratschläge, aber vielleicht werde ich eines Tages keine Wahl mehr haben. Darum bereite ich mich vor, trainiere wie eine Soldatin und mache mich mit kleinen Missionen bereit für stunden- und tagelange Einsätze im Freien.

Bevor ich das Haus verlasse, ziehe ich mir mehrere Schichten an. Ich beginne mit einem Unterhemd, ziehe ein dünnes Oberteil und einen Pullover darüber und schließe mit einer Daunenjacke ab. Dazu trage ich eine Sonnenbrille und eine Mütze. Im Sommer wird das schwieriger sein, aber ich habe keine Ahnung, wo ich im Sommer sein werde, keine Ahnung, wie sich das alles entwickeln wird.

Nach dem heutigen Tag, nach den letzten Wochen wünschte ich, ich hätte mich nie gezwungen, rauszugehen. Ich wusste, was da draußen ist, aber ich wusste nicht, dass es auf mich wartete.

Ich hasse es, dass ich tagsüber so oft raus musste, aber es war notwendig.

Die Nachrichten fangen an, und die smarte Nachrichtensprecherin mit dem gepflegten blonden Bob und der tiefen Samtstimme sagt: »Ein Kind ist heute Nachmittag als vermisst gemeldet worden. Millie Everleigh ist drei Jahre alt, hat schwarzes Haar und blaue Augen.« Auf dem Bildschirm taucht ein Bild auf, und ich verschlucke mich fast, kriege den Bissen einfach nicht runter. Ich spucke ihn aus und wische mir mit dem Handrücken über den Mund, denn mir ist der Appetit vergangen. »Wir schalten jetzt zum Haus der Everleighs, wo Millies Eltern darauf warten, einen Aufruf an die Öffentlichkeit zu richten …«

Ich schalte den Fernseher schnell aus. Ich kann mir das nicht ansehen. Ich kann es nicht.

Sie suchen bereits nach ihr. Aber das war ja klar. Sie suchen sie, aber sie werden sie nicht finden. Das weiß ich.

SIEBEN

LESLIE

15:30 Uhr

Sie und Randall stehen vor den Reportern, die sich im Vorgarten eingefunden haben, einer oder zwei von ihnen stehen im Blumenbeet. Sie befürchtet, dass die kleinen Rosensträucher, die gerade erst zu blühen beginnen, das Getrampel nicht überleben werden. Bei diesem Gedanken steigen ihr Tränen in die Augen, und sie muss sie sich wegwischen, schnell blinzeln und schniefen. Sie wünschte, sie hätte ein Taschentuch. Es sind viele Menschen hier, alle drängen sich nach vorn, iPhones, Kameras und Mikrofone auf Leslie und Randall gerichtet.

Ein AMBER-Alarm wird nur dann ausgelöst, wenn die Polizei glaubt, dass Millie entführt wurde und nicht einfach weggelaufen ist. »Und wann genau treffen Sie diese Entscheidung?«, hatte Randall den Polizisten gefragt.

»Nach der Pressekonferenz werden wir noch einmal abwarten, ob sie jemand gesehen hat, und dann überlegen wir, was wir tun.«

»Aber warum machen Sie das nicht sofort? Warum warten

Sie?«, hatte Leslie ihn frustriert gefragt. Warum wurde nicht alles getan, was getan werden konnte?

»Wir haben nicht ohne Grund festgelegte Vorgehensweisen und Regeln«, antwortete der Polizist freundlich. Leslie erkennt an der Art, wie er spricht – an der Art, wie er zuhört und reagiert –, dass er schon sehr lange mit Menschen an den schlimmsten Tagen ihres Lebens zu tun hat. Er verspricht nichts, wahrscheinlich weil er weiß, dass er das nicht darf, und er regt sich nicht auf, wenn Stimmen laut werden und Tränen fließen. Er ist ruhig und spricht leise, und Leslie fragt sich, ob er zu Hause bei seiner Familie genauso ist oder ob er anders ist, wenn er nicht in der Öffentlichkeit steht.

Das Viertel wurde durchsucht und Millie ist seit etwa zwei Stunden verschwunden, zumindest den Informationen nach, die Shelby der Polizei gegeben hat. Eine so kurze Zeitspanne, die sich dennoch anfühlt wie eine Ewigkeit.

»Du hast also eine ganze Weile nach ihr gesucht, bevor du deine Stiefmutter angerufen hast«, hatte der Constable festgestellt, als Shelby erklärte, dass sie kurz nach dreizehn Uhr auf die Toilette gegangen war. Dass sie die genaue Uhrzeit wusste, war nicht verwunderlich, schließlich klebte sie ständig an ihrem Handy.

»Ähm, ja, genau ... Ich dachte, sie würde spielen«, hatte Shelby geantwortet. »Und als ich sie nicht finden konnte, habe ich noch einmal nachgesehen und bin nach draußen gegangen, und dann ... dann habe ich Leslie angerufen.«

Millie ist schrecklich im Versteckenspielen. Sie langweilt sich schnell, und wenn sie nach wenigen Minuten nicht gefunden wird, ruft sie: »Jetzt find mich doch endlich!« Sie versteckt sich einfach nur hinter dem Sofa oder hinter ihrer Zimmertür. Sie mag die Aufregung, gefunden zu werden, die Heimlichkeit des Versteckens hingegen weniger. Shelby weiß das, und während sie dem Constable zuhörte, richtete Leslie ihren Blick auf das Gesicht ihrer Stieftochter und wollte sie unbedingt fragen, warum sie log, doch dann hatte sie sich abgewandt. Vielleicht war Millie anders, wenn Leslie nicht da war. Vielleicht machte es ihr mehr Spaß, mit Shelby Verstecken zu spielen als mit Leslie. Aber vielleicht, nur vielleicht, hatte Shelby auch gelogen.

Leslie bekommt mit, wie ein Kameramann und eine Reporterin mit kastanienbraunem Lippenstift ganz ernst darüber diskutieren, wo sie filmen sollen, und sie wünschte, sie hätte wenigstens daran gedacht, etwas Rouge aufzutragen. Sie wird im Fernsehen aussehen wie ein Geist.

Millie ist seit über zwei Stunden verschwunden, und das ist das Einzige, was noch wichtig ist. Die ersten vierundzwanzig Stunden – diese Zeitspanne wird in Fällen vermisster Personen oder Kinder immer als ausschlaggebend genannt – verstreichen langsam. »Die meisten vermissten Kinder werden innerhalb der ersten vierundzwanzig Stunden gefunden«, hatte Constable Willow sie beruhigt, während sie darauf warteten, dass die Reporter und die Leute, die helfen würden, die Nachricht zu verbreiten, eintrafen – allesamt gierig nach einer spannenden Geschichte an einem langweiligen Samstagnachmittag.

Noch zweiundzwanzig Stunden? Einundzwanzigeinhalb Stunden? Jede Minute zählt, jede sechzigste Sekunde bringt ihre Tochter näher an ihr Zuhause heran oder entfernt sie weiter davon.

Leslie weicht einen Schritt zurück, weg von den immer wieder aufblitzenden Lichtern der Kameras und den fragenden Gesichtern. Randall legt seine Hand auf ihren Rücken und drückt sie wieder nach vorn, damit sie nicht entkommen kann.

»Kannst du das bitte lassen?«, flüstert sie.

»Wir müssen da zusammen durch«, flüstert er zurück. »Wenn jemand sie entführt hat ...« Er beendet den Satz nicht. *Niemand hat sie entführt, sie hat sich einfach verlaufen. Sie wird bald, ganz, ganz bald gefunden werden.*

Randalls Gesicht ist blass, und sie erkennt die Erschöpfung

an den dunklen Ringen unter seinen Augen. In den letzten Wochen hat er nicht gut geschlafen. Er wälzt sich die ganze Nacht hin und her, und ein paar Abende zuvor, als sie selbst dringend Schlaf brauchte, bat sie ihn, ins Gästezimmer zu ziehen. Er hatte nicht widersprochen und nur mit dem Kopf genickt. »Es tut mir leid, Les«, hatte er gesagt. Bianca beschäftigt ihn im Moment ziemlich. Seine Ex-Frau ruft ihn fast täglich an, um über Shelbys Probleme zu sprechen, und Bianca behauptet wohl, dass sich Shelbys Verhalten verschlimmere, wenn sie aus ihrem Haus zu ihr zurückkehre.

»Sie will, dass wir sie für eine Weile nicht sehen«, hatte er gestern Abend gesagt. »Sie findet, dass Shelby immer besonders schwierig ist, nachdem sie ein Wochenende hier war. Sie wäre glücklich und entspannt, bevor sie zu uns kommt, und käme voller Wut und Aggression zurück.«

»Das ist lächerlich«, meinte Leslie darauf. »Sie ist dein Kind. Bianca hat kein Recht, dich daran zu hindern, sie zu sehen. Shelby ist hier genauso glücklich wie zu Hause. Ich meine, sie ist ... Vielleicht ist es nur das Alter.«

»Vielleicht, aber sie will nicht mit mir reden.« Er schob einen Finger hinter seine Brille und rieb sich das Auge, dann wandte er den Blick von ihr ab. Da wurde ihr klar, dass er wirklich besorgt war, dass Bianca ihm den Zugang zu seinem Kind verwehren würde. »Vielleicht hat Bianca recht. Ich meine ... ich weiß nicht, wie ich mit einem zwölfjährigen Mädchen umgehen soll«, seufzte er und drehte sich wieder zu ihr um. Biancas Worte, das waren so offensichtlich Biancas grausame Worte.

Die Lehrer von Shelbys Schule beschweren sich neuerdings in E-Mails über ihre Leistungen, ihre Einstellung und ihr allgemeines Verhalten. Irgendetwas stimmt nicht, aber Shelby will niemandem sagen, was los ist. »Ich hasse die Schule«, ist alles, was sie hervorbringt, um zu erklären, warum sich ihr Verhalten so plötzlich verändert hat.

Randall war ungläubig gewesen. »Aber du bist doch immer

gern zur Schule gegangen. Du magst Englisch und Geschichte. Wie heißt noch mal dein Geschichtslehrer? Mr Jordan – du hast gesagt, er würde alles so erzählen, als wäre es erst gestern passiert, dass er es interessant und spannend macht«, hatte er protestiert.

»Ich will nicht darüber reden«, gab Shelby nur zurück und beendete damit das Gespräch, während sie ihr Essen auf dem Teller hin- und herschob.

Es wusste wohl niemand so recht, wie man mit ihr umgehen sollte.

Leslie erinnert sich, dass dieses Gespräch erst vor zwei Wochen stattfand. Seit zwei Wochen hatte Shelby Probleme in der Schule und war unkommunikativ geworden, und jetzt ist das hier passiert. Das hängt doch alles zusammen, oder? Aber sie kann der Polizei ja schlecht sagen, dass Shelby die Schule hasst und ihre Halbschwester deshalb verschwunden ist. Der Bogen, den man dazu spannen muss, ist zu weit.

Insgeheim hat Leslie das Gefühl, dass Randall ein wenig Angst davor hat, was Shelby sagen könnte, wenn sie sich ihm gegenüber wirklich öffnen würde. Mit Millie verhält er sich anders, aber Millie ist noch so klein und sie hat keine Ahnung, wie er mit Shelby in diesem Alter umgegangen ist. Wenn er ihr die Erlaubnis geben würde, würde sie versuchen, mit Shelby zu reden, aber er will nicht, dass Bianca sich aufregt, die anscheinend dringend dafür sorgen will, dass Shelby Leslie als die sprichwörtliche böse Stiefmutter sieht. Leslie wünscht sich, dass es anders wäre, und sie weiß, dass Randall ebenso gern wie sie abends in ein Zuhause zurückkehren würde, in dem Zusammenhalt und Frieden herrschen.

»Könnt ihr aus den Blumenbeeten verschwinden?«, würde sie am liebsten all den Leuten zuschreien, die in ihrem Vorgarten stehen, aber das würde sie nur wie eine Verrückte aussehen lassen. Sie hofft, dass das Ganze jetzt endlich losgeht, damit es schnell wieder vorbei ist und sie etwas Zeit mit

Randall und Shelby verbringen kann, um herauszufinden, was passiert sein könnte. Nein, nicht um herauszufinden, was passiert sein könnte, sondern um Shelby dazu zu bringen, die Wahrheit zu sagen.

Warum nur denkt sie diese Dinge? Sie ist ein schrecklicher Mensch.

Randall strafft immer wieder die Schultern und richtet sich auf, sobald die Blitzlichter aufleuchten, wenn sie fotografiert werden: das Paar mit dem vermissten Kind. Sie stellt sich die Millionen von Fernsehgeräten und Internetseiten vor, die vielen Millionen Augen und Ohren, die alle etwas zu sehen und zu hören bekommen wollen.

Sie wird gefunden werden. Sie muss gefunden werden.

»Los, mach schon«, murmelt Randall, und sie weiß, dass er genauso leidet wie sie. Sie sind nicht die Art von Eltern, die ihr Kind verlieren – aber welche Art von Eltern sind sie dann?

Sie hat Randall in der Werbeagentur kennengelernt, in der sie die Leiterin der Grafikdesignabteilung war.

Es war keine Liebe auf den ersten Blick. Er war ihr zu groß und dünn und unbeholfen. Außerdem war er mit seinen vierundvierzig Jahren damals zehn Jahre älter als sie. Er brauchte ein neues Logo und einen Social-Media-Auftritt für die Software, die er jahrelang entwickelt hatte. Er hatte sich endlich die Finanzierung durch ein großes Unternehmen in den Staaten sichern können, und sie konnte ihm ansehen, dass er zur Gründungszeit seines Unternehmens nicht so recht wusste, was er mit dem ganzen Geld anfangen sollte, das er nun hatte. Doch er lernte schnell, und wenn man ihn heute sieht, wie er in einem teuren Anzug mit Investoren spricht, würde man niemals vermuten, dass ihm früher vor Kundenterminen immer mulmig zumute war. Das Älterwerden hat seinem Äußeren gutgetan – sein Haar ist ergraut und er ist durchtrainierter, anders als viele andere Männer, die im Alter dick werden und eine Glatze bekommen.

Bei ihrem ersten Treffen, so erzählte er ihr später, sei er sehr nervös gewesen, weil er sie so schön fand, und obwohl Leslie in ihrem Leben schon häufig männliche Aufmerksamkeit erfahren hatte, war sie nie als schön angesehen worden. Hübsch, zart oder zerbrechlich waren die Worte, die die meisten Männer benutzt hatten, die sie vor der Welt retten wollten. Randall interessierte sich für ihre Arbeit, für ihre Denkweise, für ihr Auge für Design. Seine Nerven brachten ihn dazu, mehr mit ihr zu teilen, als man es mit Geschäftspartnern eigentlich tut.

»Meine Frau hat es gehasst, dass ich meine gesamte Freizeit damit verbracht habe, an der Software zu arbeiten. Sie meinte, dass daraus nie etwas werden würde. Aber ich wollte nicht aufgeben«, erzählte er ihr, während er ihr erklärte, was die Software für große und kleine Unternehmen leisten kann. Er war so stolz, und sein Enthusiasmus war so ansteckend, dass sie sich selbst dabei ertappte, wie sie noch ein bisschen härter für ihn arbeitete, weil sie wollte, dass er mit ihren Designs zufrieden war. Bei langen Mittagessen und vielen Nachmittagen in ihrem Büro – er bestand darauf, vorbeizukommen, obwohl auch alles per E-Mail oder am Telefon hätte erledigt werden können – verliebte sie sich in ihn. Er brachte sie zum Lachen, freute sich immer, sie zu sehen, und interessierte sich für alles, was sie sagte. Es war aufregend, mit ihm zusammen zu sein.

Das erste Treffen mit Shelby hingegen war schwierig gewesen. Sie war unsicher, wie sie sich einem siebenjährigen Kind gegenüber verhalten sollte, das immer noch hoffte, seine Eltern würden wieder zusammenkommen. In den Worten ihrer Stieftochter konnte sie Biancas Verbitterung darüber spüren, dass Randall erst nach der Scheidung erfolgreich geworden war.

»Meine Mutter hat nicht so ein großes Haus«, sagte Shelby zu ihr, als sie das Haus kauften.

»Meine Mutter hat nicht so schöne Klamotten«, sagte sie, als sie Leslies Kleiderschrank durchstöberte.

Randall war großzügig mit den Unterhaltszahlungen,

obwohl er Bianca offiziell weniger schuldete, aber Geld war ihm nie besonders wichtig gewesen. Seine Leidenschaft gilt seiner Arbeit. Seiner Arbeit und seinen Kindern. Er liebt Shelby und Millie unsterblich. Und Leslie empfindet echte, tiefe Liebe für ihre Stieftochter, das kann sie mit Sicherheit sagen, aber Shelby hat es ihr nie leicht gemacht. Leslie hat das Gefühl, dass sie sich jedes Lächeln, jeden glücklichen Moment hart erarbeiten muss. Aber sie versucht, sich bei Randall nicht zu oft darüber zu beschweren, sondern wendet sich nur an ihn, wenn sie dringend die Bestätigung braucht, dass Shelby sie nicht doch hasst. Shelby ist Teil seines Lebens, und sie wollte sich nie zwischen die beiden stellen. Doch in letzter Zeit hat Shelby sich sogar von Randall abgewandt.

Und jetzt stehen sie hier und Leslies Kind ist weg. Ihr Kind. Ihr einziges Kind, denn mehr als ein Kind wollte sie nie haben.

»Wenn ich um Ihre Aufmerksamkeit bitten dürfte ... Vielen Dank«, sagt Constable Dickerson, hebt die Hände und wartet darauf, dass die versammelte Menge still wird. »Wir rufen die Öffentlichkeit auf, bei der Suche nach Millie Everleigh zu helfen, geschrieben M-I-L-L-I-E E-V-E-R-L-E-I-G-H. Sie ist drei Jahre alt, fünfundneunzig Zentimeter groß und wiegt etwa vierzehn Kilo. Sie hat blaue Augen und lange schwarze Haare. Sie trägt eine rosa Cord-Latzhose mit einem blauen langärmeligen Oberteil darunter und rosa Ugg-Stiefel. Es wird angenommen, dass sie gegen dreizehn Uhr fünfzehn das Haus verlassen hat. Wir bitten die Öffentlichkeit, nach dem Kind Ausschau zu halten. Die Suche im Wohnviertel ist bereits im Gange, und wir haben einen Trupp im Wonderland Park, der etwa zwanzig Gehminuten von hier entfernt ist. Wenn Sie sich gerade im Park befinden, dann halten Sie bitte die Augen nach Millie offen ...«

Bei der Erwähnung des großen Parks in der Nähe ihres Hauses dreht sich Leslie der Magen um. Das war der erste Ort, den sie der Polizei genannt hatte. Millie liebt den Park mit den künstlich angelegten Seen voller Enten und dem Spielplatz mit den zwei Klettergerüsten und den zwei verschiedenen Schaukeln neben dem Spielhaus. Die Seen mit ihrem kalten, stillen Wasser haben Leslie schon immer Angst gemacht, und wenn sie und Millie dort sind und die Enten füttern, hält sie ihr kleines Mädchen immer mit einer Hand fest. Millie lernt gerade schwimmen, aber sie kann es noch nicht richtig. Randall wollte den Park durchsuchen, aber er ist zu groß für ihn allein, und die Polizei war schon unterwegs. Wenn sie Millie nicht bald finden, werden sie die Seen durchforsten, Polizeitaucher in Neoprenanzügen werden durch das trübe Wasser schwimmen und nach der Leiche ihres Kindes suchen. *Nein, nein, bitte nicht.*

Constable Dickerson wendet sich ihnen zu und sagt: »Und jetzt möchten Millies Mutter und Vater ...« Er tritt zurück und deutet mit einer Geste an, dass sie und Randall nach vorn gehen sollen. Gemeinsam stellen sie sich den Kameras und den Fragen.

Während Randall seinen Aufruf zur Mithilfe bei der Suche nach Millie vorträgt, sieht Leslie sich selbst, wie sie an diesem Vormittag um Viertel vor zwölf aus der Einfahrt fährt. Sie wusste, dass sie in einer Stunde nicht zurück sein würde, dass sie vor dem Einkaufen noch etwas anderes zu erledigen hatte und dass sie diese Information vor Shelby und Randall geheim halten musste. Als sie klein war, hatte ihre Großmutter – die Mutter ihres Vaters – immer Folgendes gesagt, während sie mit einem knochigen Finger vor Leslies Gesicht herumwedelte: »Ein Geheimnis, das man für sich behält, ist ein Geheimnis, das man später bereut.« Als Kind waren Leslies Geheimnisse kleine Sünden gewesen, wie einen zusätzlichen Keks zu essen, sich nicht die Zähne zu putzen oder zu spät ins Bett zu gehen und unter der Bettdecke zu lesen. Als Teenager waren Geheimnisse für sie pikante Informationen, die nur mit den engsten Freundinnen ausgetauscht wurden – Dinge, die an einem Tag als sehr wichtig erachtet wurden, am nächsten aber schon wieder vergessen waren. Für Erwachsene sind Geheimnisse in einer Ehe manchmal notwendig, aber Leslie hatte sie früher nie als notwendig erachtet, und sie dachte eigentlich, sie hätte noch Zeit, es Randall zu sagen, es ihm zu erklären. Aber dafür ist es jetzt zu spät, und sie weiß nicht, wie sie sich Zeit allein mit Randall verschaffen soll, mit so vielen Menschen um sie herum, so vielen Gesichtern, die sie beobachten.

Sie sieht, wie sich der Mund ihres Mannes bewegt, und sie gibt sich Mühe, so auszusehen, wie sich die Leute die Mutter eines vermissten Kindes vorstellen. Aber sie ist sich sicher, dass sie es falsch macht. *Ein Geheimnis, das man für sich behält, ist ein Geheimnis, das man später bereut.* Als Kind hatte sie dieses Bereuen in Form kleiner Bestrafungen erlebt: kein Eis nach dem Abendessen, keine Fernsehzeit. Aber was ist der Preis der Geheimnisse, die man als Erwachsener hat? Bestimmt, ganz bestimmt ist dieser Preis zu hoch.

In der Menge der Journalisten fällt ihr ein Mann auf, der sie direkt anstarrt. Er scheint sich nicht einmal auf die Pressekonferenz zu konzentrieren, sondern beobachtet nur sie, und sie weiß ... sie spürt, dass sie es falsch macht. Sie sieht nicht richtig aus; sie sieht nicht so aus, wie sie aussehen sollte. Die Tweets und Kommentare werden sich bereits in den sozialen Medien häufen, während Randall noch spricht. Sie kann sie sich schon vorstellen.

Warum sieht sie so entspannt aus?

Auch wenn man reich ist, sind die Kinder nicht sicher.

Warum wurde die Stieftochter mit dem Kind allein gelassen? Mit zwölf ist man zu jung, um auf ein kleines Kind aufzupassen.

Was hat die Mutter die ganze Zeit über gemacht?

Irgendwas ist hier faul, wenn ihr mich fragt.
Kinder verschwinden nicht einfach.

Sie werden sich gegen sie wenden; alle, die zuerst mit Mitleid reagieren, wenn sie hören, dass ein Kind vermisst wird, werden sich am Ende gegen sie wenden.

Das ist immer so. Leslie hat sich solche Pressekonferenzen schon mal angesehen und dabei selbst gemerkt, wie sie die Mutter des vermissten Kindes verurteilt hat. *Wie konnten Sie das nur zulassen? Haben Sie nicht auf Ihren kleinen Jungen, auf Ihr kleines Mädchen aufgepasst?* Und *sie* hat es zugelassen. Sie hat die Betreuung ihres Kindes einer Zwölfjährigen überlassen, die offensichtlich gerade Probleme hat, und ist einfach gegangen.

Shelby passt erst auf Millie auf, seit sie zwölf Jahre alt ist. Leslie hatte sich über das gesetzliche Mindestalter für das Babysitten in Australien informieren wollen, um sicherzugehen, dass das Ganze in Ordnung war, und musste feststellen, dass es dazu gar kein Gesetz gibt. Aber eine Person unter achtzehn Jahren kann rechtlich nicht für das verantwortlich gemacht werden, was mit dem Kind von jemand anderem geschieht, darum sollte man sich sicher sein, dass diese Person reif genug ist, die Verantwortung zu übernehmen. Sie und Randall hatten das gemeinsam mit Shelby besprochen, und es gab viele Gespräche darüber, was in einem Notfall zu tun sei. Am Kühlschrank hängt eine Liste mit den Nummern der Polizei, des Arztes und sogar der Nachbarn. Shelby hatte sich bereit erklärt, und bis jetzt war es wirklich gut gelaufen, die Mädchen genossen die Zeit allein miteinander.

Shelby ist reif genug, um auf Millie aufzupassen, sie ist schlau genug, um zu wissen, was zu tun ist, wenn etwas passiert, und sie ist besonnen genug, um nicht ohne Grund in Panik zu geraten.

Aber vielleicht hatte sie heute keine Lust, reif und schlau und besonnen zu sein, und auch keine Lust, sich um Millie zu kümmern. Heute war Shelby nicht bereit gewesen, weil Shelby heute keine Lust gehabt hatte, und das hätte genügen müssen, damit Leslie Millie mit in den Supermarkt nimmt. Das hätte ausreichen müssen. Aber Leslie wollte ja nicht nur einkaufen gehen.

Die Pressemeute beginnt, Fragen zu stellen, und Leslie spürt, wie sie sich distanziert. Sie werden sich gegen sie wenden. Sie wird eine Frage falsch beantworten, oder sie wird nicht traurig genug aussehen, oder sie wird einfach den Mund öffnen und ihre Angst herausschreien, und dann werden sie sich gegen sie wenden. Und sie haben recht damit, sie sollten sich gegen sie wenden.

Sie bewegt sich immer weiter nach hinten, bis nur noch Randall neben dem Constable steht und versucht, die Fragen zu beantworten, die ihm von den Reportern entgegengeschleudert werden, die nach jeder noch so kleinen Information lechzen.

Sie haben angegeben, dass ein anderes Kind auf sie aufgepasst hat. Werden die Kinder oft allein gelassen?

Wurden die Nachbarn befragt?

Wurde sofort die Polizei gerufen?

Hat die Polizei eine Ahnung, wohin sie gegangen sein könnte?

Wer war die letzte Person, die Millie gesehen hat?

In was für einer Stimmung befand sie sich? War sie aus irgendeinem Grund aufgewühlt?

Und dann tritt auch Randall zurück, und der Constable behandelt sie so, wie er alle behandelt – behutsam, geduldig, freundlich.

Leslie schaut sich in ihrem Vorgarten um und ärgert sich

über den zertretenen Rasen und die niedergetrampelten Blumen. Es sind so viele Menschen hier, und sie sollte dankbar dafür sein, das weiß sie, aber jeder von ihnen steht zwischen ihr und ihrer Stieftochter, zwischen ihr und der Wahrheit, zwischen ihr und ihrer Tochter. Und so hofft sie, dass sie alle einfach gehen und sie in Ruhe lassen. Aber das werden sie nicht, darum stellt sie sich an den Rand und beobachtet sie, während sie sie beobachten, und sie betet, dass bei all den Blicken und all dem Beobachten irgendjemand irgendetwas sieht.

ACHT

SHELBY

Man hat sie nicht vor die Tür gelassen, um mit den Reportern zu sprechen, aber sie hat sich ans Fenster gestellt und das Treiben draußen beobachtet. Es ist ein komisches Gefühl, so aus dem Fenster zu schauen, als wäre sie irgendeine verrückte Stalkerin. Alles wurde so schnell so groß – ein wahr gewordener Albtraum. Sie kann nicht glauben, wie viele Leute da draußen sind. Irgendwie sehen sie alle ... weder traurig noch mitfühlend aus ... Sie sehen gespannt aus, als wäre das hier das Beste, was an einem ruhigen Wochenende in Sydney passieren könnte. Ihr wird ganz flau im Magen, der sich bereits zusammengezogen hat und jetzt anfängt wehzutun. In ihrer Hand vibriert ihr Handy und sie schaut auf das Display.

Sag besser keinem, dass ich da war

Vor Schreck lässt sie das Handy fallen und hebt es dann schnell wieder auf, in der Hoffnung, dass niemand sie gesehen hat. Sie löscht die Nachricht sofort, so wie sie auch alle anderen Nachrichten zwischen ihr und Kiera gelöscht hat.

Kiera ist nicht die Art von Freundin, die ihre Eltern sich für sie wünschen. Das wissen sie zwar noch nicht, aber die vielen E-Mails, die sie bekommen haben, lassen sie es wohl langsam ahnen. Kieras Mutter arbeitet viel, weil sie alleinerziehend ist, und sie hat alle möglichen Regeln aufgestellt, um Kiera zu schützen. Shelby hätte sich penibel daran gehalten, wenn sie erst im Haushalt helfen und ihre Hausaufgaben machen müsste, bevor sie an den Computer dürfte. Aber Kiera ist anders, und je mehr Zeit sie miteinander verbringen, desto mehr verändert sich auch Shelby. Sie hätte niemals gedacht, dass sie mal jemand sein würde, der sich in der Mittagspause durch das Hintertor aus der Schule schleicht, wo nie ein Lehrer aufpasst, um zu schwänzen und shoppen zu gehen. Aber genau das hat sie am Freitag gemacht. Sie ist sich ziemlich sicher, dass die Schule ihre Eltern deswegen am Montag anrufen wird, aber gestern war ihr das egal. Am Montag wird es sie wahrscheinlich auch nicht interessieren. Wo wird sie am Montag überhaupt sein? Wer wird sie sein?

Am Freitag waren sie und Kiera in ein Café gegangen. Sie waren gut drauf, weil sie der Schule und dem Geschichtsunterricht am Nachmittag entkommen waren. Kichernd bestellten sie Schokomilchshakes und einen Teller Pommes, den sie sich teilten. Als die Kellnerin ihre Bestellung brachte und ihnen einen Seitenblick zuwarf, als wüsste sie, dass die beiden gerade die Schule schwänzten, musste Shelby so sehr lachen, dass sie prustete. Während sie aßen, machten sie jede Menge verrückter Fotos zusammen, und alle, die ihr auf Instagram folgten, hatten sie geliked und gefragt, wo sie waren, und sie hatte sich so mutig und so stark gefühlt. In letzter Zeit hatte sie sich selten so gefühlt. Stattdessen war sie sich klein und schwach und wie eine Zeitverschwendung vorgekommen, aber Kiera gab ihr das Gefühl, anders und besser zu sein. Kiera kann aber auch ein bisschen gemein sein. Sie will nämlich nicht, dass Shelby neben ihr noch andere Freundinnen hat. Sie will nicht, dass Shelby sich mit irgendjemandem außer ihr trifft.

Und am allerwenigsten will sie, dass Millie dabei ist, wenn sie sich treffen. Als sie das erste Mal bei ihr übernachtete, wollte sie nicht mit Millie fernsehen, bevor Millie ins Bett musste. Sie wollte nicht einmal im selben Zimmer sitzen, während Shelby ihrer Schwester eine Geschichte vorlas, und sie war sehr wütend, als Millie sie beide am nächsten Morgen früh weckte. Shelby vermutete, dass das daran lag, dass sie ein Einzelkind war. Aber heute war ihr klar geworden, dass Kiera eine regelrechte Abneigung gegen die dreijährige Millie hegte, und das lag daran, dass sie es hasste, wenn Shelby ihre Aufmerksamkeit jemand anderem als ihr schenkte.

Sie hat die Nachrichten gelöscht, in denen sie über Millie geschrieben haben, und sie wird nie jemandem erzählen, worüber sie am Telefon geredet haben, nachdem Leslie weg und Millie damit beschäftigt war, sich alle Nagellackfarben anzusehen, damit Shelby ihr die Nägel lackieren konnte.

»Warum kannst du sie nicht einfach eine Weile allein lassen? Sie ist alt genug«, hatte Kiera gesagt.

»Das geht nicht, sie ist erst drei und mein Stiefmonster würde durchdrehen, wenn sie das rausfindet.« Sie bezeichnete Leslie immer als ihr Stiefmonster, wenn sie mit Kiera sprach, obwohl sie sie nicht wirklich so sah. Manchmal ist Leslie ein bisschen drüber, zu emotional und überfreundlich, aber Shelby weiß, dass sie sich wirklich Mühe gibt, sie bei Laune zu halten. Es ist seltsam zu sehen, wie sich eine Erwachsene so sehr bemüht, ihre Freundin zu sein, und sie hat deshalb beinahe Mitleid mit ihrer Stiefmutter. Niemand sonst in Shelbys Leben interessiert sich so sehr für ihre Gefühle wie Leslie, und irgendwie ist Shelby ausgerechnet deshalb wütend auf sie, wütender als auf ihre Mutter, die so tut, als hätte sie zum ersten Mal in ihrem Leben einen Freund, oder ihren Vater, der sich eine neue Familie zugelegt hat, die besser zu seinem neuen Leben als reicher Geschäftsmann passt.

»Soll ich einfach vorbeikommen und wir hängen ab?«, hatte Kiera am Telefon gefragt.

»Ich weiß nicht ...« Shelby hatte gezögert, denn Kiera hat eine Art, Sachen vorzuschlagen, die zwar wirklich aufregend klingen – wie Alkohol aus dem weißen Holzschrank im Wohnzimmer zu klauen oder sich aus dem Haus zu schleichen, um eine Zigarette aus dem Päckchen zu rauchen, das sie ihrer Mutter gestohlen hat, oder eine der Pillen zu nehmen, die sie die »Glückspillen« ihrer Mutter nennt –, die Shelby aber ein bisschen gefährlich vorkommen. Kiera war bisher nur bei ihrer Mutter und ihrem Vater zu Hause gewesen, wenn Erwachsene da waren, und Shelby konnte dann immer sagen: »Meine Mutter würde das merken« oder »Mein Vater wird uns hören«. Und das hatte gereicht, um Kiera aufzuhalten – bis heute.

»Komm schon, Shelby, sei nicht so ein Baby. Sie ist für eine Stunde weg und wir können einfach abhängen. Ich schleiche mich aus der Hintertür raus, wenn wir sie nach Hause kommen hören.«

»Aber was sagt deine Mutter?«

»Meine Mum ist shoppen. Ich habe ihr gesagt, dass ich nicht mitwill, wenn du nicht dabei bist. Sie hat sowieso keine Lust, Zeit mit mir zu verbringen. Heute Morgen hat sie mir gesagt, ich wäre undankbar, sie würde alles für mich tun und bla, bla, bla. Eltern halt.«

»Wie willst du hierherkommen?«

»Mit dem Bus. Komm schon, bitte ... Ich bin ganz allein hier.« Kiera hatte ihre traurige Stimme aufgesetzt, und Shelby wusste, dass sie nachgeben würde – das tat sie meistens.

Es ist nicht so, dass sie keine anderen Freundinnen hat; aber die Art, wie Kiera sie ansieht, ist anders. Ihr ist es egal, ob Shelby eine Eins schreibt oder nicht. Susanna, die früher so etwas wie ihre beste Freundin war, hatte immer ganz schockiert geguckt, wenn sie eine Zwei bekommen hatte. Und Kiera scheint es auch nichts auszumachen, dass sie so aussieht, wie sie aussieht, vielleicht weil sie selbst so hübsch ist. Shelby ist es gewohnt, dass alle ihr ständig sagen, wie hübsch sie sei, und sie ist dankbar, dass sie anscheinend eine Art genetischer Lotterie gewonnen hat, aber manchmal hat sie das Gefühl, dass sie darum immer perfekt aussehen muss. Ihre Mutter glaubt, sie wolle unbedingt Model werden und den ganzen Tag lang fotografiert werden, aber ihr graut vor dieser Vorstellung. Sie hat das Gefühl, dass sie dann irgendwann nur noch ein Bild sein würde, ein zweidimensionales Foto auf einer Seite, das sich die Leute ansehen, um sie auf ihre Makel hinzuweisen. Und sie mag es auch gar nicht, wenn ihr irgendwelche Leute sagen, sie sei hübsch, wie der fremde Mann im Zug, als sie und Leslie an ihrem Geburtstag in der Stadt shoppen gingen. »Was bist du hinreißend«, hatte er gesagt, und Leslie hatte ihren Arm um sie gelegt und sie näher an sich herangezogen. »Ja, das ist sie«, antwortete sie für Shelby, die sich sofort abstoßend und bloßgestellt fühlte. Ältere Männer sollten junge Mädchen nicht so ansehen, aber das tun sie, das weiß sie. Sie bevorzugt Selfies, denn dabei hat sie die Kontrolle und kann selbst entscheiden, wer sie ansehen darf.

Kiera sieht nicht die hübsche Shelby oder die kluge Shelby oder Shelby, die nervige Tochter, die im Weg ist. Sie sieht einfach nur Shelby.

»Okay, komm halt rüber«, hatte sie zugestimmt, und das war das Schlimmste, was sie je getan hatte. Das Allerschlimmste, denn es war der Beginn dieses Albtraums. Was würde Kiera mit ihr machen, wenn sie jemandem erzählt, dass sie hier war? Wie wütend wäre sie? Heute hatte sie nicht nur ihre gemeine Seite gezeigt, sie hatte sich fast in eine andere Person verwandelt, in jemanden, den Shelby niemals in die Nähe ihrer kleinen Schwester hätte lassen dürfen.

Wenn Kiera nicht gekommen wäre, hätte sie Millie nicht

angeschrien und Millie hätte nicht gedroht, wegzulaufen, und dann hätten die beiden ihr nicht die Straße entlang hinterherrennen müssen, nachdem Kiera die Tür geöffnet und gesagt hatte: »Na dann los, du kleine Göre. Hau ab!«

Und dann ... dann hätte diese Person sie nicht erwischt.

NEUN

RUTH

Ich brauche etwas zu trinken und gehe zurück in die Küche, wo ich eine Dose Lightlimonade mit Himbeergeschmack aus dem Kühlschrank hole. Sie ist ekelhaft süß und schmeckt ein bisschen nach Plastik, aber ich trinke sie dankbar in großen Schlucken, um meinen Mund vom Geschmack des Apfels und des Käses zu befreien.

Zurück vor dem Fernseher atme ich tief durch und schalte das Gerät wieder ein, wobei ich mir zuflüstere: »Du schaffst das, Ruth.« Anscheinend habe ich gerade die Eltern des kleinen Mädchens verpasst. Ich mache den Ton lauter und höre, wie ein Polizist Fragen beantwortet. Hinter ihm kann ich ihre Mutter sehen, das ist ganz eindeutig ihre Mutter. Sie steht etwas abseits von allen anderen. Im Hintergrund sind auch ein paar Männer zu sehen, aber ich kann nicht erkennen, welcher von ihnen ihr Ehemann ist, der Vater des vermissten kleinen Mädchens. Ich kann es nicht erkennen, aber ich weiß, wer es ist. Ich weiß es. Ich brauche nur eine Bestätigung. Ich habe das Gefühl, näher an den Bildschirm heranzumüssen, um besser zu sehen, aber das ist lächerlich. Ich weiß noch, wie mich meine Mutter vom Fernseher wegzog, als ich klein war. »Du bekommst viereckige Augen«, sagte sie, und ich stellte mir vor, wie sich meine mandelförmigen Augen in perfekte Vierecke verwandelten. Ich hatte nichts gegen die Vorstellung.

Manchmal frage ich mich, ob meine Mutter auf mich herabschaut, wie man so schön sagt. Beobachtet sie mich? Kann sie sehen, wie mein Leben aussieht, und bedauert sie irgendetwas?

Es wäre ein Leichtes für mich, über sie hinwegzukommen, wenn sie einfach nur eine schreckliche Mutter gewesen wäre, aber das war sie nicht. Wie die meisten Menschen war sie eine Mischung aus guten und schlechten Eigenschaften. Und sie dachte – sie glaubte ganz fest –, dass sie das Beste aus unserer schwierigen Lage machte. Mein Vater hatte uns im Stich gelassen, als ich erst drei Jahre alt war, genau wie das kleine Mädchen, nach dem sie suchen. Ich bin mir nicht sicher, ob ich überhaupt gemerkt habe, dass er weg war. Er ging immer frühmorgens zur Arbeit und reiste viel in verschiedene Teile des Landes, um landwirtschaftliche Geräte zu verkaufen. Ich war daran gewöhnt, dass er nicht da war. Erst als meine Mutter anfing, abends auszugehen und mich mit der fünfzehnjährigen Tochter unseres Nachbarn allein zu lassen, wurde mir klar, dass sich etwas verändert hatte. Ich hatte kein Problem damit, meine Abende mit Charlene zu verbringen. Sie bürstete und flocht mir die Haare und ließ mich mit ihr Seifenopern schauen, wenn ich schon längst im Bett hätte sein sollen.

Ich hatte jedoch ein Problem damit, dass meine Mutter anfing, Männer mit nach Hause zu bringen.

Als ich das erste Mal morgens einen davon in der Küche vorfand, stieß ich einen lauten Schrei aus und begann vor Angst zu weinen. In Jeans und einem offenen Hemd stand er am Wasserkocher und wartete darauf, dass das Wasser kochte. Er war groß, nahm ziemlich viel Raum ein und roch stark nach Moschus.

»Beruhig dich, Ruth«, befahl meine Mutter, die in einen seidenen Morgenmantel gehüllt mit einer Zigarette zwischen den Lippen in die Küche kam. Der Rauch waberte durch die Luft. Ich schloss meinen Mund. Meine Mutter roch ebenfalls nach Moschus, nicht nach ihrem üblichen leichten Rosenduft.

»Das ist Bernie«, sagte sie zu mir, während sie mir eine Müslischale hinstellte und sie füllte. »Er ist ... Was machst du noch mal, Darling?«

»Versicherungen«, brummte der große, haarige Mann. »Du hast echt eine gute Lunge, Kleine.«

Er und meine Mutter lachten lange über diesen kleinen Scherz. Ich wollte nicht mit ihnen in der Küche sein, rümpfte die Nase und nahm mein Müsli, um es vor dem Fernseher zu essen. Er sollte nicht in unserem Haus sein. Unser Haus war zu klein für einen so großen Mann wie ihn. Es gab nur zwei Schlafzimmer, meine Mutter schlief in dem einen und ich in dem anderen. Wo sollte er schlafen? Ich war damals noch sehr naiv. Meine Mutter versuchte auf ihre Weise, mich vor den Gefahren der Welt zu schützen. Bernie kam nie wieder, und er ist so ziemlich der einzige, an dessen Namen ich mich von der regelrechten Parade von Männern erinnere. Ich erinnere mich eher an Gesichter. Gesichter, Körper, Gerüche. Da war mal ein großer, dünner Mann, der ständig die Nase hochzog, und einer, der stark nach dem Insektizid stank, das er den ganzen Tag über bei seiner Arbeit als Kammerjäger verwendete. Da war der Mann, der zu viel trank und auf der Couch einschlief, und der Mann, der immer wieder zu mir sagte: »Fass meine Sachen nicht an«, als ob ich mich für irgendetwas davon interessiert hätte. Wahrscheinlich könnte ich mich auch an ihre Namen erinnern, wenn ich nur lange genug überlegen würde, aber wozu die Mühe? Keiner von ihnen blieb sehr lange und sie waren meistens harmlos, aber sie waren in meinem geschützten Raum und sie nahmen die Aufmerksamkeit meiner Mutter in Anspruch.

Die meisten von ihnen waren harmlos, aber nicht alle. Nicht alle von ihnen.

Meine Mutter hatte keine Lust mehr zu arbeiten, um ihr einziges Kind versorgen zu können. Sie wollte einen Ehemann, und sie wusste, dass sie Ersatz für meinen Vater brauchte. Ich denke nicht oft an ihn. Dazu gibt es auch keinen Grund, denn ich habe nie wirklich unter seinem Verlust gelitten. Meine Welt drehte sich um meine Mutter, und solange sie da war, ging es mir gut. Als sie letztes Jahr krank wurde, habe ich mir Sorgen gemacht, ob ich ohne sie wohl überleben würde. Und obwohl ich um sie trauere und ich sie in Türen stehen sehe und manchmal aufwache, weil ich höre, wie sie mich ruft, war sie auch diejenige, die es möglich gemacht hat, dass ich in diesem Haus gefangen sein konnte, und ich hätte es nie verlassen, wenn ich sie noch hätte.

Heute wünschte ich mir, sie wäre noch hier und ich könnte immer noch in Sicherheit hinter der Haustür darauf warten, dass sie mit einem Stapel Zeitschriften zurückkommt und sagt: »Bitte sehr, Liebes – für deine Sammlung.«

Aber sie ist nicht mehr hier, und ich war draußen, und ich habe heute Dinge gesehen und getan, und jetzt ... jetzt weiß ich nicht, was passieren wird.

»Für Männer ist es einfach, Ruth«, sagte sie mir, als ich älter wurde und sie nach all den Männern fragte, mit denen sie sich angefreundet hatte. »Ein Mann kann einfach gehen, aber eine Frau ... eine Frau muss bleiben und sich um die Kinder kümmern. Denk daran, falls du dich jemals verliebst.« Das klang wie ein Fluch, und ich habe dafür gesorgt, niemals in diese Lage zu kommen.

»Wenn du einen besseren Job finden würdest und ich einen Job hätte, dann bräuchten wir vielleicht niemanden mehr«, sagte ich, als ich zwölf war.

»Du bist ein echter Spaßvogel«, lachte sie. »Geh einfach zur Schule und überlass alles andere mir.«

Zwischen den einzelnen Männern hatten sie und ich eine schöne Zeit. Doch wenn sie arbeitslos war, hatten wir nicht genug Geld. Und sie war oft arbeitslos, denn sie langweilte sich schnell und sagte dann Sachen zu den Managern, die unangebracht waren, wie: »Dieser Laden wäre gar nichts ohne mich«, »Ich bin die beste Verkäuferin hier, vergiss das nicht«, oder »Ich nehme mir eine Woche Urlaub, weil ich genug von diesem Saftladen habe.«

»Ich habe es ihm gezeigt.« Sie schmunzelte dann, während sie und ich beim Abendessen saßen. Wenn sie einen Job hatte, kam ich unter der Woche nach der Schule zurück in ein leeres Haus, darum macht es mir eigentlich nichts aus, wenn sie gerade »zwischen den Jobs« war. Sie war die Art von Mutter, die gern stundenlang Brettspiele mit mir spielte, neben mir saß und mit mir fernsah und sich freute, in allen Einzelheiten von meinem Tag zu hören. Aber ich wusste auch immer, dass bald wieder ein anderer Mann kommen würde, ein Mann, der die Lösung für unsere Probleme sein sollte – doch ein solcher Mann tauchte nie auf. Meistens ignorierten sie mich oder sprachen mit einer gezwungenen Freundlichkeit mit mir, als wäre ich ein viel jüngeres Kind. *Hallo, Ruth, und was lernst du gerade in der Schule? Magst du Eis?* Ich war immer höflich, denn ich wusste, dass derjenige bald wieder weg sein würde. Sie wollte heiraten und eine stabile Beziehung führen, aber einen Partner dafür fand man nicht unter der Woche in einer Bar.

Als ich dreizehn war, konnte ich mich selbst babysitten, was das Leben für sie einfacher machte. Sie war viel unterwegs. Ich war gern allein zu Hause, hatte Freunde, mit denen ich telefonieren konnte, und Hausaufgaben, die gemacht werden wollten. Ich war groß und schlank und krempelte meinen Schulrock am Bund um, damit er so kurz wie möglich war – das machten alle Mädchen so. Aber ich hatte kein Interesse an Jungs. Sie rochen komisch und waren albern, und mit Albernheiten hatte ich nichts am Hut. Ich mochte Bücher und hatte eine kleine Gruppe von Freunden, die alle dieselbe Fantasyserie lasen, über die wir in der Mittagspause diskutierten, während wir im Kreis saßen und die Motive der Figuren analysierten.

Es war der kurze, hochgekrempelte Rock, der mein Leben veränderte und es in eine komplett andere Richtung lenkte. In manchen Nächten quäle ich mich damit, mir vorzustellen, was für ein Leben ich hätte haben können. Ich sehe einen Mann und Kinder, einen normalen Job und ein Haus, das sauber ist und in dem sich keine Sammlungen befinden. Das sind keine guten Nächte, aber mit dreizehn wusste ich nicht, was für Dinge passieren können, und ich hätte es auch nicht wissen sollen. Ich war dreizehn und ein Kind, das sich endlich in der Schule zurechtfand und sich nicht mehr einsam fühlte.

Eines Morgens stand meine Mutter früh genug auf, um mich noch zu sehen, bevor ich den Bus nahm. Normalerweise schlief sie bis zur letzten Minute und rannte dann durch das Haus und machte sich für die Arbeit fertig. Ich stand gern früh auf, um genug Zeit für mein Frühstück und mein Buch zu haben, bevor ich zur Schule ging. Aber an diesem Morgen hatte sie ein Vorstellungsgespräch, und sie war früh aufgestanden, um sich vorzubereiten.

»Der Rock ist ganz schön kurz«, sagte sie zu mir, während sie an ihrem Kaffee nippte und mich von oben bis unten musterte.

»Alle Mädchen tragen ihn so«, antwortete ich.

»Hat man euch nicht gesagt, dass das verboten ist? Die männlichen Lehrer finden es sicher ein bisschen übertrieben, wenn ihr alle so herumlauft.«

Manchmal frage ich mich amüsiert, wie ein junges Mädchen heute wohl auf eine solche Aussage reagieren würde. Ich sehe dann vor mir, wie die Twitter-Trolls dieser Welt meine Mutter canceln, weil sie behauptet, Lehrer sähen in ihren Schülerinnen etwas anderes als junge Mädchen, die sie unterrichten. Aber sollen sie sie doch canceln. Sie hatte recht.

Damals hatte ich nur gelacht: »Es gibt einen, dem das ziemlich gefällt. Wir nennen ihn Touchy Tony.«

Meine Mutter nahm ihre Zigarette aus dem Aschenbecher neben sich und sog tief an ihr. Im Morgenlicht sah sie älter aus als fünfunddreißig. Sie hatte Falten und ein Doppelkinn bekommen, aber ihr Lächeln ließ ihr Gesicht immer noch strahlen.

Sie lächelte nicht, als ich Touchy Tony erwähnte.

»Warum nennt ihr ihn so?«, fragte sie argwöhnisch.

Ich zuckte mit den Schultern. »Er ist einfach besonders nett. Wenn er mit einem redet, steht er immer ganz nah bei einem und legt einem die Hand auf den Rücken oder die Schulter und manchmal rutscht sie bis zum Hintern runter.« Ich musste lachen, als ich das sagte. Wir waren nicht auf die Idee gekommen, uns zu beschweren. Er war ein Lehrer, und man beschwerte sich bei niemandem über seine Lehrer, außer bei den anderen Schülern. Es war wahrscheinlich Selbstschutz, dass wir ihn lustig fanden und über ihn lachen konnten. Wir hätten brüllen und schreien und uns beschweren sollen. Wir hätten es jedem erzählen sollen, der uns zugehört hätte – aber es fühlte sich sogar falsch an, es meiner Mutter zu erzählen, als hätte ich ihr Einblick in die private Welt meines Schullebens gewährt.

»Das ist ekelhaft«, sagte sie und setzte sich aufrecht hin. »Hat ihn jemand angezeigt? Unterrichtet er dich?«

»Ja, aber mach dir keine Sorgen, er ist nicht an mir interessiert. Er mag Mädchen mit großen Brüsten.« Und in meiner Vorstellung machte das die Sache akzeptabel. Er belästigte mich nicht, warum sollte ich ihn dann belästigen?

»Ruth«, sagte sie streng, »das ist inakzeptabel. Was genau macht er?«

Ich bereute meine Entscheidung bereits, ihr davon zu erzählen. Tony Richardson war in der Schule ein offenes Geheimnis. Er war ein Mann, der es sehr gut verstand, mit einem Verhalten davonzukommen, das niemals hätte toleriert werden dürfen. Hätte er jemals jemanden angegriffen, ein Mädchen körperlich verletzt, wäre er gefeuert worden und wahrscheinlich im Gefängnis gelandet. Aber so dumm war er nicht. Stattdessen konnte man seine Berührungen als Unfälle abtun. Finger, die versehentlich über eine Brust strichen, eine Hand, die ein Bein berührte, wenn er aufstand, ein Klaps auf den Rücken, der nach unten glitt. Keine großen Sachen, dachten wir, nichts, worüber man sich aufregen musste. Er erzählte gern leicht schmutzige Witze, über die die Jungen wirklich lachten, die die Mädchen aber zum Erröten brachten. Und er sah gut aus, mit seinen blauen Augen und dem lockigen Haar. Er war ein junger Lehrer, jung genug, um an den Tagen, an denen wir in Freizeitkleidung kommen durften, wie einer der älteren Schüler auszusehen. Und das männliche Verhalten in der Schule zu dieser Zeit war nach heutigen Maßstäben häufig inakzeptabel. Jungen kamen von hinten und zogen an unseren BH-Trägern, um sie zurückschnappen zu lassen – das galt als Zeichen dafür, dass derjenige einen mochte. Und Touchy Tony war einfach nur ganz besonders nett.

Wenn ich jetzt an ihn denke, dreht sich mir der Magen um und ich bereue es, überhaupt zu Mittag gegessen zu haben. Während ich noch dem Polizisten im Fernsehen zuhöre, stehe ich auf und gehe zu einem Stapel mit Frauenzeitschriften, von denen mich die lächelnden Gesichter von A-, B- und C-Prominenten anschauen. Ich sehe mir den Stapel genau an, der größer ist als ich selbst, und stoße ihn dann mit dem Fuß sanft an, bis er umkippt. Ich genieße das zischende Rauschen des flatternden Papiers, das zu Boden segelt, und dann gehe ich in die Hocke und streiche die Zeitschriften glatt, damit keine Falten oder Eselsohren in die Seiten kommen. Ich beginne, sie neu zu stapeln. In dem Stapel befinden sich Zeitschriften aus mindestens zwei Jahrzehnten, und sie sind alle noch so glänzend und perfekt wie an dem Tag, an dem sie gekauft wurden. Touchy

Tonys Gesicht taucht wieder vor meinem inneren Auge auf und ich staple weiter, um nicht in Panik zu verfallen. Ich behalte den Fernseher im Auge, wo zwischen den gerufenen Fragen der Reporter Bilder des vermissten kleinen Mädchens auftauchen. Während ich die Mutter im Hintergrund beobachte, warte ich darauf, dass sich mein Verdacht bestätigt, während meine Hände über das glatte Zeitschriftenpapier gleiten und der Stapel vor mir wächst.

»Ich werde in der Schule anrufen und mit ihm sprechen«, sagte mir meine Mutter vor all den Jahren.

»Bitte nicht«, flehte ich. »Mach da doch keine große Sache draus. Er belästigt mich nicht!«

»Na gut«, sagte sie, aber ich glaubte ihr nicht.

Und ich lag richtig. Sie rief in der Schule an, traf sich mit ihm und er erklärte, dass das alles ein Missverständnis sei. Ein kurzer Rock, eine herausgeplatzte Wahrheit, ein Telefonanruf – und mein Leben hatte sich grundlegend verändert.

Mir fällt gerade auf, dass der Polizeibeamte keine Fragen mehr beantwortet. Ich habe den Beginn der Pressekonferenz verpasst, daher nehme ich an, dass er zu diesem Zeitpunkt alle erforderlichen Informationen geteilt hat.

Die Menschen entfernen sich langsam aus dem Garten des Hauses, des großen, schönen Hauses, in dem ein kleines Mädchen nicht sicher war, aber aus irgendeinem Grund ist die Kamera weiter auf den Vorgarten gerichtet, wo ein armer Rosenstrauch zu Tode getrampelt worden ist.

Ich halte inne und schaue genau hin, und da sehe ich es. Die Mutter steht immer noch etwas abseits, und es ist beinahe Zufall, dass sie überhaupt mit ihrem opulenten Haus im Bild ist. Sie steht dort, und er geht auf sie zu, legt seine Arme um sie und hält sie einen Moment lang fest, bevor sie sich entfernt.

Ich nicke. Dann hatte ich also recht. Ich wusste, dass er es ist. Dann stelle ich mir vor, wie das Leben des vermissten kleinen Mädchens aussehen wird, sollte es gefunden werden und mit ihm als Vater in diesem Haus aufwachsen. Ich stelle mir vor, wie er beobachtet, wie sich ihr Körper zu verändern beginnt, wie er beobachtet und wartet. Ich stelle mir ihr Leid vor, wie sie sich selbst infrage stellt und überlegt, ob sie sich die ganze Zeit aus einem bestimmten Grund unwohl fühlt oder ob sie es sich nur einbildet. Die Angst davor, ständig damit leben zu müssen, sich nie entspannen zu können, wird sie für immer schädigen. Ich habe immer gehofft und gebetet, dass er mich einfach ignoriert, dass er aufhört, mich zu sehen, aber das hat er nie getan. Ich wollte unsichtbar sein, aber weil ich nicht unsichtbar sein konnte, musste ich mich einschließen und verstecken, hinter Türen, hinter meinen Sammlungen, geschützt durch die Dinge, die ich gestapelt hatte. Das würde ich dem kleinen Mädchen mit den schwarzen Haaren nicht wünschen. Das würde ich niemandem wünschen.

Meine Kehle schnürt sich zu, und ich stehe auf, greife schnell nach meiner Limonade und schütte die pinke Flüssigkeit in mich hinein. Ich stelle die Dose zurück auf den Couchtisch und balle meine Hände zu Fäusten. Ich hatte recht. Ich schalte den Fernseher aus. Ich muss nichts mehr sehen. Ich will auch nichts mehr sehen. Ich hatte recht.

Ich widme mich wieder dem Stapeln der Zeitschriften, weil ich Ordnung und Sicherheit in meinem Raum schaffen muss. Die Stapel verbannen ihn aus meinem Kopf, aus meinem Zuhause. Ich muss schnell stapeln, während ich versuche, zu Atem zu kommen, aber schließlich beruhigen mich die Wiederholung und das Gefühl von glattem Papier in meinen Händen.

Was ich getan habe, ist falsch, sehr falsch. Das weiß ich. Aber jetzt, wo ich sicher bin, dass er ihr Vater ist, jetzt, wo ich ihn gesehen habe, finde ich es auch irgendwie richtig.

ZEHN

LESLIE

16:15 Uhr

Es ist nach vier, und Millie ist schon seit ... seit über drei Stunden verschwunden. Nach all den Ereignissen, dem Eintreffen der Polizei, den Befragungen und der Pressekonferenz, ist es im Haus nun relativ ruhig und es schwebt eine schreckliche Frage im Raum: *Was nun?* Ihr kleines Mädchen ist nicht zu Hause. Noch einundzwanzig Stunden. Der Fernsehauftritt hat nicht dazu geführt, dass sie auf wundersame Weise gefunden und nach Hause gebracht wurde, und obwohl Leslie am liebsten selbst den Park und die Nachbarschaft absuchen würde, hat man ihr gesagt, sie solle an Ort und Stelle bleiben, und sie kann nicht mit der Polizei diskutieren, kann den Befehl der Polizei nicht missachten. Die Polizei ist noch nicht bereit, eine Suchmeldung herauszugeben, aber wenn Millie sich nur verlaufen hätte, dann hätte man sie doch schon längst gefunden. Wie weit kann eine Dreijährige laufen? Wie viele Leute würden ein kleines Kind, das allein unterwegs ist, einfach ignorieren?

Sie würde gern mit Shelby unter vier Augen sprechen, aber

Bianca lässt niemanden in die Nähe ihrer Tochter. Leslie hat das Gefühl, dass Shelby ihr erzählen würde, was wirklich passiert ist, wenn sie nur einen ruhigen Moment mit ihr haben könnte, denn ihre Schilderung ist offensichtlich nicht komplett wahr. Ist sie auch nur annähernd wahr? Bianca und Shelby sitzen nebeneinander auf dem Sofa, und von Zeit zu Zeit bemerkt Leslie, wie Biancas Augen durch das Wohnzimmer schweifen, um die handgewebten Perserteppiche zu betrachten, die sie an die Wand gehängt hat, um dem Raum Farbe und Bewegung zu verleihen, und in Richtung der schimmernden, schweren blauen Vorhänge zu schielen, die die hohen Fenster rahmen. Sie kann sich Biancas schäumende Wut vorstellen, wenn sie erfahren würde, dass das weiche graue Wildledersofa, auf dem sie sitzt, über zehntausend Dollar gekostet hat. »Kauf einfach, was du willst«, hatte Randall zu ihr gesagt. Es bereitet ihm Freude, ihr alles geben zu können, und sie fragt sich manchmal, warum ihr das nicht reicht. Warum kann sie sich nicht einfach damit zufriedengeben, eine Hausfrau und Mutter mit einer Website zu sein, dank der sie ein wenig arbeiten kann? Aber der Gedanke stört sie, und sie stellt sich vor, wie sie in ihrer Rolle als Mutter und Stiefmutter verschwindet, wie sie zu jemandem wird, der nur noch anderen zuhört, während sie von ihren Ideen und ihrer Arbeit erzählen, anstatt selbst das Wort zu ergreifen.

»Also, Shelby, ich wollte nur noch etwas nachfragen«, sagt Constable Dickerson, der gerade aus der Küche kommt, wo er Telefonate führt und die Suche anleitet. Shelby setzt sich auf, ihre Wangen erröten. Sie hat etwas zu verbergen. Leslie kann das auf eine Meile Entfernung erkennen, und sie fragt sich, ob der Constable es auch sieht.

Shelby nickt.

»Millie ist ja noch ein kleines Ding, darum überprüfen wir gerade, ob sie die Tür wirklich selbst geöffnet hat. Die Haustür ist sehr groß und schwer und der Griff befindet sich über ihrem Kopf, es wäre also ziemlich schwierig für sie gewesen.«

Leslie atmet tief ein und hält die Luft an. Natürlich hätte Millie die Tür nicht selbst öffnen können. Warum wird diese Frage erst jetzt gestellt? Warum hatten weder sie noch Randall daran gedacht, sie zu stellen? Was für eine Mutter ist sie? Was für Eltern sind sie?

Shelbys Gesicht wird scharlachrot. »Ähm, ja ... ich glaube ... ich meine ... einen Stuhl, sie hat einen Stuhl benutzt, ihren kleinen Stuhl.« Sie zeigt auf den kleinen Tisch und die Stühle, beides helllila, die in einer Ecke des Wohnzimmers stehen. »Millies Ecke«, nennt das kleine Mädchen sie. Wenn Millie wütend oder traurig ist, muss Leslie warten, bis sie in die Ecke eingeladen wird. »Ich will nicht reden«, sagt Millie dann und wedelt mit der Hand, damit Leslie weiß, dass sie warten muss, bis das Malen oder Zeichnen ihre Tochter wieder aufgemuntert hat.

Leslie kann sich vorstellen, wie Millie einen der kleinen Holzstühle zur Haustür schleppt, denn sie benutzt sie oft, um an höher gelegene Stellen zu gelangen. Aber die Tür ist wirklich sehr schwer und sie hätte immer wieder daran ziehen und den Stuhl immer wieder ein Stück weiter zurückschieben müssen, um die Tür weit genug zu öffnen, um hinausschlüpfen zu können. Sicherlich wäre Shelby in der Zwischenzeit schon aus dem Badezimmer zurückgekommen. Außerdem gibt es auch im Erdgeschoss ein Bad. Genau genommen sogar zwei. Warum ist Shelby also die Treppe hinaufgegangen? Sie hätte die Toilette hinter der Küche und der Waschküche benutzen können. Oder sie hätte die Toilette neben Randalls Arbeitszimmer benutzen können. Warum ist sie nach oben gegangen? Leslie versucht, den Constable mit reiner Willenskraft dazu zu bewegen, diese Fragen zu stellen. *Fragen Sie sie,* will sie schreien, *fragen Sie sie, warum sie lügt. Fragen Sie sie, wo mein Kind ist.*

Constable Dickerson nickt mit dem Kopf, sagt aber nichts.

»Also ... sie hat den Stuhl da stehen gelassen und ich habe ihn zurückgestellt. Ich habe nur vergessen, das zu erzählen.«

»Okay, es wäre gut gewesen, das zu wissen. Nur um sicherzugehen: Du hast also nicht sofort nach ihr gesucht?«

»Ich ... Ich weiß es nicht mehr«, murmelt Shelby, und Tränen steigen ihr in die Augen. Sie dreht den Kopf in Richtung ihrer Mutter und vergräbt das Gesicht in deren Schulter, um den Constable und – da ist sich Leslie sicher – die Wahrheit auszublenden.

Leslie verschränkt ihre Hände, drückt die Nägel in ihre Handflächen. Sie hat Mühe, sich zu beherrschen, denn ihr ist danach, Shelby anzuschreien, damit sie ihnen sagt, was passiert ist, was wirklich passiert ist. Könnte es sein, dass Shelby aus irgendeinem Grund auf ihre kleine Schwester losgegangen ist? Sie geschlagen und verletzt hat, und dann ... Sie spürt, wie ihre Hand zu ihrem Haar wandert und verschränkt schnell die Arme. Shelby ist ein Kind, nur ein Kind, und sie würde ihrer Schwester niemals wehtun, aber Leslie kann sich mittlerweile kaum noch einen anderen Hergang der Dinge vorstellen.

»Warum bist du nach oben gegangen, um auf die Toilette zu gehen, Shelby?«, fragt sie, die Worte sprudeln nur so aus ihr hervor. Sie hat versucht, neutral zu klingen, so als wäre sie einfach nur neugierig, aber ihre Stimme ist angespannt, ihre Wut offensichtlich.

Shelby hört abrupt auf zu weinen und sieht sie an. »Was?«, fragt sie, ihre Tränen verschwinden und ihr Kiefer verhärtet sich.

»Ja, genau«, sagt der Constable, ohne Leslie anzusehen. »Das wollten wir dich auch fragen ...« Er hält inne und schaut Leslie an, und ihr wird klar, dass sie etwas falsch gemacht hat, ihn unterbrochen und eine Frage gestellt hat, die er vielleicht lieber zu einem anderen Zeitpunkt gestellt hätte oder so, aber es ist ihr egal. All diese Fragen hätten sofort gestellt werden müssen. *Sie* hätte sie sofort stellen müssen, nachdem sie nach Hause gekommen war und das Haus durchsucht hatte. Vielleicht wäre Millie dann wieder hier und in Sicherheit, vielleicht hätte Shelby gestanden, was auch immer sie getan hat, vielleicht wäre das alles schon vorbei. Sie wird nicht den Mund halten, nur weil der Constable irgendwelche Pläne hat, die er nicht mit ihnen teilen will. Es geht um ihre Tochter – *ihre* Tochter –, und sie wird die Fragen herausschreien, bis ihr die Stimme versagt, wenn es sein muss.

»Was für eine lächerliche, dumme Frage ist das denn«, zischt Bianca, ihre Wangen verfärben sich und ihre Augen verengen sich zu Schlitzen. »Du hast kein Recht, wütend auf sie zu sein oder ihr etwas vorzuwerfen. *Du* hast *dein* Kind allein gelassen und bist zum Einkaufen losgezogen. So etwas habe *ich* nie gemacht. Ich habe mein Kind nie mit irgendjemandem außer seinem Vater allein gelassen, und nach der Scheidung war sie rund um die Uhr bei mir, und du glaubst, dass ein kleiner Ausflug zum Einkaufen es rechtfertigt, einem zwölfjährigen Mädchen die Verantwortung für ein widerspenstiges Kleinkind zu übertragen? Wie kannst du es wagen?« Ihre Wut erstickt die Worte, während sich die Farbe auf ihrem Gesicht bis hinab zu ihrem Hals ausbreitet. Sie drückt Shelby enger an sich, um sie vor der großen, bösen Stiefmutter zu schützen.

Vorschulkind, denkt Leslie, achtet aber darauf, den Mund zu halten. Sie ist kein Kleinkind mehr, und sie ist nicht widerspenstig oder ungezogen. Sie ist einfach nur ihre kleine Sonne, ein wunderbarer Segen, ihr kleines Mädchen. Sie schlingt die Arme fester um ihren Körper, Biancas Wut hat sie verstummen lassen, und sie hasst sich selbst dafür, dass sie dieser Frau erlaubt hat, in ihrem Zuhause zu sein, in Millies Zuhause. Ihr Gesicht brennt vor Demütigung. Sie hat Bianca erlaubt, mit ihr zu reden, als wäre sie hier das Kind – und das auch noch in ihrem eigenen Zuhause, in dem Zuhause, das sie als sicheren Ort für ihre Familie geschaffen hat. Am liebsten würde sie laut brüllend auf Bianca losgehen. Stattdessen senkt sie den Blick und betrachtet ihre Schuhe, ihre flachen schwarzen Schuhe. Bevor die Polizei kam, hat sie sich oben schnell Jeans und einen warmen Pullover angezogen, weil sie dachte, sie würden sich draußen auf die Suche machen. Die elegante schwarze Hose und das enge rote Oberteil lagen zerknittert auf dem Badezimmerboden und verströmten noch den Duft ihres nach Jasmin riechenden Parfüms, das sie heute Morgen großzügig aufgetragen und dabei vor sich hin gesummt hatte. Da war sie noch ein ganz anderer Mensch gewesen, ein Mensch, der sie nie wieder sein wird. Sie muss mit Randall darüber sprechen, über das, was sie getan hat, sie muss es ihm sagen, bevor es jemand anderes tut. Aber sie weiß nicht, wie sie allein mit ihm sprechen soll, ohne sich dadurch verdächtig zu machen.

»Kann ich Ihnen irgendetwas bringen?«, fragt Constable Willow jedes Mal, wenn sie sich bewegt.

»Brauchen Sie etwas?«, hatte Constable Dickerson sanft gefragt, als sie Randall vor zehn Minuten nach draußen folgen wollte. Sie scheinen aktiv vermeiden zu wollen, dass sie und Randall allein miteinander sind.

»Lassen wir es für den Moment dabei bewenden«, sagt Constable Dickerson freundlich und macht eine beruhigende Geste mit den Händen, um die Spannung im Raum zu senken.

Leslie fühlt sich körperlich kleiner; ihr Körper ist geschrumpft – mit jedem Satz von Bianca, mit jeder Aussage des Polizisten und mit jeder Stunde, die vergangen ist. Sie ist froh, dass Randall nicht hier ist, sondern draußen mit Nachbarn und anderen Suchhelfern spricht.

Der Constable steht auf und geht weg. Leslie will ihm folgen und ihn fragen, was er von alldem hält, aber er wird sofort von anderen Polizisten umringt, die gekommen sind, um zu helfen.

Sie geht zum Fenster des Wohnzimmers, um sich von Biancas giftigen Blicken abzuwenden. »Raus aus meinem

Haus«, murmelt sie vor sich hin, wieder und wieder. *Raus aus meinem Haus, raus aus meinem Haus, raus aus meinem Haus.*

Vom Fenster aus kann sie den Vorgarten voller Menschen sehen. Sie beobachtet die Reporter, die in Gruppen auf dem leuchtend grünen Rasen stehen und Suchende und die Polizei interviewen, damit die Geschichte spannend bleibt, obwohl gerade nichts passiert. Zwei Männer und eine Frau stehen beieinander und schauen auf ihre Handys, dann bricht plötzlich Gelächter aus. Leslie wird schlecht. Aber falls sie Kinder haben, wissen sie ja auch, wo sie sind, warum sollten sie also nicht über ein lustiges Meme oder irgendetwas anderes lachen?

Die Polizei bittet die Menschen, die bei der Suche helfen, immer wieder darum, draußen zu bleiben. Sobald er Leute bemerkt, die trotzdem ins Haus kommen, um Teil des Dramas sein zu können, fordert Constable Willow sie auf: »Wenn Sie bitte im Vorgarten bleiben würden ...« Einige davon kennt Leslie, andere nicht, aber die, die sie kennt, umarmen sie alle ganz fest. Sie wollen nur nett sein, aber sie kann es nicht ertragen.

»Es tut mir so leid, Leslie«, sagt eine Frau, die trotz der stets aufmerksamen Polizisten irgendwie ins Haus gelangt ist.

Leslie beißt die Zähne aufeinander und wendet sich vom Fenster ab. Eine der Mütter aus Millies Ballettkurs steht vor ihr. Gibt es irgendjemanden, der noch nicht gehört hat, dass ihre Tochter vermisst wird? Wie konnte sich die Nachricht so schnell verbreiten, und warum ist diese Frau hier?

»Danke«, sagt sie.

Die Frau lächelt. »Was für ein schönes Haus Sie haben.«

Leslie weiß nicht, was sie darauf antworten soll, darum wendet sie sich wieder dem Fenster zu und hofft, dass man ihr die Unhöflichkeit verzeihen wird.

Wollen diese Leute nur glotzen und tratschen? Wollen sie wirklich helfen oder sind sie hier, um sie scheitern zu sehen?

Sogar Trevor, Biancas neuer Ehemann, ist gekommen. »Du brauchst nicht hier zu sein«, hörte Leslie Bianca zu ihm sagen.

»Es geht um ein vermisstes Kind, Bee. Je mehr Leute nach ihr suchen, desto besser«, antwortete er.

»Was für einen Ärger dieses Kind verursacht hat«, sagte Bianca und rümpfte die Nase, so als ob sie riechen könnte, dass in diesem Haus etwas nicht stimmte. Sie wusste, dass Leslie sie hören konnte. Trevor warf Leslie einen entschuldigenden Blick zu, aber sie wandte sich ab.

Leslie hat schon immer daran geglaubt, dass man im Zweifelsfall an das Gute im Menschen glauben sollte. Wenn sie Klatsch und Tratsch über jemanden an der Schule oder über alte Freunde hört, versucht sie, sich in die Lage des Betreffenden hineinzuversetzen. Wer betrügt, lügt oder anderen wehtut, hat meist seine Gründe. Die Person wurde vielleicht selbst verletzt, leidet unter Ängsten oder hat in der Vergangenheit etwas Schlimmes durchgemacht. Daran denkt sie immer als Erstes. Und das hat sie auch bei Bianca versucht, weil sie weiß, dass sie ein gewisses Recht auf die Wut auf ihren Ex-Mann hat. Sie hat versucht, die Dinge aus Biancas Perspektive zu sehen, sie mit einem gewissen Einfühlungsvermögen zu betrachten, aber diese Frau macht es ihr sehr, sehr schwer. Und jetzt müsste sie eigentlich nur ruhig dasitzen und ihre Tochter dazu ermutigen, die Wahrheit zu sagen. Stattdessen scheint sie darauf bedacht zu sein, die Ermittlungen zu behindern, alles herunterzuspielen und so zu tun, als wäre es doch gar nicht so schlimm, dass Millie weg ist. Sie denkt nur an sich selbst – selbst ihre Sorge um Shelby scheint mehr ihrem eigenen Wohl als Shelbys Trost zu gelten.

Leslie lehnt ihre Stirn kurz gegen das Glas des Fensters, bis jemand aus dem Garten zu ihr schaut und sie sich aufrichtet. Eltern aus Millies Vorschulklasse sind hier. Eine Frau hat sogar ihr Kind mitgebracht, was Leslie ziemlich seltsam findet.

Sie hält es im Wohnzimmer nicht mehr aus, dreht sich um

und geht zum Constable, der in der Küche telefoniert und nickt, als ob sein Gesprächspartner ihn sehen könnte. Sie wartet geduldig, bis er sein Gespräch beendet hat.

»Ich möchte nach ihr suchen«, sagt sie. »Ich weiß, dass da draußen viele Leute unterwegs sind, aber ich will sie selbst suchen. Vielleicht hat sie Angst und versteckt sich, aber wenn ich sie rufe, dann kommt sie zu mir.« Sie achtet darauf, gerade zu stehen, die Schultern zurückzunehmen und mit kräftiger Stimme zu sprechen. Sie ist es leid, gesagt zu bekommen, was sie tun soll.

»Ja, das verstehe ich, aber ich möchte, dass Sie hierbleiben, falls Sie jemand anruft.«

»Wer sollte mich anrufen?«, fragt sie verwirrt. »Wenn Millie von jemandem gefunden wird und sie ihm meine Handynummer sagt – sie kennt meine Nummer nämlich auswendig –, dann habe ich mein Handy doch dabei, warum also kann ich sie nicht suchen?« In ihrem Kopf hört sie, wie Millie mit hoher Singsangstimme ihre Telefonnummer wiederholte, den ganzen Weg zur Vorschule und zurück, immer und immer wieder, bis Leslie sicher war, dass sie sich die Nummer eingeprägt hatte. Sie wünscht sich so sehr, dass das Handy in ihrer Hand klingelt, aber es bleibt stumm. »Sie kennt meine Nummer auswendig«, wiederholt sie.

»Ja, und das ist gut«, sagt der Constable, »aber die Sache ist die ... Nun, wir haben über die Firma Ihres Mannes gesprochen, und es ist ... es ist eine große Firma, und es könnte Menschen geben, die ...«

»Menschen, die was?«, fragt sie frustriert.

»Wenn sie von jemandem entführt oder aufgegriffen wurde, ruft derjenige möglicherweise an und ... und verlangt Geld.«

»Was? Lösegeld oder wie?« Über die Absurdität dieser Vorstellung muss sie beinahe lachen.

»Ihr Geld, die Firma Ihres Mannes ... All das macht Sie zu

einem möglichen Ziel. Vielleicht ist es auch anders, ganz anders, aber … wir müssen es in Betracht ziehen.«

Angesichts seines ernsten Tons bleibt ihr das Lachen im Halse stecken und verwandelt sich dort in einen Kloß. Sie hat diese Möglichkeit überhaupt nicht in Betracht gezogen. Sie leben doch in Australien. Solche Dinge passieren hier nicht. Oder doch?

War ihr Mann allein wegen seines Geldes zur Zielscheibe geworden? Er hat doch nie jemandem etwas zuleide getan und spendet immer großzügig für wohltätige Zwecke. Außerdem ist es ja nicht so, dass sie ein extravagantes Leben führen. Klar, ihr Haus ist groß und neu, aber sie gehen nur selten aus und nie in teure Restaurants oder auf die Partys der Reichen und Berühmten. Warum sind sie zur Zielscheibe geworden? Warum ist *Millie* zur Zielscheibe geworden? Leslie presst sich die Hand auf den Mund. Sie darf sich jetzt nicht übergeben.

»Wenn das der Fall ist«, sagt sie langsam und holt tief Luft, »wenn Sie wirklich glauben, dass das passiert sein könnte, dann müssen Sie einen AMBER-Alarm auslösen.«

»Genau, ja … das haben wir auch gerade getan, Leslie. Gerade im Moment.« Sein Blick ist freundlich, voller Mitgefühl, und Leslie würde ihm am liebsten in die Arme fallen und sich an seiner Schulter ausheulen. Sie hat weder Vater noch Mutter, die sie trösten könnten, und Randall geht es ja selbst schlecht. Sie ist ganz und gar allein, und der Gedanke, dass jemand ihr Kind für Geld gestohlen haben könnte, ist gleichermaßen entsetzlich wie abstoßend.

»O … o Gott«, keucht sie, dreht sich um und flieht aus der Küche.

Der AMBER-Alarm bedeutet, dass die ganze Sache sich jetzt in etwas anderes verwandelt hat, in etwas noch Schrecklicheres. Eigentlich ist das alles ja unmöglich, und dann wiederum ist es sehr wohl möglich. Sie kehrt ins Wohnzimmer zurück und erblickt Bianca neben Shelby auf dem Sofa, und sie möchte weglaufen, raus aus diesem Haus und einfach weg, aber wohin? Sie muss hierbleiben. Darum stellt sie sich wieder ans Fenster. Weiß Randall, was die Polizei vermutet? Haben sie es ihm gesagt?

»Danke für ... danke für die Hilfe«, hört sie ihn durch das leicht geöffnete Fenster zu jemandem sagen. Seine Stimme klingt ein wenig gebrochen, und als sie ihn genauer ansieht, bemerkt Leslie die völlige Hilflosigkeit und Verzweiflung in seinem Gesicht. Wenn Millie nicht gefunden wird, wenn ihr liebes Kind nicht nach Hause kommt, dann wird das ihrer beider Ende sein.

Millies Geburt war ein Wunder, wie die Geburt jedes Kindes. Leslie war schon fünfunddreißig, als sie anfingen, es zu versuchen, nicht zu alt, aber alt genug, um das Ganze schwierig zu machen. Dass sie ein Kind bekam, war Voraussetzung für ihre Ehe gewesen, und sie hatten es versucht, noch bevor sie in ihrem schlichten weißen Kleid vor dem Altar stand und sie beide ihre Eheversprechen ablegten. Sie hatte Randall dazu überredet, bevor sie seinem eher wenig überzeugenden Antrag zustimmte. *Also, was hältst du davon, wenn wir heiraten?* Sie hatten auf einen Abschleppwagen gewartet. Randalls teurer neuer Jaguar war liegen geblieben, und der Pannenhelfer war nicht in der Lage gewesen, ihn wieder flott zu machen. Das war auf dem Weg zu einer Pizzeria gewesen. Den Samstag hatten sie in Leslies Wohnung auf dem Sofa verbracht. Leslie trug eine Jogginghose, sie war ungeschminkt, die Haare hatte sie zurückgebunden.

»Was?«, hatte sie gefragt, denn sie war sich sicher gewesen, sich verhört zu haben. Und anstatt seine Frage zu wiederholen, hatte er nur mit den Schultern gezuckt und sie so zum Lachen gebracht.

»Ich möchte ein Kind«, hatte sie geantwortet, als der Abschleppwagen auf sie zufuhr.

»Okay«, sagte er einfach nur und winkte den Mann heran.

In der Nacht nach Millies Geburt hatte er neben ihrem Krankenhausbett gesessen und ihr um drei Uhr in der Früh noch Gesellschaft geleistet, während sie sich abmühte, ihr wählerisches Baby zum Trinken zu bewegen. »Danke, dass du mir noch ein Kind geschenkt hast, dass du mir noch eine Tochter geschenkt hast«, hatte er gesagt.

Wenn Millie nicht wieder nach Hause kommt, werden sie und Randall sich nie wieder davon erholen, nie wieder weitermachen können wie zuvor, nie wieder funktionieren können. Das weiß sie mit absoluter Gewissheit.

ELF

SHELBY

»Kannst du bitte einfach etwas essen?«, sagt ihre Mutter. Shelby ist es so leid, diese Worte zu hören, dass sie das Sandwich in die Hand nimmt, das ihre Mutter gemacht und vor sie gestellt hat. Es war ein seltsames Gefühl gewesen, ihr dabei zuzusehen, wie sie die Schränke und den Kühlschrank öffnete und wieder schloss, bis sie alles gefunden hatte, was sie brauchte, und noch während sie das Sandwich zubereitete, hörte Shelby sie murmeln: »Eine Traumküche für ein Traumhaus«, und sah dann, wie sie den Kopf schüttelte.

Ihre Mutter hat sie vom Sofa mit in die Küche geschleppt, damit sie nicht mehr in Leslies Nähe sein müssen, die die ganze Zeit aus dem Wohnzimmerfenster starrt, als würde Millie gleich einfach die Straße runterkommen. So hat ihre Mutter das zwar nicht gesagt, stattdessen sagte sie: »Ich habe genug davon, angestarrt zu werden – und du?« Und dann stand sie auf. Shelby hätte kein Problem damit gehabt, im Wohnzimmer zu bleiben, aber an der Seite ihrer Mutter fühlt sie sich sicherer, dass sie nicht aus Versehen etwas verrät. Ihre Mutter sagt ihr immer wieder, dass sie mit niemandem reden muss, dass sie nichts sagen und nichts erklären muss. Und Shelby hört auf sie, einerseits weil sie so viel Angst hat, und andererseits weil sie sich selbst ermahnt zu schweigen, sobald man sie etwas fragt. In den Gesprächen mit dem Constable hat sie es immer irgendwie geschafft, sich zu drücken und zu lügen. Millie hat keinen Stuhl benutzt. Shelby ist nicht nach oben ins Bad gegangen. Sie war nicht allein. Das hat sie allerdings bisher auch niemand gefragt – ob sie allein war. Diesbezüglich hat sie also nicht wirklich gelogen. Sie hat diese Information nur weggelassen. Ist das aus rechtlicher Sicht schlimmer oder weniger schlimm als eine richtige Lüge? Sie weiß es nicht mehr.

Sie nimmt einen Bissen von dem Sandwich. Käse und Salat. Noch einen Bissen. Wenigstens ist es kein Fleisch. Sie und Kiera haben beschlossen, Vegetarierinnen zu werden, nachdem sie auf YouTube gesehen haben, wie schrecklich Kühe behandelt werden. Ihr war ganz flau im Magen geworden, und die armen Tiere taten ihr so leid, dass sie schwor, nie wieder Fleisch zu essen. Bis jetzt hat sie weder ihrer Mutter noch ihrem Vater davon erzählt. Sie schiebt das Fleisch auf ihrem Teller einfach beiseite und isst den Rest. Sie wird es ihnen sagen, wenn ihr danach ist. Aber in letzter Zeit ist ihr nicht wirklich danach, mit einem von ihnen zu reden. In letzter Zeit ist sie oft in Gedanken versunken und versucht zu überlegen, wie sie alles besser machen kann, aber nichts funktioniert. Leslie hat angefangen, mehr vegetarische Gerichte zu kochen, ohne groß etwas dazu zu sagen. Es wäre doch eine »nette Abwechslung«, meinte sie. Sie weiß es, davon ist Shelby überzeugt, sie weiß es, aber sie sagt nichts.

Shelby schluckt den Mund voller Schuldgefühle mit ihrem Sandwich hinunter. Sie hasst es, dass all das passiert ist, und sie weiß, dass noch viel mehr Menschen zu Schaden kommen werden, wenn sie etwas verrät, wenn sie die Wahrheit sagt. Sie hat versprochen, zu schweigen. Sie hat versprochen, nichts zu sagen, und das hat sie auch nicht. Aber es ist so schwer, sie alle zu sehen und zu wissen, dass sie selbst für all diese Traurigkeit verantwortlich ist. Der heruntergeschluckte Bissen des Sandwichs droht wieder hochzukommen, darum trinkt sie schnell einen Schluck Wasser. Das alles sollte doch längst vorbei sein. Warum dauert das so lange? Sie hätten sie schon finden müssen. Es war ja nicht so, dass sie sich noch bewegen konnte.

»Wie lange müssen wir hierbleiben?«, fragt Bianca Trevor, der jetzt neben ihr in der Küche steht. Er ist gerade zurückgekommen, nachdem er das Viertel durchsucht hat. Shelby wendet sich mit dem Sandwich in der Hand von ihnen ab. Sie wird keinen Bissen mehr davon essen. Für ihre Mutter ist die Sache einfach nur nervig, denn sie steht ihrem Samstagnachmittag mit Trevor im Wege.

Ihr geht immer wieder durch den Kopf, was passiert ist. Eine Reihe von Bildern, die immer dunkler werden, bis nur noch die komplette Dunkelheit von dem übrig bleibt, was als Nächstes passieren wird. Doch sie kann das Bild dafür nicht finden, weil sie keine Ahnung hat. Nachdem Kiera angerufen hatte, war sie nur zehn Minuten später bei ihr aufgetaucht. Shelby war erstaunt. Ihre eigenen Eltern würden sie nicht allein mit dem Bus fahren lassen. »Da hat einer direkt vor meinem Haustor gewartet, richtig Glück gehabt«, hatte Kiera gesagt. »Wow, ich hatte ganz vergessen, wie groß dieses Haus ist. Dein Dad ist so megareich. OMG, du wirst es nicht glauben, aber ein Typ im Bus hat versucht, mich anzusprechen, und ich habe einfach ... die Augen zugemacht und so getan, als würde ich schlafen«, lachte sie. Kiera redet immer schnell, sagt immer viel und glaubt, dass alles, was sie zu sagen hat, interessant ist.

Millie hatte still neben Shelby gestanden, zugehört und beobachtet, und zwar seit Shelby die Haustür geöffnet hatte und Kiera dort gestanden hatte, lässig gekleidet in Jeans und einem bunten langärmeligen Oberteil, mit zwei Ohrringen pro Ohr. Sie sah älter aus, als sie war.

»Hi, Kiera, Shelby und ich wollen zusammen Bilder malen, wenn meine Nägel trocken sind«, sagte Millie, als Kiera aufhörte zu sprechen. Sie liebte es, wenn Shelby Freundinnen zu Besuch hatte, sie spielte gern mit den großen Mädchen. Und die meisten von Shelbys Freundinnen duldeten sie, aber Kiera nicht.

»Warum gehst du nicht einen Film gucken? Shelby und ich müssen reden.« Sie sah Millie nicht einmal an, als sie das sagte. »Habt ihr was zu trinken?«, fragte sie Shelby und machte sich auf den Weg in die Küche, als gehörte das Haus ihr.

»Ich will aber nicht«, quengelte Millie. »Shelby ist heute meine Babysitterin und wir wollen malen.«

Kiera blieb stehen und drehte sich um, um Millie anzuschauen. »Aha! Sie ist aber meine beste Freundin und sie will was anderes machen. Sie hat keinen Bock, deine Babysitterin zu sein.« Und dann streckte sie Millie die Zunge heraus, die buchstäblich nach Luft schnappte. Leslie hatte Millie oft darüber belehrt, dass man höflich sein muss, dass man »bitte« und »danke« sagt und antwortet, wenn jemand mit einem spricht. Man hatte ihr beigebracht, dass es unhöflich ist, jemandem die Zunge herauszustrecken, und sie war ein so gehorsames Kind, dass sie das nie bei jemandem getan hatte.

Shelby hatte gelacht, obwohl ihr eigentlich gar nicht danach war, und war hin- und hergerissen zwischen der Freude darüber, dass Kiera sie als ihre beste Freundin bezeichnet hatte, und dem Drang, ihr zu sagen, sie solle aufhören, sich mit einer Dreijährigen zu streiten.

»Sie ist auch meine Freundin«, entgegnete Millie und schob ihre Unterlippe vor. Shelby wusste, dass sie kurz davor war, zu weinen.

»Lass uns einfach malen«, sagte sie zu Kiera. »Wir können reden, während wir malen.« Sie ging zu Millies kleinem lila Tisch mit den passenden Stühlen und setzte sich, die Knie reichten ihr beinahe an die Brust, weil der Stuhl so klein war.

»Nee, dafür bin ich bestimmt nicht hergekommen«, fauchte Kiera und stemmte die Hände in die Hüften.

»Komm schon, Kay, nur ein paar Minuten.«

»Nein, ich bin jetzt extra gekommen, und bald kommt dein Stiefmonster nach Hause. Ich muss mit dir unter vier Augen reden. Jason hat mir gestern eine Nachricht auf Instagram geschickt und ich wollte sie dir zeigen.«

Shelby biss sich auf die Lippe. Jason war wirklich süß, und er war der einzige Junge in ihrem Jahrgang, der daran interessiert zu sein schien, mit Mädchen zu reden. Die anderen Jungs spielten in der Pause lieber Fußball, aber Jason wirkte älter und Shelby war irgendwie in ihn verknallt. Falls er auf Kiera stand, war das okay für sie, aber sie wollte unbedingt wissen, worüber sie sich unterhielten, denn sie war sich sicher, dass sie selbst total versagen würde, wenn es darum ging, mit einem Jungen zu reden – also mit einem, auf den sie stand. Mit Jungs zu reden, die einfach nur Jungs waren und auf die sie nicht stand, war kein Problem.

»Ich will malen«, wiederholte Millie, die es gewohnt war, dass Shelby tat, was sie wollte, wenn sie zusammen waren. »Du setzt dich jetzt hin und malst, Kiera. Shelby und ich wollen Regenbogen malen.«

»Ich habe keinen Bock, mit dir zu malen«, blaffte Kiera und schaute auf ihr Handy.

»Nur für ein paar Minuten«, flehte Shelby, die ihre kleine Schwester nicht traurig machen wollte.

»Ich habe aber keinen Bock.« Kiera sah auf und stampfte dann ernsthaft mit dem Fuß auf den Boden. »Ich bin gekommen, um mit dir zu reden, und ich kann kein Baby gebrauchen, das uns zuhört«, schrie sie, ihre Frustration war offensichtlich. Shelby fühlte sich schlecht, weil sie Kiera hatte kommen lassen, obwohl sie wusste, dass sie auf Millie aufpassen musste, und einen Moment lang war sie sauer auf ihre kleine Schwester und auf ihre Stiefmutter, die sie zum Babysitten gezwungen hatte. Sie wollte unbedingt wissen, was Jason geschrieben hatte.

»Man darf nicht schreien«, wimmerte Millie, der eine Träne die Wange hinablief.

Shelbys Verärgerung löste sich sofort in Luft auf. Sie mochte es gar nicht, wenn Millie weinte. Sie schrie nie, sondern weinte nur leise vor sich hin, was Shelby immer richtig traurig machte. »Nicht weinen, Millie Billy, wir können malen«, sagte sie verzweifelt und bereute, dass sie Kiera hatte kommen lassen.

»Nein, Shelby, gib ihr nicht nach. Sie ist eine blöde Göre. Geh jetzt einen Film gucken, du kleine Nervensäge.«

»Ich verpetze dich bei meiner Mum«, rief Millie.

»Deiner Mum wird das egal sein«, sagte Kiera und streckte ihr erneut die Zunge heraus, während sie eine Fratze zog.

»Okay«, lenkte Shelby ein, »ich glaube, das reicht jetzt. Wir können alle zusammen einen Film gucken.«

»Ich will nicht. Ich will malen, und wenn du nicht mit mir malst, dann ... dann laufe ich weg.«

Shelby lachte, denn Millie drohte damit immer, wenn ihr nicht gefiel, wie die Dinge liefen. Leslie sagte dann zu ihr: »Ich packe dir was zu essen ein, und ich komme mit, denn ohne deine Mum kannst du nicht weglaufen.« Und das brachte Millie immer zum Lachen.

Aber dieses Mal ging Kiera zur Haustür, öffnete sie und sagte: »Na dann los, du kleine Göre. Hau ab!« Und in diesem Moment, in diesem einen Moment, hätte alles anders sein können. Wenn Shelby ihre kleine Schwester gepackt hätte, dann wäre heute ein ganz normaler Tag, wenn sie schnell genug gehandelt hätte, dann wäre Millie noch hier.

Sie hat Millie nie gehasst. Selbst wenn Millie sie genervt hat, hat sie sie geliebt. Bei niemandem auf der Welt fühlt sie sich mehr gesehen als bei Millie, nicht einmal bei Kiera. Immer wenn Shelby kommt, hüpft Millie bereits vor Aufregung auf und ab. »Shelby, Shelby, Shelby, du bist da, du bist endlich da. Ich muss dir ganz viele Geheimnisse erzählen.« Millies Geheimnisse bestehen normalerweise darin, dass sie sich heimlich einen zweiten Lolli genommen hat, obwohl Leslie ihr gesagt hat, dass sie nur einen haben darf, oder dass sie sich heimlich ihre Bücher ansieht, wenn sie schon im Bett ist. Millie will Shelby immer alles erzählen. An einem Wochenende, als Shelby da war, hatte Millie eine Freundin zum Spielen da. Auf dem Weg zu Millies Zimmer waren sie an Shelbys Zimmer vorbeigegangen, und Shelby hörte Millie sagen: »Das ist das Zimmer von meiner großen Schwester, und sie ist der schlauste und besteste Mensch, den es gibt.« Sie hatte ein warmes Gefühl der Liebe für ihre Schwester empfunden. Millie liebte sie bedingungslos, so wie sie war, und das tat sonst niemand auf der Welt.

Das einzig Gute an der Scheidung ihrer Eltern war Millie, auch wenn sie das niemals zugeben würde.

Als Millie geboren wurde, hatte ihr Vater Shelby mitgenommen, um Leslie und das Baby im Krankenhaus zu besuchen, und sie hatte mit einem Teddy in der Hand auf sie herabgeschaut und sich gefragt, warum alle fanden, Babys seien etwas Besonderes.

»Willst du sie mal halten?«, hatte ihr Vater gefragt, und sie hatte mit den Schultern gezuckt, weil es ihr egal war. Doch dann hatte er das kleine Bündel hochgehoben und in Shelbys Arme gelegt. Sie hatte das leichte Gewicht gespürt und den Duft nach Keksen gerochen, der von ihr ausging. Und dann hatte Millie die Augen geöffnet und Shelby direkt ins Gesicht geblickt. Eine Art Lächeln, wenn auch unbewusster Art, war auf dem Gesicht des Babys erschienen, und Shelby hatte gespürt, wie ihr Herz vor Liebe schneller schlug.

Sie hätte alles getan, um ihre kleine Schwester zu beschützen, auch wenn sie sich beschwerte, wenn sie auf sie aufpassen musste. Einfach alles. Aber sie hat es nicht getan, und morgen, wenn die Sonne aufgeht, wird ihr ganzes Leben zerbrochen und ihre Familie weg sein. Sie hätte Kiera nie zu sich einladen dürfen, sie hätte sie nie so mit Millie reden lassen dürfen.

Sie hätte mutiger und stärker sein und ihre kleine Schwester beschützen sollen, statt das Gegenteil zu tun.

ZWÖLF

RUTH

Es war Zufall. Es ist immer Zufall, nicht wahr? Nur ein kurzer Seitenblick in einem Café und der Schock des Wiedererkennens. Bevor ich ihn erkannte, war ich sehr stolz auf mich. *Gut gemacht, Ruth,* lobte ich mich wieder und wieder, denn ich gratuliere mir immer selbst, wenn ich aus dem Haus gehe und ein Geschäft betrete. Das hilft gegen die Panik, die in mir aufsteigt, während ich irgendwo stehe und darauf warte, bedient zu werden, darauf warte, zu bezahlen, und darauf warte, wieder auf die Straße und nach Hause zu gehen. *Gut gemacht, Ruth.* Ich gehe immer in dasselbe Café und bestelle immer das Gleiche: einen großen Milchkaffee mit Mandelmilch und einem Schuss Karamellsirup – köstlich und süß, in jedem Schluck liegt Trost, und wenn ich nach Hause komme und mich erst mal wieder beruhigen muss, schmeckt er auch kalt noch gut.

Ich wünschte, ich könnte erklären, wie schwierig es für mich ist, rauszugehen und meinen geschützten Raum mit meinen ordentlichen Stapeln zu verlassen. Aber selbst wenn ich es könnte, gäbe es niemanden mehr, der mir zuhören würde. Bevor ich rausgehe, gönne ich mir eine Viertelstunde, in der ich

Dinge staple, damit ich ruhig und gelassen bin, und dann gehe ich zum Café. Ich schaue niemandem in die Augen. Ich spreche mit niemandem, außer um zu bestellen und mich zu bedanken. Und ich bin darauf bedacht, immer wachsam zu sein.

Wenn ich von einem Ausflug zurückkomme, trinke ich meinen Kaffee erst, wenn ich mindestens drei Stapel umgeworfen und wieder aufgebaut habe. Ich mag die Drei, zweimal drei, dreimal drei. Erst wenn mein Herzschlag wieder langsam und gleichmäßig ist und meine Atmung sich beruhigt hat, trinke ich. Manchmal, wenn es sehr schlimm ist, erinnere ich mich selbst daran, dass ich nicht immer so war. Selbst als es angefangen hat, konnte ich noch das Haus verlassen. Aber dann nahm es überhand und ich fühlte mich nirgendwo sicher, nicht in meinem Zimmer, nicht im Bad. Ich habe mir nicht mehr erlaubt zu schlafen, und wenn ich irgendwann nicht mehr konnte, bin ich in ein schwarzes Loch der Erschöpfung gefallen. Tagelang habe ich nicht geduscht, weil ich mich entblößt fühlte, wenn ich mich auszog, weil ich spürte, wie mich Tausende von Augen beobachteten, und ich überall glotzende Gespenster sah. Ich bewegte mich in meiner eigenen Wohnung wie ein Eindringling und hoffte, nicht entdeckt zu werden, selbst wenn ich allein war. Und ich fing an, Stapel zu bauen. Die Stapel halfen; sie gaben mir Sicherheit. Ich umgab mich mit großen Stapeln aus Büchern und T-Shirts, mit Sammlungen von Steinen aus dem Garten. Nachts durch mein Zimmer zu laufen, war gar nicht so leicht, und wenn ich auf die Toilette wollte, musste ich das Licht anmachen, damit ich nicht über irgendetwas stolperte.

»Das ist lächerlich«, meinte meine Mutter. »Du musst das alles wegräumen.« Aber ich weigerte mich. Ich konnte es nicht erklären, konnte nicht verraten, was ich in mir trug. Zum Teil wollte ich sie beschützen. Das Leben meiner Mutter war immer schon schwer gewesen, und durch mich und dadurch, dass sie allein mit mir war, war es noch schwerer geworden. Ich wollte, dass sie glücklich ist. Ich wollte sie nicht mit meinen Geheimnissen belasten, meinen schrecklichen, fiesen Geheimnissen.

Ich glaube, dass sie irgendwann aufgegeben und gehofft hat, dass ich irgendwie von selbst wieder zurechtkommen würde. Und es geht mir allmählich besser, vor allem seit sie nicht mehr da ist, um mich vor der Welt da draußen zu beschützen oder mich denen auszusetzen, die sie in meine Welt gebracht hat.

Aber dann sah ich ihn wieder.

Dass ich ihn im Café sah, war ein Zufall. Das Leben ist voller Zufälle, die meisten davon sind unangenehm. Aus diesem Grund verlasse ich das Haus nicht, wenn ich es vermeiden kann, obwohl ich in letzter Zeit ... nun ja, auf einer Art Mission war. In letzter Zeit bin ich diejenige gewesen, die *ihn* beobachtet hat. Das fühlt sich irgendwie ... besser an. Er weiß es nicht. Wenn ich ihn beobachte, ihm folge, habe ich immer eine große, schwere Tasche mit meiner Sammlung von schwarzen Turmalinsteinen dabei. Sie dienen der Heilung und dem Schutz, und wenn ich spüre, dass die Panik in mir aufsteigt, stecke ich meine Hand in die Tasche und spüre die kühlen, glatten Steine. Sie sind mein tragbarer Stapel. Als ich mal in meinem kleinen gelben Auto weit weg von zu Hause war, bekam ich Atemaussetzer, und ich hielt an, kippte meine Tasche auf den Beifahrersitz und machte einen Haufen nach dem anderen mit den Steinen, bis es mir besser ging.

Nachdem ich ihn gesehen hatte, gab es für mich zwei Optionen. Ich hätte mich in mein Haus zurückziehen und es nie wieder verlassen können. Heutzutage geht das. Im Internet kann man alles nach Hause bestellen, außer den Arzt und den Zahnarzt – und noch während ich darüber nachdachte, berührte meine Zunge meinen schmerzenden Zahn, sodass ein kleines Zucken durch meinen Körper fuhr. Und mit der gleichen Gewissheit, mit der ich weiß, dass ich meine Stapel machen muss, wusste ich, dass ich mich selbst davon abhalten musste, mich zurückzuziehen. Seine jahrzehntelange Herrschaft über mein Leben musste ein Ende finden. Die Klage meiner Mutter – *was ist los mit dir? Was ist nur los mit dir? Was kann denn bloß los mit dir sein?* – verfolgte mich in meinen Träumen.

Statt den Rückzug anzutreten, wählte ich also die andere Option. Die andere Option bestand im Angriff. Und einen Angriff muss man planen.

Ich verließ das Haus, ich verfolgte ihn, beobachtete ihn, analysierte ihn. Er war früher die Katze gewesen, die mich kleine Maus gequält hatte. Ich musste immer wachsam und vorsichtig sein, wenn ich meinen geschützten Raum verließ, falls er darauf wartete, über mich herzufallen. Aber jetzt ist die kleine Maus nicht mehr in ihr Mauseloch zurückgekehrt, obwohl ich das vielleicht hätte tun sollen. Vielleicht würde ich dann jetzt nicht die Nachrichten meiden, weil ich die Verzweiflung seiner Frau angesichts dessen, was ich weiß, nicht ertragen kann. Sie hat keine Ahnung, wie viel schlimmer es noch werden wird.

Ich hätte nie gedacht, dass ich ihn je wiedersehen würde, und als ich ihn dann doch sah, war ich sofort wieder ein Kind, verletzlich, ungeschützt, unsicher. Das störte mich am meisten.

Touchy Tony. Er sah immer noch gut aus, war immer noch groß, wirkte aber ein bisschen vornehmer wegen der grauen Strähnen in seinem lockigen Haar. Er war immer noch Touchy Tony, aber gleichzeitig war er es gar nicht mehr.

Er hatte mich nie bemerkt, bis meine Mutter wild entschlossen in die Schule gefahren war, um ihn zur Rede zu stellen. Sie hatte sich das Gesicht in leuchtenden Farben geschminkt, trug ein enges Top mit tiefem Ausschnitt. Am Abend danach setzte sie sich mit mir an den Esstisch und sagte: »Hör zu, Ruth. Du und deine Freundinnen, ihr müsst aufhören, so über diesen Mann zu reden. Er tut nichts Unrechtes, und ihr werdet seinen Ruf ruinieren. Ihr könntet sogar dafür sorgen, dass er gefeuert wird, und dann hätte er keinen Job mehr und könnte sich nicht mehr selbst versorgen. Er hat mir erklärt, dass das alles Unsinn ist und er immer zur Zielscheibe wird, weil ihr jungen Mädchen euch in ihn verknallt und dann sauer werdet.«

Die Art und Weise, auf die er sie beeinflusst haben musste, war fast bewundernswert. Sie war wütend und entrüstet dorthin gefahren und als seine größte Verteidigerin nach Hause zurückgekehrt. Er war immer unglaublich charmant zu den Müttern aller Mädchen: An Elternabenden lächelte er sie an und brachte sie dazu, zustimmend zu nicken, wenn er über seine Sorge um ihre kleinen Mädchen sprach, und jedes Wort aus seinem Mund zu glauben. Meine Mutter war Verkäuferin, und man hätte meinen sollen, sie müsste einen Meister der Manipulation erkennen, denn sie war selbst eine Art Manipulatorin, wenn es darum ging, Menschen zu einem Kauf zu überreden. Aber sie hatte noch nie einen Verkäufer wie Touchy Tony getroffen. Er verkaufte sich selbst, seine Ehrlichkeit und seinen Wunsch zu helfen, und er war sehr, sehr gut darin.

Eine Dreizehnjährige hätte heute gesagt: »Was für ein Scheiß!« Sie hätte ihren Freundinnen eine Nachricht geschickt, und die hätten ihn auf Snapchat, Twitter und Instagram fertiggemacht. Sie hätten sich zusammengetan und ihn vertrieben, aber damals, vor fünfundzwanzig Jahren, hatten wir diese Macht nicht, wir waren unsicherer im Hinblick auf unsere eigene Meinung und trauten uns nicht, einen älteren Mann zu konfrontieren, vor allem da viele von uns ja tatsächlich in ihn verknallt waren.

Am Tag nach dem Besuch meiner Mutter bat er mich, in der Pause dazubleiben, und sagte: »Ich habe mit deiner Mutter gesprochen und alles geklärt. Ich hoffe, wir können Freunde sein.«

Und ich stotterte und murmelte und nickte mit dem Kopf. Er schaute auf mich herab, und in seinen freundlichen blauen Augen lag ein klein wenig Mitgefühl für mich und meine albernen Anschuldigungen. Ich hatte das Gefühl, dass er mir vergab, und ich freute mich darüber. Ich wollte nicht dafür verantwortlich sein, dass er seinen Job verlor.

»Es tut mir leid«, war alles, was ich herausbrachte. Ich kann es selbst kaum glauben, wenn ich daran zurückdenke, aber genauso war es. Ich habe mich entschuldigt! Bei ihm! *Ich* habe mich bei *ihm* entschuldigt.

Nach der Schule hielt er mit seinem Auto neben mir an, als ich von der Bushaltestelle nach Hause ging, und sagte: »Ich wusste gar nicht, dass du und deine Mutter hier in der Nähe wohnen. Soll ich dich mitnehmen?«

Die Worte »Nein, danke« lagen mir auf der Zunge. Meine Beine zuckten, denn ich wollte einfach nur losrennen, und ich spürte, wie mein Herz raste, aber ich sagte: »Ja, gern.« Und dann stieg ich in sein silbernes Auto. Er fährt immer noch ein silbernes Auto, eine andere Marke, aber die gleiche Farbe. Und seine Hand näherte sich meinem Knie, tätschelte es leicht und glitt ein Stück meinen Oberschenkel hinauf, bis ich die Beine übereinanderschlug. Dann legte er die Hand wieder auf das Lenkrad und lachte in sich hinein. Er wusste genau, was er tat.

Im Café habe ich ihn zunächst nicht bemerkt, aber dann rief der Barista einen Namen und ich schaute von meinem Handy auf, auf dem ich mir gerade ein Video über einen Hund ansah, der von einem ausgesetzten Streuner zu einem gesunden, glücklichen Familientier geworden war, weil ich das immer tun muss, wenn ich auf eine Bestellung warte, damit die Panik nicht aus meinem Mund heraussprudelt und mich dazu bringt, alle anzuschreien, sich von mir fernzuhalten. Ich schaute auf, weil ... weil man das immer tut, um zu sehen, wie viele Leute noch vor einem dran sind, und er sagte: »Ja, hier!« Und schon stand er da, quasi direkt neben mir. Es war nicht sein Name, den der Barista rief, aber er war es. Ich stand da und starrte ihn mit offenem Mund an, während der Barista mich mehr als einmal fragte: »Was darf es für Sie sein?« Und weil der Barista mich das ein paarmal fragte, blickte er auf, während er seine Karte zurück in die Brieftasche steckte, und sah mich direkt an. Dann nickte er, lächelte und verließ das Café. Ich trat einen Schritt zurück und ließ die Person hinter mir ihre Bestellung aufgeben, denn ich rang darum, meine Atmung unter Kontrolle zu bekommen. Meine Arme kribbelten schmerzhaft. Er hatte mich nicht erkannt. Er hatte mich direkt angesehen und mich nicht einmal erkannt. Ich bedeutete ihm nichts. Er hatte mich zu der bloßen Hülle eines Menschen gemacht, und dann hatte er nicht einmal den Anstand, sich an mich zu erinnern.

Ich verließ das Café ohne meinen Kaffee, meine Adern pulsierend vor Wut, sodass mir in der kalten Luft ganz heiß wurde. Ich lief bestimmt eine Stunde lang auf dem Bürgersteig vor meinem Haus auf und ab, ohne mich darum zu kümmern, wer mich dabei sah, wie ich die Arme schwang. Über mir zog der Himmel sich mit dicken grauen Quellwolken zu und kündigte einen Sturm an, der nicht kam. Mit Sicherheit sah ich ein wenig verrückt aus, während ich vor mich hinmurmelte, wie abscheulich er sei und dass er dafür bezahlen würde. Mein Körper zitterte, als ich mich an die kleinen Berührungen erinnerte, an die kleinen Übergriffigkeiten, die mich zerstört haben.

Tausend kleine Übergriffigkeiten haben mich zu dem gemacht, was ich heute bin. Und weil sie alle so klein waren, kann ich nicht auf ein einziges traumatisches Erlebnis verweisen und sagen: »Das ist mir widerfahren.« Berührungen, Tätscheleien und Stupser, anzügliche Blicke und Worte, die er nicht hätte sagen dürfen. Nichts Großes, nichts Bedeutendes, aber zusammengenommen hat es mich zerstört.

Irgendwann habe ich angefangen, alles aufzuschreiben, aber ich habe wieder damit aufgehört, als ich drei Tagebücher gefüllt hatte. *Heute hat er mich gestreift. Heute hat er mir einen schmutzigen Witz erzählt. Heute hat er seine Hand für ein paar Sekunden auf meine Brust gelegt.*

Als er nicht mehr Teil meines Lebens war, dachte ich, es

wäre vorbei. Aber es wird nie vorbei sein. Und ihn wiederzusehen – dieser schreckliche Zufall, ihn wiederzusehen –, hat mich fast umgebracht.

Als ich an diesem Tag endlich wieder das Haus betrat, musste ich sehr, sehr viele Stapel umstoßen, bevor ich mich wieder beruhigte. Dreiunddreißig Stapel, um genau zu sein, große und kleine, schwere und leichte, weiche und harte, musste ich umwerfen, bevor ich normal ein- und ausatmen konnte. Bis spät in die Nacht hinein warf ich Dinge um und stapelte sie wieder. Und als ich endlich fertig war, fasste ich einen Entschluss. Ich würde ihn verfolgen, ihn finden und ihn entlarven. Ich war mir ziemlich sicher, dass er immer noch das Gleiche tat. Katzen werden niemals aufhören, Mäuse zu jagen, die Starken werden immer die Schwachen angreifen, und Touchy Tony wird immer weiter junge Mädchen finden, an die er sich drücken kann, um seinen heißen Atem in ihre Ohren zu hauchen. Ich würde ihn verfolgen und ihn vor der ganzen Welt entlarven, ihn endlich entlarven, und man würde mich nicht zum Schweigen bringen, denn ich war jetzt nicht mehr dreizehn oder vierzehn oder fünfzehn. Warum nicht? Ich hatte nichts anderes zu tun. Er hatte dafür gesorgt, dass ich nichts anderes zu tun hatte.

Und jetzt ist die Zeit gekommen. Mir gefällt zwar nicht, was mit seiner Tochter geschehen ist, aber es erlaubt mir, ihn und seine Taten in einem grellen, hellen Licht zu entlarven. Niemals hätte er ein Kind haben dürfen, ein kleines Mädchen aufziehen dürfen, vor allem keines, das so hübsch ist wie das Mädchen, nach dem sie alle suchen.

Im Fernsehen umarmte er seine Frau, fest und eng, um sie zu trösten. Ich suche im Internet nach dem Namen der Mutter des Kindes. Sie ist Grafikdesignerin, hat eine eigene Website, auf der ihre Handynummer in klaren schwarzen Ziffern steht. Jeder kann sie anrufen. Vielleicht hat sie ein separates Arbeitstelefon, aber ich bezweifle es. Die Leute sind süchtig nach ihren

Handys und brauchen nur ein zweites, wenn sie mit Drogen dealen oder Ähnliches. Das habe ich im Fernsehen gesehen.

Langsam tippe ich eine Nachricht, denn sie muss es erfahren. Nur wenn sie es weiß, kann sie ihn verlassen, ihn entlarven, ihn bei der Polizei anzeigen, damit er eingesperrt wird. Und wenn das kleine Mädchen dann gefunden wird, ist es vor ihm sicher. Ich schreibe nicht viel. Sie wird antworten und dann werde ich es ihr erklären. Ich beginne, die Worte in meinem Kopf zu ordnen, zu überlegen, wie ich ihr die Dinge erklären werde. Ich warte einen Moment und spüre, wie sich etwas in mir verändert. Wenn die Nachricht einmal abgeschickt ist, kann ich sie nicht mehr zurücknehmen. Sie wird wissen, wer er ist, sie wird wissen, was er getan hat, und sie wird wissen, was er jetzt tut.

Touchy Tony – einst Lehrer, jetzt Millionär.

Einst ein Mann ohne eigene Kinder, jetzt Vater eines vermissten Kindes.

Einst ein Pädophiler, immer noch ein Pädophiler.

Die Welt muss es erfahren.

Ich atme tief durch, drücke auf »Senden«, und weg ist die Nachricht.

DREIZEHN

LESLIE

17:00 Uhr

Es gibt nichts Schlimmeres als Warten, denkt sie. Die Zeit weigert sich, stehen zu bleiben, und es ist bereits siebzehn Uhr, die Sonne steht immer tiefer am Himmel. Sie hat versucht, sich im Arbeitszimmer zu verstecken, und sie hat versucht, denjenigen hinterherzuräumen, die in ihrer Küche waren, dort Dinge angefasst, bewegt und verändert haben. Bianca geht hier selbstbewusst ein und aus, kocht den Constables Tee und macht Shelby Essen. Leslie hat sie nichts angeboten.

»Raus hier«, will sie allen zurufen, »alle raus hier!« Jetzt sitzt sie auf dem Sofa, starrt auf den Teppich und wünscht sich, sie könnte sich auf den weichen blauen Flor legen und heulen.

»Ähm, entschuldigen Sie, Leslie«, sagt Constable Dickerson und reißt sie aus ihren Gedanken.

Sie schreckt auf, ein erwartungsvoller Adrenalinstoß rauscht durch ihre Adern. »Wurde sie gefunden?«, fragt sie.

»Nein, aber wir tun alles, was in unserer Macht steht, um sie wieder zu Ihnen nach Hause zu bringen. Ich wollte nur einen Moment mit Ihnen über Ihren Einkauf sprechen. Nur ein paar kurze Fragen, wenn das in Ordnung ist.«

Leslie beißt sich auf die Lippe. Was haben sie herausgefunden? »Ja«, beginnt sie vorsichtig.

»Nun, die Überwachungskameras zeigen, dass Sie um dreizehn Uhr auf den Parkplatz des Einkaufszentrums gefahren sind, nicht um zwölf Uhr, wie Sie angegeben haben. Können Sie uns sagen, wo Sie in der Stunde davor waren?« Er stellt die Frage ganz höflich, er ist sich wohl sicher, dass es eine Erklärung dafür geben wird, aber Constable Willow steht mit seinem Stift und seinem kleinen Notizbuch in der Hand neben ihm und ist bereit, ihre Antwort zu notieren.

Ihr Gesicht errötet. »Ich ...«

»Worum geht es hier?«, fragt Randall, der von draußen ins Wohnzimmer kommt. Vorhin wollte sie hinausgehen und dort mit ihm in der Kälte stehen, aber sie hatte das Gefühl, dass die Polizei es vorzog, sie getrennt voneinander zu halten, sie lieber nicht miteinander sprechen zu lassen. Je mehr sie wie Verdächtige behandelt werden, desto mehr beschleicht sie ein Gefühl der Schuld. Wäre sie direkt einkaufen gegangen und nach Hause zurückgekommen, wäre Millie jetzt noch da – so einfach ist das.

»Ich frage Ihre Frau nur nach ihrem heutigen Zeitplan. Auf den Überwachungskameras ist zu sehen, dass sie das Einkaufszentrum eine Stunde später als angegeben betreten hat, deshalb wollten wir das klären.« Der Polizist schenkt Randall ein knappes Lächeln.

»Les?«, fragt Randall und sieht sie verwirrt an. Sie ist dankbar, dass niemand neben ihr sitzt, denn der Schweiß, der sich in ihren Achselhöhlen sammelt, lässt sie unruhig auf dem Sofa umherrutschen.

»Ich habe mich mit jemandem getroffen«, flüstert sie.

»Entschuldigen Sie bitte, haben Sie gesagt, dass Sie sich mit jemandem getroffen haben? Nur um sichergehen, dass ich Sie richtig verstanden habe.« Der Constable hebt seine Stimme ein wenig, offensichtlich in der Hoffnung, sie dazu zu bringen, es ihm gleichzutun.

»Ja«, bestätigt Leslie und begegnet aufschauend seinem Blick. *Ein Geheimnis, das man für sich behält, ist ein Geheimnis, das man später bereut.* Das ist es, was dieser bittere Geschmack in ihrem Mund ist – Reue.

»Vielleicht könnten Sie das erklären«, bittet Constable Willow. Seine Stimme ist ganz hoch, und als sie zu ihm hinüberschaut, stellt sie fest, dass sie ihn für älter gehalten hat, als er ist. Seine Haut ist leicht rosa und er muss sich wahrscheinlich nur jeden zweiten Tag rasieren. Sie hat sich über seine bisherige Schweigsamkeit gewundert – abgesehen von seinen leisen Teeangeboten –, aber jetzt leuchtet sie ihr ein: Das alles ist ganz neu für ihn. Er ist ganz frisch dabei und noch unerfahren. Vielleicht ist das sein erster Fall eines vermissten Kindes. Vielleicht werden er und Constable Dickerson nach ihrer Schicht darüber sprechen, was Constable Willow an dem schlimmsten Tag in Leslies Leben gelernt hat. Doch sein Alter macht wahrscheinlich auch keinen Unterschied, denn nichts kann die Tatsache ändern, dass Leslie hier zu Hause hätte sein sollen und nicht irgendwo anders.

Sie setzt sich aufrecht hin. »Ich habe einen Mann namens Graham getroffen, mit dem ich früher gearbeitet habe; er war mein Chef.« Es hat keinen Sinn zu lügen – sie werden es sowieso herausfinden.

»Okay, und wird er das bestätigen?«, fragt der Constable.

Sie nickt.

»Er war auch mal dein Freund, nicht wahr?«, fragt Randall und verschränkt die Arme. »Ausgerechnet heute, Les …« Er hält inne, wendet sich von ihr ab und verlässt den Raum.

Randall ist kein Freund von Konfrontationen. Er hat ihr erzählt, dass jeder Streit mit seiner ersten Frau immer damit endete, dass er sich entschuldigte, und mittlerweile weigert er sich, mit Leslie zu streiten. Er geht einfach weg, stimmt ihr zu oder entschuldigt sich, bevor sie überhaupt anfangen können, sich zu streiten. Bianca hatte ihn »rückgratlos« genannt. Eine gemeine Beschreibung. Leslie bezeichnet ihn lieber als Pazifisten. Er würde nämlich alles tun, um den Frieden zu wahren. Aber manchmal will sie nicht den Frieden wahren; manchmal würde sie gern mit ihm diskutieren, sich sogar mit ihm streiten, weil sie festgestellt hat, dass sie ihre Gefühle sonst einfach in sich hineinfrisst, anstatt ihren Standpunkt zu verteidigen, und das ist nicht gut. Daran müssen sie als Paar arbeiten. Sie müssen lernen, miteinander zu streiten, um verheiratet zu bleiben – aber jetzt ist nicht der richtige Zeitpunkt für irgendeine Diskussion. Sie hat ihn verletzt, und das war nie ihre Absicht.

»Es ist nicht so, wie du denkst«, ruft sie ihm nach, aber er bleibt nicht stehen. Scham und Schuldgefühle steigen in ihr auf. Sie hat ihn verletzt, weil sie es ihm nicht gesagt hat. Und jetzt ist ihre Tochter verschwunden. Kurz bevor er aus der Haustür tritt, bleibt er dann doch kurz stehen und schüttelt den Kopf. Etwas in ihm hat sich verändert, das spürt sie, und die Schuld für das Verschwinden ihres Kindes lastet nun noch schwerer auf ihr.

»Kann ich bitte seine Nummer haben?«, fragt Constable Willow und hält seinen Stift bereit.

Leslie sucht die Nummer auf ihrem Handy heraus und reicht es dem Constable. Auf ihrem Handy versteckt sich nichts, was er nicht sehen darf. Der Constable tippt die Nummer in sein eigenes Handy ein und nimmt ihres mit, als er sich ein paar Schritte entfernt, um mit Graham zu sprechen. Sie hätte gleich am Anfang etwas sagen sollen, aber das Ganze hatte ja nichts mit Millie zu tun – abgesehen von der sehr wichtigen Tatsache, dass ihr kleines Mädchen noch hier wäre, wenn sie nur eine Stunde weg gewesen wäre. Aber Leute kommen nun mal zu spät, und es hätte ja auch nur eine lange Schlange im Supermarkt gewesen sein können. So hätte es sein können.

Ihr Nacken schmerzt unter der Last ihrer Schuldgefühle, und sie würde Constable Dickerson oder Randall oder Bianca gern fragen, ob sie noch nie zu spät gekommen sind. Die Schlangen im Supermarkt hätten länger gewesen sein können als sonst. Ein Funke der Empörung brennt in ihr. Ja, sie war zu spät gekommen, aber sie hatte ihr Kind doch bei einer Person gelassen, der sie glaubte, vertrauen zu können. Warum ist das alles nun einzig und allein ihre Schuld?

Das Treffen mit Graham war ohnehin äußerst unangenehm gewesen. Sie hatten sich in einem Café getroffen, das Millie liebte, weil es mit allen möglichen Bildern von Katzen dekoriert war. Es zu betreten, war ihr unangenehm gewesen, aber sie hatte ihn sofort entdeckt: Seine große Gestalt hockte in einer Ecke, den Blick auf sein Handy gerichtet. Wenn sie an Graham dachte, war »zottelig« das erste Wort, das ihr in den Sinn kam. Sein Haar war zu lang, sein Hemd steckte nie in der Hose und seine Hose hatte immer Flecken vom Mittagessen, aber sein Lächeln gab ihr das Gefühl, wirklich gesehen zu werden. Als sie für ihn in der Werbeagentur gearbeitet hatte, hatte er ihr das Gefühl gegeben, dass jedes Wort aus ihrem Mund Gold wert war. Er hatte ihr vor allen Leuten und auch im Bett gesagt, dass sie genial und wunderbar sei. Als sie Randall zum ersten Mal traf, hatten sie und Graham sich gerade erst getrennt. Ihre Beziehung hatte keine Zukunft mehr gehabt, und obwohl er das überraschenderweise anders gesehen hatte, schlug sie eine Trennung vor. Als sie daraufhin mit Randall zusammenkam, war er am Boden zerstört. Sie hatte ihn trösten müssen, nachdem sie ihm in ihrem Büro gesagt hatte, dass sie sich mit einem anderen traf, und er sich zwang, nicht in Tränen auszubrechen. »Aber ich liebe dich«, hatte er fassungslos entgegnet, und sie hatte geantwortet: »Das hast du mir nie gesagt, nicht wirklich, und ich will Kinder und heiraten und mir ein Leben aufbauen.« Eigentlich wollte sie all das erst so dringend, seit sie Randall kennengelernt hatte.

»All das hätte ich dir gegeben. Zumindest hätten wir darüber sprechen können. Aber du hast mich nicht einmal wirklich gefragt, dabei hätte ich mit dir darüber gesprochen. Und selbst wenn ich keine Kinder will, ich liebe dich – ist das nicht genug?«

Damals war Leslie vor allem genervt gewesen, aber im Lauf der Jahre hat sie begonnen, die Beziehung in ihrer Erinnerung durch eine rosarote Brille zu sehen.

Er sah genauso aus wie immer. Eigentlich hätte sie ihm gar nicht antworten sollen. Er hatte ihr geschrieben und nach ihrer Website gefragt, und sie hatte zugegeben, dass kaum Jobs reinkamen und all ihre Projekte unbedeutend und langweilig waren. Sie hatten ein paar Tage lang hin- und hergeschrieben. Dabei hatte sie ihn gefragt, wie es in der Agentur lief, und einen starken Anflug von Neid verspürt, als er erwähnte, dass eine jüngere Frau zur Leiterin der mittlerweile viel größeren Grafikdesignabteilung befördert worden war. Sie war auf der Karriereleiter mindestens zehn Sprossen heruntergeklettert, als sie die Agentur verlassen hatte. Je größer Millie wurde, desto mehr spürte sie, wie sie unter dieser Tatsache litt. War es klug gewesen, ihre Karriere auf Eis zu legen, um mit einem Kind zu Hause zu bleiben?

»Leslie«, hatte er gesagt und war aufgestanden, als sie auf seinen Tisch zuging, »du siehst umwerfend aus, aber das tust du ja immer. Wie geht es dir, meine Liebe?« Er hatte sich vorgebeugt und sie auf die Lippen geküsst. Angesichts dieser viel zu aufdringlichen Berührung zuckte sie zusammen. Ihr wurde klar, dass sie einen Fehler gemacht hatte. Er glaubte offensichtlich, dass sie ihre Beziehung wieder aufwärmen wollte, und sie hatte ihn in diesem Glauben gelassen, hatte ihn nicht zur Rede gestellt, als er in seinen Nachrichten begann, ein wenig zu flirten. Aber deshalb war sie nicht hier. Sie wollte einen Job, und sie hatte Randall nicht von diesem Treffen erzählt, weil es ihm gar nicht gefallen würde, dass sie Graham traf. Falls Graham keinen Job für sie hatte, wäre das Ganze sowieso unwichtig, und falls doch, dann hatte sie sich später darum kümmern wollen, es Randall zu sagen. Hätte sie Randall davon erzählt, anstatt es ihm zu verheimlichen, hätte er sie gebeten, sich nicht mit Graham zu treffen, und sie hätte auf ihn gehört. Und dann wäre sie nur eine Stunde weg gewesen und Millie wäre noch da.

Das Treffen war noch unangenehmer geworden. Sie hatten über ihr Leben und über Millie geplaudert, und Graham hatte ein paar Fragen über Randall gestellt, und dann hatten sie eine Minute lang geschwiegen, bis sie sagte: »Ich habe mich gefragt, ob du eine Stelle für mich hast. Ich möchte wieder anfangen zu arbeiten.«

Und genau gleichzeitig hatte er gesagt: »Ich hätte nicht gedacht, dass du die Art von Frau bist, Les. Nicht, dass es mich stört. Du hast mir wirklich gefehlt.«

Sie hatten beide aufgehört zu sprechen, als Leslie merkte, wie demütigend es war, ihn nach einem Job zu fragen, und ihr klar wurde, was er gesagt hatte.

»Oh«, murmelte Graham. »Oh ... Dann habe ich mich also geirrt.« Er kämpfte mit seiner eigenen Verlegenheit, einen Job in der Agentur konnte sie vergessen. Das war sowieso eine dämliche Idee gewesen.

»Nun ...« Er hatte sich zweimal geräuspert. »Wir haben nicht besonders viel zu tun ... Also, wir haben genug Arbeit, aber nicht genug, um ... Na ja, du weißt ja, wie das ist.« Er blickte auf sein stummes Handy auf dem Tisch. »Ähm ... ah, mein Handy meldet sich. Ich bin noch mit einem Freund verabredet. Ich muss jetzt wirklich los. War schön, dich wiederzusehen.« Er war aufgestanden und gegen den kleinen Tisch gestoßen, der zwischen ihnen stand, sodass seine Kaffeetasse auf der Untertasse umkippte und der kalte, graubraune Bodensatz auslief.

Nachdem er gegangen war, hatte ein Kellner ihr die Rechnung gebracht. Er hatte also nicht einmal seinen eigenen Kaffee bezahlt. Sie fühlte sich gedemütigt, weil er sie und ihre brillante Arbeit nicht zurück in der Agentur haben wollte, und er fühlte sich gedemütigt, weil sie ihn nicht zurück in ihrem Bett haben wollte. Die gesamte Stunde ihres Treffens war schrecklich gewesen, und nachdem sie die beiden Kaffees bezahlt hatte, war sie auf dem Weg zu ihrem Auto plötzlich froh, dass sie Randall nichts erzählt hatte. So konnte sie dieses ganze peinliche Treffen einfach vergessen.

Jetzt steht sie auf, und Constable Willow gibt ihr das Handy zurück. »Er hat bestätigt, dass Sie sich mit ihm getroffen haben, und hat gefragt, ob Sie ihn anrufen können. Er hatte keine Ahnung, dass Millie vermisst wird.«

Leslie nickt und nimmt ihr Telefon. Sie wird Grahams Nummer löschen, sobald das hier vorbei ist. Ihr stockt kurz der Atem. Wann wird es vorbei sein? Wie wird es enden?

»Ich glaube, ich gehe mal eben auf die Toilette«, sagt sie zu niemand Bestimmtem. Anstatt das Bad im Erdgeschoss zu benutzen, geht sie nach oben in ihr eigenes Bad. Dort schließt sie die Tür ab und setzt sich an den Rand der großen eingelassenen Badewanne. Millie liebt diese Wanne, sie liebt es, darin in einem Schaumbad zu planschen und Leslie zu sich ins Wasser zu holen. Leslie schaukelt einen Moment lang vor und zurück und schlingt die Arme um sich. Wie wird das Ganze enden? Ein schwerer Schmerz füllt ihre Brust.

Wo bist du? Wo steckst du? Bitte, komm nach Hause, Millie Molly. Bitte, komm nach Hause.

Es klopft leise an der Badezimmertür; sie weiß, dass es Randall ist. Endlich haben sie etwas Zeit für sich – aber jetzt ist es zu spät, es ihm vorher zu sagen. Sie seufzt. Sie wollte ein bisschen Zeit ganz für sich allein haben, aber das kann nicht warten. Was auch immer passiert, sie müssen in der Lage sein, sich gegenseitig zu unterstützen. Sie steht auf, schließt die Tür auf und setzt sich, ohne sie zu öffnen, wieder an die Badewanne.

»Ja«, sagt sie, und er kommt herein und setzt sich auf einen weißen Holzstuhl in der Ecke des großen Badezimmers.

»Warum Graham?«, fragt er, bevor sie etwas sagen kann.

»Ich wollte einen Job«, erklärt sie. »Das ist alles. Die Website läuft nicht gut, und ich brauchte einfach ...« Sie bricht ab.

»Mehr als mich und Millie«, beendet er den Satz für sie. »Du brauchtest mehr als mich und Millie, weil wir für dich nicht genug sind.«

Er lehnt sich zurück, streckt seine langen Beine vor sich aus, und in diesem Moment kann sie nachvollziehen, warum manche seiner Angestellten ein bisschen Angst vor ihm haben – das hatte ihr seine betrunkene Sekretärin auf dem Sommerfest im Büro zugeflüstert. Nicht weil er bedrohlich wirkt, sondern eher weil es so furchtbar ist, ihn enttäuscht zu sehen. Sie weiß, dass sie ihn enttäuscht hat, und sie fühlt sich furchtbar deswegen. Wieder gibt sie sich selbst die volle Schuld an dem, was passiert ist. An nur einem Nachmittag hat sie ihre Ehe zerstört und ihr einziges Kind verloren. Das kann doch niemand ertragen.

»Was brauchst du denn noch alles, Les? Du hast deine Arbeit, du hast mich und Millie und Shelby. Ein Job würde nur bedeuten, dass du stundenlang von uns allen getrennt bist. Wenn du für Graham arbeiten würdest, dann wärst du nicht einfach von neun bis fünf im Büro. Ich weiß noch, wie viel du gearbeitet hast, bevor wir geheiratet und Millie bekommen haben. Wie willst du das schaffen? Wie? Aber vielleicht ist es das, was du willst ...« Er zuckt müde mit den Schultern.

»Das ist ungerecht«, sagt sie verletzt und wütend. »Warum sagst du so was?«

»Warum triffst du dich mit einem Ex-Freund und lässt unser Kind allein? Schau doch, was passiert ist.«

»Bitte?«, schreit sie und steht auf, dann senkt sie die Stimme zu einem zornigen Flüstern, damit sie niemand hören kann. »Sie war nicht allein, das weißt du doch. Sie war bei deiner Tochter, *deiner* Tochter.«

»Meiner Tochter? All das Gerede darüber, dass wir eine Familie sind, bedeutet also nichts mehr? Plötzlich ist sie nur noch *meine* Tochter?« Er steht ebenfalls auf und beugt sich über sie, während er sie anfunkelt.

»So meine ich das nicht. Ich bin nur …« Sie lässt sich wieder an den Badewannenrand sinken. »Es tut mir leid, dass ich mich mit Graham getroffen habe, aber das ist nicht der Grund, warum Millie weg ist, und das weißt du«, sagt sie leise, obwohl sie die Schuldgefühle darüber, Shelby und Millie stundenlang allein gelassen zu haben, wie eine schwere Decke auf ihren Schultern spürt. Aber die Schuld liegt nicht allein bei ihr. »Millie hätte bei Shelby sicher sein sollen, Randall. Sie hätte auf sie aufpassen sollen – oder warum haben wir überhaupt beschlossen, Shelby babysitten zu lassen?«

»Wir haben uns darauf geeinigt, dass sie für kurze Zeiträume babysittet«, sagt er mit zusammengebissenen Zähnen. Er beugt sich immer noch über sie, und sie wünschte, er würde einfach weggehen. Sein Sandelholz-Aftershave, das sie normalerweise liebt, benebelt sie.

»Es waren nur ein paar Stunden«, sagt sie und starrt auf die großen cremefarbenen Marmorfliesen, um ihn nicht ansehen zu müssen.

»Das ist nicht Shelbys Schuld«, sagt Randall. »Es ist nicht ihre Schuld«, wiederholt er, während er einen Schritt zurücktritt, und sie kann es an seiner Stimme hören, sie kann hören, dass er seit Stunden versucht, sich selbst genau davon zu überzeugen. Und ihr wird klar, dass sie ihn womöglich dazu bringen kann, Shelby zu fragen, was wirklich passiert ist, wenn sie sie von Biancas Seite loseisen können.

»Ich … ich mache ihr keine Vorwürfe, aber … vielleicht

verheimlicht sie uns etwas. Etwas, das erklären würde, was passiert ist.« Leslie spricht langsam und spürt, dass sie sich hier auf dünnem Eis bewegt. Sie erwartet von Randall, ein Kind über das andere zu stellen, aber ... Shelby ist nun mal in Sicherheit und Millie wird vermisst.

»Ich kann das nicht«, sagt Randall. »Ich kann sie nicht beschuldigen, ihrer Schwester wehgetan zu haben. Das kann ich nicht. So ist sie nicht.« Er dreht sich um und verlässt das Badezimmer, bevor Leslie ein weiteres Wort sagen kann. Der Gedanke ist ihm genauso im Kopf herumgeschwirrt wie ihr. Seine Reaktion beweist das. Sie möchte weinen, aber ihre Augen sind trocken und jucken.

Stattdessen nimmt sie ihr Handy und scrollt durch die Bilder ihrer Tochter, deren ganzes Leben dokumentiert ist, vom ersten Lächeln über den ersten Schritt bis hin zum ersten Mal, als sie oben auf die Rutsche kletterte. Was, wenn sie entführt worden ist? Wenn derjenige, der sie in seiner Gewalt hat, ihr wehtut? Wut steigt in ihr auf und sie springt auf, gräbt ihre Nägel in ihre Handfläche. *Wenn ihr jemand wehtut, werde ich denjenigen umbringen. Ich werde ihn umbringen.*

Noch während sie diese Worte denkt, spürt sie, wie sie zusammensackt, wie schwer ihr Körper ist und wie nutzlos ihre Gedanken sind. Sie hat keine Macht, keine Kontrolle über diese Situation. Ihr Kind ist verschwunden und könnte überall sein. Sie geht hinüber zu dem großen Marmorwaschtisch vor der riesigen Spiegelwand. Ihr Spiegelbild blickt ihr mit trüben braunen Augen, schlaffem, wirrem Haar und rissigen, spröden Lippen entgegen. Sie hat zu viel auf ihnen herumgekaut. Am liebsten würde sie den Spiegel zertrümmern, ihr Handy gegen das Glas werfen, irgendetwas kaputt machen, laut sein und ihre Wut und Angst herausschreien.

Sie greift nach ihrem Haar, reißt sich ein paar Strähnen aus und genießt das Stechen, während sie sie herauszieht.

Ihr Handy vibriert und sie schaut auf das Display hinab.

Ihr Mann ist nicht der, für den er sich ausgibt.

Die Nachricht stammt von einer Nummer, die sie nicht kennt.

Ihr Mann ist nicht der, für den er sich ausgibt.

Sie lässt sich an den Wannenrand zurücksinken, während sie die Worte wieder und wieder liest, und ihr wird ganz kalt.

Was soll das bedeuten? Wenn er nicht der ist, für den er sich ausgibt, wer ist er dann?

VIERZEHN

SHELBY

Sie ist oben in ihrem Zimmer und hat sich unter der weichen, karamellfarbenen Decke zusammengerollt, die Leslie für ihr Bett gekauft hat. Ihrer Mutter hat sie gesagt, dass sie sich hinlegen muss, weil ihr schlecht ist. Und das ist nicht mal eine Lüge. Ihr ist ganz mulmig zumute und in ihrem Kopf hämmert es.

Tut mir leid, was passiert ist, aber sag bitte niemandem, dass ich da war

Kiera macht sich Sorgen, weil sie ihr nicht geantwortet hat.

Es klopft leise an der Tür, und ihr Herz pocht in ihrer Brust, als sie mit zitternden Fingern schnell die Nachricht löscht. Sie setzt sich auf. »Ja«, ruft sie schwach, und die Tür öffnet sich. Da steht ihre Mutter in Begleitung des jungen Polizisten. Sie setzt sich aufrechter hin und schlingt die Decke fest um ihre Beine.

»Dieser ... Polizist hier«, sagt ihre Mutter, »würde gern einen Blick auf dein Handy werfen.« Am Blick ihrer Mutter merkt Shelby, dass sie möchte, dass sie sich weigert, aber das wird sie nicht tun. Sie hat schließlich dafür gesorgt, dass da nichts mehr ist.

Ihre Mutter will, dass sie sich wehrt, dass sie eine Szene macht. Aber sie ist zu müde und zu traurig, um etwas anderes zu tun als zuzustimmen.

»Warum?«, fragt sie, nur um sich zu vergewissern und um ihrem Herzen Zeit zu geben, sich zu beruhigen.

»Das habe ich auch gefragt«, schnaubt ihre Mutter. »Ich finde das völlig unangemessen.«

»Schon okay«, unterbricht Shelby sie schnell. »Es macht mir nichts aus.« Sie weiß, dass ihre Mutter sich in etwas hineinsteigern will. Ihre Mutter streitet mit jedem. Shelby ähnelt in dieser Hinsicht eher ihrem Vater. Sie hasst es, sich zu streiten. Deshalb hat sie auch Kiera zu sich kommen lassen. Und deshalb hat sie manchmal das Gefühl, dass sie von ihren Freundinnen, ihren Eltern, ihren Lehrern und allen möglichen anderen Leuten zu Dingen gedrängt wird, die sie gar nicht tun will. Sie bewundert ihre Mutter dafür, immer auf einen Kampf vorbereitet zu sein, aber sie selbst findet die Vorstellung einfach nur anstrengend. In letzter Zeit versucht sie immer mal wieder, sich zu wehren, und das scheint alle zu verwirren. Aber sich zu wehren ist schwer, und man sieht ja, wozu das geführt hat, was passiert ist, weil sie versucht hat, sich zu wehren. Sie hält dem Constable ihr Handy hin. Er sieht so jung aus, dass er noch auf der Highschool sein könnte. Shelby freut sich nicht auf die Highschool im nächsten Jahr. *Was, wenn ich gar nicht hinkann? Wenn ich stattdessen in den Knast muss? Was, wenn, was, wenn …*

Der Constable lächelt sie an und nimmt das Handy in der silbernen Glitzerhülle entgegen. Sie hofft, dass er nicht merkt, wie ihre Hände zittern, während sie einfach nur betet, dass Kiera nicht gerade jetzt eine weitere Nachricht schickt.

Dann richtet sie den Blick nach unten, weil es ihr unangenehm ist, dass er auch die peinlichen Sachen sehen wird, die da drauf sind. Er schaut es schnell durch und gibt es ihr nach ein paar Minuten zurück. »Danke, Shelby. Ist dir sonst noch irgendwas eingefallen, was uns helfen könnte?«

Shelby schüttelt den Kopf und hasst sich selbst dafür, dass sie rot wird, vor Erleichterung und Angst zugleich. Kann er daran erkennen, dass sie lügt? Was genau weiß er? Tut er nur so, als wüssten sie nicht, was wirklich passiert ist?

»Ich würde meine Tochter jetzt gern nach Hause bringen«, sagt ihre Mutter und stellt sich so aufrecht hin, dass sie etwas größer ist als der Constable.

»Ich frage mal eben bei Constable Dickerson nach«, sagt er und verlässt den Raum.

»Pack deine Sachen«, befiehlt ihre Mutter und trifft die Entscheidung für sie, ohne sie zu fragen, was sie will.

»Mum ...«, beginnt Shelby.

»Ja?«

»Glaubst du, dass es meine Schuld ist, was passiert ist? Ist es meine Schuld?« Sie stellt die Frage, obwohl sie die Antwort kennt, denn natürlich ist es ihre Schuld, und jetzt muss sie das, was wirklich passiert ist, für sich behalten und kann nur noch hoffen, dass Millie gefunden wird, obwohl dann alles noch viel schlimmer sein wird. Viel schlimmer, aber auch vorbei. Sie werden nicht mehr warten. Sie hat die ganze Zeit versucht, irgendwie damit klarzukommen – mit dem Wissen um das, was passiert ist, was sie gesehen hat und was sie für die Wahrheit hält. Gleichzeitig hat sie versucht, sich einzureden, dass sie keine Ahnung hat, was mit ihrer Schwester passiert ist. Zwischendurch war sie selbst fast davon überzeugt, dass es Millie gut geht und sie bald gefunden werden wird. Aber je länger alles andauert, desto weniger kann sie sich das einreden.

Ihre Mutter kommt an ihr Bett und setzt sich. Sie streichelt Shelby über das Haar. »Natürlich nicht. Als ich angerufen habe und du meintest, du wärst schon über eine Stunde mit ihr allein, war ich ziemlich sauer. Ich wollte kommen und bei dir bleiben, bis ihre Mutter wieder da ist, aber …« Sie macht eine Geste, die bedeuten soll, dass sie etwas aufgehalten hat.

»Ich wünschte, du wärst gekommen«, klagt Shelby. Aber ihre Mutter war nicht gekommen, sondern hatte sie mit ihrer kleinen Schwester allein gelassen. Millie war nicht das Problem ihrer Mutter.

»Sie werden sie finden, da bin ich mir sicher. Und jetzt pack zusammen. Wir fahren nach Hause. Wir können was beim Chinesen bestellen.« Ihre Mutter will, dass alles vorbei ist, dass ihr Leben wieder normal ist und sie so tun kann, als hätte es diesen Tag nie gegeben. Shelby will das auch.

Sie nickt und setzt sich in Bewegung, als ihre Mutter das Zimmer verlassen hat. Sie packt ihre Schulsachen ein und stopft sie zusammen mit ein paar Klamotten in ihren Jeansrucksack, obwohl sie bezweifelt, dass sie dieses Wochenende noch irgendwelche Hausaufgaben machen wird. Es wirkt, als wäre es ihrer Mutter egal, ob Millie gefunden wird oder nicht, aber sie weiß, dass das nicht stimmt. Ihre Mutter glaubt einfach, dass sie gefunden wird, weil sie glaubt, dass Millie sich bloß verlaufen hat und nur gefunden werden muss. Ihre Mutter hat keine Ahnung. Zumindest glaubt sie, dass ihre Mutter keine Ahnung hat. Sie glaubt und hofft, dass niemand wirklich weiß, was passiert ist. Aber was, wenn es noch jemand weiß, wenn noch jemand die Wahrheit kennt?

Ihr Handy vibriert mit einer weiteren Nachricht, und als sie sieht, dass sie wieder von Kiera stammt, spürt sie eine Welle der Erleichterung, dass der Constable nicht mehr hier ist.

Was ist dein Plan? Erzählst du jemandem davon?

Shelby denkt darüber nach, was sie antworten soll, was sie überhaupt antworten *kann*, aber ihr fällt nichts ein, darum steckt sie ihr Handy in ihren Rucksack. Sie will nicht mit Kiera sprechen, jetzt nicht und vielleicht nie wieder. Kiera denkt nur an sich selbst.

Sie und Kiera hatten nicht erwartet, dass Millie so schnell sein würde, dass sie einfach durch die offene Haustür, durch den Vorgarten und durch das Tor hinausflitzen würde. »Komm zurück, Millie«, hatte Shelby geschrien, während Kiera kicherte. Sie war hinter ihrer kleinen Schwester hergerannt und hatte sie fast eingeholt, als Millie den Kopf drehte und schrie: »Ich hasse dich!« Shelby sah, dass sie weinte, und hatte ein ganz schlechtes Gewissen. Millie tat ihr im Herzen leid. Dann war sie auf die Straße gerannt, direkt vor ein silbernes Auto. Die Zeit hatte sich verlangsamt, alles war wie in Zeitlupe passiert, während das Auto auf Millies kleinen Körper zusteuerte. Und dann …

»Fertig?«, fragt ihre Mutter und steckt ihren Kopf durch die Tür.

»Ja«, sagt Shelby. »Ich glaube schon.«

»Na, dann. Ich brauche ein Glas Wein. Ich kann es kaum erwarten, diesen ganzen Tag hinter mir zu lassen.«

Shelby weiß, dass das nie passieren wird. Sie werden diesen Tag, alles, was heute geschehen ist, nie hinter sich lassen können. Es hat gerade erst begonnen.

FÜNFZEHN

RUTH

Sie hat nicht auf meine Nachricht geantwortet. Niemand möchte so etwas über den Mann hören, mit dem man ein Kind hat. Aber ich verstehe trotzdem nicht, warum sie mir nicht sofort zurückgeschrieben und gefragt hat, wovon ich spreche. Wenn ich mir vorstelle, dass sie im Bett neben einem Mann liegt, der zu solchen Dingen fähig ist, dann schaudert es mich. Wahrscheinlich weiß sie es nicht, und wenn sie es doch weiß, dann fragt sie sich, ob sie diese Dinge wirklich gesehen hat oder nicht. Gaslighting, so nennt man das heute – wenn jemand einen dazu bringt, zu glauben, dass das, was man meint erlebt zu haben, nicht stimmt. Darin war er immer schon sehr gut.

Das hast du dir nur eingebildet. Das habe ich so nicht gemeint. Das ist so nicht passiert. Ist alles okay mit dir? Vielleicht hast du ja ein Problem. Du bist paranoid. Ich finde, du solltest wirklich mit jemandem darüber sprechen.

Ich schaue mir die Nachricht auf meinem Handy noch mal an und gehe dann in mein ehemaliges Schlafzimmer, um nach dem Rechten zu sehen. Hier ist alles okay; meine Stapel sind immer noch ordentlich und akkurat. Hier bin ich sicher, hier fühle ich mich geschützt. Alles hier drin ist sicher. Ich war hier sicher, von den Stapeln umgeben, wie in einem Kokon, voll und ganz geborgen.

Ich setze mich auf mein Bett, das Bett, in dem ich schlief, bevor meine Mutter starb. Die Matratze gibt nach und ich sehe mich selbst als kleines Mädchen in genau diesem Bett, klein und perfekt. Ich benutze dieses Schlafzimmer nicht mehr, aber es ist immer noch ein guter Ort für mich, abgeschirmt und umgeben von ordentlichen Sammlungen von Spielkarten in ihren Schachteln, Klebebandrollen in separaten Abrollern und großen und kleinen, unparfümierten weißen Kerzen, denn ich mag den sauberen Geruch von einfachem Kerzenwachs. In der Ecke befindet sich eine große Sammlung Weihnachtskarten, die mit rotem Geschenkband zu Neunerbündeln zusammengebunden sind. Ich habe noch nie eine Weihnachtskarte an jemanden verschickt. Die einzigen Menschen, mit denen ich jemals Weihnachten verbracht habe, waren meine Mutter und meine Großmutter und der Mann, mit dem meine Mutter gerade jeweils zusammen war. Aber ich mag meine Kartenbündel, ich mag den optimistischen und hoffnungsfrohen Ton der Botschaften. *Frohe Weihnachten und ein glückliches neues Jahr*; *Ein wundervolles Weihnachtsfest und ein frohes neues Jahr*; *Selige und fröhliche Weihnachten*; *Friede auf Erden für alle*; *Auf ein wundervolles Weihnachten und ein frohes neues Jahr für die ganze Welt*. In ein paar Monaten ist schon wieder Weihnachten, und ich werde wieder einmal allein sein, und das ist in Ordnung, aber ich finde es nicht fair, dass er bei seiner Frau und seiner kleinen Tochter sein wird, der er eines Tages wehtun wird. Vielleicht tut er es auch bereits und verheimlicht der Welt, während er sie um Hilfe bittet, seine Tochter zu finden, was er ihr angetan hat – nicht nur heute, sondern schon die ganze Zeit. Wut steigt in mir auf. Er hat kein Weihnachtsfest mit seiner Familie verdient, und ich werde dafür sorgen, dass er es nicht bekommt.

Ich entspanne mich ein wenig und lächle, denn ich mag

mein neues, kämpferisches Ich. »Er wird es nicht bekommen«, flüstere ich. Dann wende ich mich wieder dem Fernseher zu und warte auf Neuigkeiten über das vermisste Kind. Es ist schon nach siebzehn Uhr dreißig, fast Zeit zum Abendessen, aber mein Magen verweigert die Nahrungsaufnahme. Nachdem ich ihn gesehen und den Schock überwunden hatte, dass er einfach in einem Vorstadtcafé in der Nähe meiner Wohnung aufgetaucht war, schloss ich mich tagelang ein. Ich fing an, durch die Vorhänge aus dem Fenster zu spähen, so als ob er jeden Moment die Einfahrt hochkommen könnte. Ich weiß nicht, ob ich ihn hereingelassen hätte oder nicht, wenn er an meiner Tür aufgetaucht wäre. So sehr hatte er mich noch immer in der Hand. Als ich dreizehn und vierzehn war, hatte er so viel Macht über mich, dass ich nicht sagen kann, ob ich in der Lage gewesen wäre, einfach Nein zu sagen. Mein »Nein« hatte wenig Bedeutung, das wusste ich bereits. Es war falsch und bedeutete, dass etwas mit mir nicht stimmte.

Zuerst dachte ich noch, dass er mich erkannt, aber es geleugnet hatte. Doch dann passierte nichts, er kam nicht und klopfte an meine Tür. Und als ich akzeptiert hatte, dass er sich wirklich nicht an mich erinnerte, dass ich für ihn an diesem ganz normalen Tag einfach nur irgendeine Frau in irgendeinem Café gewesen war, fasste ich den Plan, ihn zu entlarven. Die Idee kam mir eines Nachts, als ich gerade verschiedenfarbige Kopfkissenbezüge stapelte – sechshundert Stück. Mir wurde klar, dass ich sein selektives Gedächtnis dafür, wer wichtig war und wer nicht, zu meinem Vorteil nutzen konnte. Es war sogar besser, wenn er sich nicht an mich erinnerte, bis die Zeit reif war. Es dauerte viele Stunden, all die Kissenbezüge zu falten, und während meine Hände die Faltbewegungen ausführten, wirbelten die Bilder *seiner* Hände auf meinem Körper durch mich hindurch. Und schließlich, als der Stapel fertig war und mir die Arme wehtaten, hatte ich einen Entschluss gefasst. Ich sah mich bereits vor ihm stehen, wie ich meinen Finger auf ihn richtete und sagte: »Er. Er war es, der mir wehgetan hat.«

Ich musste herausfinden, wo er wohnte und wo er arbeitete. Ich fragte mich, wie lange er noch Lehrer gewesen war, und dann wurde mir übel beim Gedanken an all die jungen Mädchen, deren Leben er zerstört hatte. Er musste aufgehalten werden. Am nächsten Tag kehrte ich in das Café zurück, etwa zur gleichen Zeit, zu der ich ihn gesehen hatte. Ich fuhr mit dem Auto, um auf alles vorbereitet zu sein. Es war einfacher, das Haus mit einem echten Gefühl der Zielstrebigkeit zu verlassen. Er tauchte nicht auf, aber davon ließ ich mich nicht abhalten. Ich ging wieder und wieder in das Café, bis der Barista schon wusste, was er zubereiten musste, wenn er mich nur sah. Und schließlich kam er herein. Und ich beobachtete und verfolgte ihn, sprang in meinen kleinen Käfer – in das nach Lavendel duftende Auto meiner Großmutter voller schützender Turmalinsteine. Er stieg in sein Auto, und ich fuhr schneller als je zuvor und gab mein Bestes, um mit ihm mitzuhalten. Er arbeitet in einem großen Gebäude mit einem Sicherheitseingang. Ich habe beobachtet, wie er geparkt hat und eine Karte benutzt hat, damit sich die Tür öffnete und er hineingehen konnte. Ich habe den Namen der Firma recherchiert und ihn auf der Startseite der Website gefunden. Dieselbe Person, ein anderer Name. Seit zwei Wochen beobachte ich, wie er zur Arbeit kommt und wieder geht.

Ich bin ihm nie bis nach Hause gefolgt, weil ich Angst hatte, erwischt zu werden, aber ausgerechnet heute bin ich mit dem Bedürfnis aufgewacht, der Sache ein Ende zu setzen. Ich wollte herausfinden, wo er wohnt und ihn zur Rede stellen. Letzten Samstag war er in dem Café gewesen, auf dem Weg zum Sport. Ich fragte mich, ob er heute wieder da sein würde, und so war es dann auch, er war genauso gekleidet, trug ein dämliches Grinsen im Gesicht. Letzten Samstag war ich nach meinem Besuch im Café nach Hause gegangen, aber heute nicht. Heute bin ich ihm gefolgt, habe beobachtet, wie er anhielt, vielleicht um einen Anruf entgegenzunehmen, und dann wieder losfuhr. Mein kleiner gelber Käfer hielt gut mit. Ich hätte ja nicht ahnen können, was ich als Nächstes sehen würde. Vielleicht ist es gut, dass ich dort war, um es zu sehen, um es bezeugen zu können. Vielleicht aber auch nicht.

Ich kann die Nachrichten nicht mehr ertragen; ich kann die Verzweiflung der Mutter und seine vorgetäuschte Trauer nicht mehr ertragen. Die Mutter muss so furchtbar leiden. Wenn sie doch nur zurückschreiben würde ... Dann könnte ich ihr sagen, was sie wissen muss.

Aber mein Handy gibt leider keinen Mucks von sich. Ich will, dass sie mich fragt, was ich mit meinen Worten meine, denn dann kann ich ihr alles erklären. Sobald ich das getan habe, hat sie alle Informationen, die sie braucht. Warum hat sie mich nicht einmal gefragt, wer ich bin?

Vielleicht hält sie die Nachricht für einen Scherz? Ich nicke, ja, so muss es sein. Sie glaubt mir nicht. Sie braucht mehr Beweise. Ich gehe in die Küche, hole meinen Laptop raus und gebe seinen richtigen Namen in die Google-Suchleiste ein. Es ist nicht mehr sein Name. Er hat ihn geändert, als er weggegangen, abgehauen, geflohen ist. Er hat ihn geändert und ist einfach ein anderer geworden, und niemand ist je darauf gekommen zu überprüfen, ob er der ist, für den er sich ausgibt – denn das ist er ganz und gar nicht.

SECHZEHN

LESLIE

18:00 Uhr

Leslie steht in der Küche neben dem Wasserkocher, schaltet ihn ein, wartet, bis er kocht, und schaltet ihn wieder aus, um ihn dann erneut anzuschalten. Irgendwie kann sie sich nicht von der Stelle bewegen. Es ist jetzt nach achtzehn Uhr, und sie kann das Dröhnen des Fernsehers aus dem Wohnzimmer hören. Der AMBER-Alarm für Millie wird in jeder Nachrichtensendung wiederholt. Die Stimme der Nachrichtensprecherin senkt sich jedes Mal leicht, wenn sie »AMBER-Alarm« sagt, um den Zuschauern zu signalisieren, dass das Ganze sehr, sehr ernst ist. Leslie hat diese Meldungen schon öfter gesehen und immer vor Sorge gekribbelt, so wie jede Mutter, aber sie weiß auch, dass darauf in der Regel schnell die Nachricht folgt, dass das vermisste Kind oder die vermissten Kinder gefunden wurden. Das ist es auch, worauf sie jetzt hofft, dass irgendjemand irgendwo etwas gesehen hat und Millie gefunden und nach Hause gebracht wird. Dass sie nicht entführt wurde. *Bitte, lieber Gott, mach, dass sie nicht entführt wurde, lass sie nicht in der Gewalt eines Fremden sein.*

Am Samstagabend darf Millie sich normalerweise aussuchen, was sie essen möchte. Sie entscheidet sich immer für Leslies selbst gemachte Pizza, auch wenn sie jedes Mal so tut, als würde sie wirklich lange darüber nachdenken, worauf sie Lust haben könnte. Wenn Randall mit ihnen in der Küche steht, während sie sich entscheidet, was sie essen will, macht er immer ein Spiel daraus. »Ich glaube, du hast Lust auf einen Burger«, schlägt er dann vor.

»Nö«, grinst Millie.

»Ich glaube, du hast Lust auf eine Blume aus dem Garten.«

»Nein, du dummer Daddy. Ich kann keine Blumen essen. Ich bin ein Mensch.«

»Ich glaube, du hast Lust auf Kohlsuppe.«

»Nein, bäh, los, Daddy, überleg dir was Besseres.«

»Ich glaube, du hast Lust auf Käfereintopf.«

»Bäh, iiih, bäh«, kichert Millie jedes Mal unweigerlich. »Ich will Pizza, Mums Pizza.«

Leslie denkt wieder über die Nachricht nach. Warum sollte er nicht der sein, für den er sich ausgibt? Er ist Leiter eines Technologieunternehmens und wird häufig in den Wirtschaftsnachrichten zitiert, wo er über die neuesten Entwicklungen in der Technologiebranche berichtet. Neuerdings geht er auch in Schulen, um Schülern beizubringen, wie man ein Unternehmen führt. »Offenbar bin ich immer noch ein Naturtalent als Lehrer«, sagte er ihr nach dem ersten Mal. »Die Kinder fanden es wirklich spannend, was ich ihnen erzählt habe, und ich könnte mir vorstellen, für einige von ihnen Mentor zu werden. Vor allem Mädchen müssen ermutigt werden, sich mit Computern zu beschäftigen.« Bevor er begann, sein Softwareprogramm zu verkaufen, hatte er gelegentlich als Lehrer gearbeitet – ohne Sozialleistungen oder Lohnfortzahlung im Krankheitsfall und ohne Garantie auf Arbeit, aber dafür mit viel Zeit, um an seinem Programm zu arbeiten. Das hatte Bianca in den Wahnsinn getrieben. »Sie fand, dass ich damit meinen Abschluss verschwende«, hatte Randall Leslie erzählt, und sie konnte sich nur allzu gut vorstellen, dass man von Randall frustriert sein konnte und von ihm verlangte, etwas aus seinem Leben zu machen, damit er für seine Familie sorgen konnte.

Wenn er nicht der ist, für den er sich ausgibt, müsste das doch jemand wissen, oder? Jemand hätte es herausgefunden und ihn entlarvt.

Aber vielleicht wird genau das passieren. Vielleicht wurde Millie wegen Randall entführt, wegen etwas, was er getan hat, oder wegen der Person, die er in Wirklichkeit ist. Wer ist er? Leslie schlingt die Arme um sich. Die Geräusche des Fernsehers machen sie langsam wahnsinnig. Ihr fällt ein, dass Randall und sie sich heute Morgen zu Pizza und einer Flasche Wein verabredet hatten, zu einem Film auf Netflix, das machen sie fast jeden Samstagabend. Wird es jemals wieder einen solchen Samstagabend geben?

Trevor kommt in die Küche. »Kann ich irgendwas für dich tun, Leslie?«, fragt er.

Die Frage bringt Leslie fast zum Explodieren. Sie wurde ihr in den vergangenen Stunden so oft von so vielen verschiedenen Leuten gestellt, und die einzige Antwort, die sie darauf geben könnte, wäre: »Finde meine Tochter.«

Sie atmet ein und dreht sich von ihrer Position am Wasserkocher zu ihm um. »Nein, danke, Trevor, jeder tut schon ... was er kann.« Ihr Nacken und ihr Kiefer sind angespannt, als sie das sagt, aber sie achtet darauf, höflich zu sein, denn niemand hat Lust auf eine unhöfliche Mutter eines vermissten Kindes. Die Frau, die ihr ein Kompliment für ihr Haus gemacht hat, ist gegangen, und Leslie ist sich sicher, dass sie sich über ihr Verhalten geärgert hat.

»Ich kann mir vorstellen, dass das Warten dich in den Wahnsinn treibt«, sagt er. »Tut mir leid wegen der dummen Frage. Du willst bestimmt einfach nur, dass sie gefunden wird.«

»Ja«, stimmt sie zu und freut sich, dass das endlich mal jemand laut ausspricht. »Ich kann ... ich kann nur einfach nicht glauben, dass sie noch nicht gefunden wurde.« Ihre Augen füllen sich mit Tränen und sie blinzelt schnell, damit sie ihr nicht über die Wangen laufen. Wenn sie jetzt anfängt zu weinen, wenn sie jetzt die Kontrolle verliert, dann wird sie nicht mehr aufhören können.

Trevor nickt verständnisvoll. Sie kennt ihn nicht sehr gut, aber er scheint ein netter Mensch zu sein. Er ist erst seit sechs Monaten mit Bianca verheiratet, und obwohl Leslie ihre Zweifel an der Beziehung hatte, findet sie, dass die beiden zueinander passen, seit sie sie ein- oder zweimal zusammen gesehen hat.

Randall war vor Biancas großem Ego eingeknickt, und im Lauf der Jahre war er auch vor ihren Wünschen und Bedürfnissen eingeknickt. Sobald sie in der Nähe ist, rechtfertigt er sich andauernd, und Leslie weiß, dass das daran liegt, dass Bianca ihm immer wieder gesagt hat, dass er als Ehemann und Vater und als Ernährer versagt hat. Aber Trevor scheint einen anderen Ansatz zu haben. Anstatt Biancas Sticheleien zuzulassen und sich davon verletzen zu lassen, lächelt er, zuckt mit den Schultern und tut das, was er für richtig hält. Und obwohl Leslie erwartet hätte, dass Bianca das wahnsinnig macht, scheint sie sich damit abzufinden. Vielleicht war genau das nötig – dass ihre Sticheleien ignoriert werden. Leslie wünschte, sie könnte das genauso handhaben, aber Bianca schafft es immer, ihr das Gefühl zu geben, unzulänglich zu sein. Ihrem Mann rät sie, seine Ex-Frau zu ignorieren, obwohl sie dazu selbst nicht in der Lage ist.

Der Wasserkocher geht wieder aus, und weil Trevor sie beobachtet, nimmt sie ihn diesmal und gießt das heiße Wasser in die Tasse, die sie bereitgestellt hat. Als das Wasser den Teebeutel berührt und sich dunkel und trüb färbt, muss sie wieder an den See im Park denken, und sie gießt weiter, bis sich das Wasser über den Tresen verteilt und Trevor ihr den Wasserkocher aus der Hand nimmt. »Ups«, sagt er und holt schnell ein Geschirrtuch, um das verschüttete Wasser aufzuwischen.

Sie schüttelt den Kopf, während sie ihn beobachtet, und hat fast ein schlechtes Gewissen, weil sie so schlecht über Bianca denkt. Irgendetwas muss an der Frau doch nett sein. Immerhin hat sie es geschafft, Shelby aufzuziehen und sie zu beschützen. Zumindest kann sie von sich behaupten, dass sie die eine Sache geschafft hat, die jede Mutter schaffen sollte.

Randall war es immer wichtig, um Shelbys willen ein gutes Verhältnis zu seiner Ex-Frau zu pflegen. Als Bianca Trevor heiratete, bat er Leslie, die beiden zum Abendessen einzuladen.

»Sie guckt mich nicht einmal an, Randall. Ich will sie wirklich nicht in meinem Haus haben«, hatte Leslie damals gesagt.

»Ich weiß, aber Shelby wird älter, und sie soll das Gefühl haben, dass die Erwachsenen in ihrem Leben zumindest zivilisiert miteinander umgehen. Ich habe keine Lust auf eine Teenagerin, die uns gegeneinander ausspielen will. Es ist heutzutage schon schwer genug, ein Mädchen in ihrem Alter zu sein, auch ohne geschiedene Eltern und ein neues Geschwisterchen.« Leslie hatte das Gefühl gehabt, dass sie irgendwie kritisiert wurde, obwohl das ja gar nicht der Fall war.

Sie hatte dem Abendessen schließlich zugestimmt und dann tagelang überlegt, was sie kochen sollte. Bianca und Trevor hatten Wein und Pralinen mitgebracht, und Bianca hatte in ihre Richtung genickt, aber dann den ganzen Abend nur Shelby und Randall angeschaut, nur mit ihnen geredet und sich besonders viel Mühe gegeben, ihr Essen nicht aufzuessen und beim Essen ständig den Mund zu verziehen, als würde sie etwas Widerliches essen. Trevor hatte beobachtet, was vor sich ging. Das konnte Leslie daran erkennen, dass er sich bemühte, mit ihr zu reden, und sie nach ihrer Arbeit und nach Millie fragte, die oben in ihrem Zimmer schlief. Er war Versicherungsmakler, gab aber lachend zu, dass der Job meist langweilig und zeitraubend war. Aber er schaffte es, sie mit Geschichten von seltsamen Kunden zum Lachen zu bringen, etwa von einem Mann, der die Asche seiner toten Frau versichern wollte.

»Sie werden sie finden, Leslie, ganz bestimmt«, sagt er und reißt sie aus ihren Gedanken.

»Wo kann sie nur sein?«, fragt sie, als ob er die Antwort darauf haben könnte.

»Vielleicht ...«, beginnt er.

»Vielleicht?«

Er zuckt mit den Schultern. »Ich habe keine Ahnung. Meinst du, es ist möglich, dass sie und Shelby sich wegen irgendetwas gestritten haben?«

»Ich weiß es nicht.« Leslie schüttelt den Kopf, denn genau das fragt sie sich auch die ganze Zeit. Sie und Trevor sind nicht Shelbys leibliche Eltern, und deshalb fühlt es sich falsch an, so über sie zu sprechen. Weder Randall noch Bianca wollen irgendetwas Schlechtes über ihre Tochter hören, was nachvollziehbar ist. Aber irgendjemand muss doch etwas sagen, denn es ist ja möglich. Niemand will daran denken oder die Möglichkeit in Betracht ziehen, dabei besteht sie durchaus.

Es gab schon Zeiten, in denen Shelby keine Geduld mit ihrer kleinen Schwester hatte und sie anschrie, sie solle verschwinden. Millie ist immer am Boden zerstört, wenn sie das tut. Wenn man von seiner kleinen Schwester genervt ist, seine Ruhe haben will und auch mal schreit, um das deutlich zu machen, dann ist das in einer Geschwisterbeziehung normal, und vielleicht ist genau das heute passiert. Aber Leslie hat keine Ahnung, ob Millie dadurch so durch den Wind hätte sein können, dass sie wirklich weggelaufen ist – und warum ist sie nicht zurückgekommen, wenn das passiert ist? Vielleicht ist auch etwas ganz anderes passiert, etwas, das man Shelby vorwerfen wird, etwas, das sie verheimlicht.

»Ich glaube, ich gehe wieder raus und schließe mich den

Suchtrupps an«, sagt Trevor. »Ich muss nur schnell nach Hause und mir eine warme Jacke holen.«

»Danke«, sagt Leslie und lächelt ihn an, doch dann reibt sie sich die Augen, denn ein Lächeln fühlt sich komplett falsch an.

Er wendet sich zum Gehen.

»Ähm, Trevor«, beginnt sie zögerlich. Plötzlich hat sie das Gefühl, dass sie diesem Mann vertrauen kann. »Darf ich dich etwas fragen?«

»Klar«, antwortet er.

Sie holt ihr Handy aus der Tasche und zeigt ihm die Nachricht. Randall kann sie sie naheliegenderweise nicht zeigen, und im Moment ist sonst niemand da, mit dem sie reden könnte. »Meinst du, ich sollte das der Polizei zeigen?«

Er liest die Nachricht und runzelt die Stirn. »Wann hast du die bekommen?«, fragt er.

»Vor etwa einer halben Stunde. Ich weiß nicht, was ich davon halten soll.«

»Ich denke«, sagt er langsam, »dass du die auf jeden Fall der Polizei zeigen solltest. Es ist komisch, dass dich jemand auf diese Weise kontaktiert, und es könnte sein, dass ... Na ja, ich weiß es nicht. Aber ich finde, du solltest sie der Polizei zeigen.«

Seine Gewissheit beunruhigt Leslie. In diesem Moment kommt Constable Dickerson in die Küche. Trevor nickt ihr zu, entfernt sich und verlässt die Küche, um die beiden allein zu lassen.

Der Constable schaut auf den Wasserkocher und reibt sich die Hände, ein mitfühlendes Lächeln huscht über sein Gesicht. »Wir werden Shelby wohl jetzt mit ihrer Mutter nach Hause gehen lassen«, sagt er. »Wir schicken einen unserer anderen Constables zu ihr nach Hause, falls sie sich in den nächsten Stunden an etwas erinnert, aber ich wollte Sie darüber informieren.«

»Okay«, sagt Leslie, und er wendet sich zum Gehen, doch sie streckt die Hand aus und berührt den Ärmel seiner

Uniform. »Ich muss Ihnen etwas zeigen«, stößt sie hervor und dreht ihr Handy zu dem Polizisten, der langsam die Nachricht liest und die Worte mit dem Mund nachformt.

»Von wem ist die?«, fragt er.

Leslie spürt Frustration in ihr aufsteigen. »Ich weiß es nicht, deshalb zeige ich sie Ihnen ja.«

»Glauben *Sie*, dass Ihr Mann nicht der ist, für den er sich ausgibt?«, fragt er sie mit geduldiger Miene.

»Nein, aber ...« Leslie hält inne, ihre Wangen brennen vor Demütigung.

»Hören Sie«, sagt Constable Dickerson sanft, »das ist wahrscheinlich nur ein Troll, jemand, der Ihr ... Elend unterhaltsam findet. Ehrlich gesagt bin ich überrascht, dass Sie nicht mehr Nachrichten erhalten haben. Sie haben eine Website und Ihre Nummer ist leicht zu finden. Geben Sie diese Nummer Constable Willow, damit er sie auf die Liste der zu überprüfenden Nummern setzen kann. Wir bekommen viele Anrufe, und wir kümmern uns um jeden einzelnen davon. In der Zwischenzeit sollten Sie vielleicht versuchen, sich etwas auszuruhen.«

Leslie spürt eine Welle der Wut in sich aufsteigen. Sie hat ihm etwas gezeigt, das mit ihrem vermissten Kind in Verbindung stehen könnte, und er hätte ihr als Reaktion auch gleich die Hand tätscheln und sagen können: »Na, na, meine Liebe. Zerbrechen Sie sich darüber mal nicht Ihr hübsches Köpfchen.«

»Mein Kind«, presst sie zwischen zusammengebissenen Zähnen hervor, sodass die Worte nur noch einem erstickten Zischen ähneln, »meine Tochter ist da draußen, sie hat sich verirrt oder wurde entführt. Es ist schon fast dunkel, es ist kalt und sie ist nicht hier, nicht hier zu Hause, wo sie sein sollte, und Sie wollen, dass ich mich ausruhe? Was für ein Mensch könnte sich in so einer Situation ausruhen?«

Der Constable hebt entschuldigend die Hände. »Ich verstehe Sie ja, Leslie, glauben Sie mir, ich verstehe Sie. Wir werden uns die Nachricht ansehen. Definitiv. Wir haben im

Moment nur sehr viel zu tun. Sie können sich wirklich nicht vorstellen, wie viele Anrufe gerade bei uns reinkommen. Hunderte und Aberhunderte gehen bei den Crime Stoppers ein. So viele Leute glauben, etwas zu wissen, oder tun so, als wüssten sie etwas. Eine Frau hat uns angerufen und behauptet, dass Sie und Randall Teil einer satanistischen Sekte wären, Sie Ihr Kind geopfert hätten und sie Beweise dafür hätte.«

»Das ist lächerlich und abartig«, schreit Leslie, die jetzt weder ihre Tränen noch ihre Wut zurückhalten kann.

»Ja, ich weiß ...«, versucht der Constable sie zu beschwichtigen.

»Hey, hey, Les, was ist los?«, fragt Randall, der in die Küche stürmt und sofort auf sie zukommt. Er legt seine Arme um sie und drückt sie fest an sich.

»Es ist nur ...« Sie hört auf zu weinen und schiebt ihr Handy in die Tasche, während sie in seinen Armen zusammensackt. Natürlich ist es nur ein Troll. Und natürlich ist das kein nützlicher Hinweis, und es wird ihr auch nicht helfen, ihr kleines Mädchen zurückzubekommen. Sie fühlt sich töricht und völlig erschöpft. *Millie Molly, wo bist du? Wo steckst du nur?*

»Ihre Frau hat eine seltsame Nachricht erhalten«, erklärt der Constable. »Ich hätte Sie wohl davor warnen sollen, dass so etwas passieren kann.«

»Ja«, sagt Leslie. Sie muss versuchen, ihn davon zu überzeugen, dass diese Nachricht wichtig sein könnte. »Was, wenn sie von dem ...« Das Wort »Entführer« kommt ihr nicht über die Lippen. Entführung ist etwas, das nur in Filmen vorkommt. Sie holt ihr Handy wieder aus der Tasche und will, dass er sich die Nachricht ansieht, dass er sie sich richtig ansieht.

»Falls sich jemand wegen Ihrer Tochter an Sie wenden will, wird derjenige Sie zuerst wissen lassen, dass er sie entführt hat«, meint Constable Dickerson. »Das ist unsere Erfahrung. Eine Nachricht wie diese hingegen soll Sie einfach nur verwirren und verletzen. Wir haben das schon oft erlebt. Ich habe in meiner Zeit bei der Polizei bisher an zwei Entführungsfällen mitgearbeitet, und ich kann Ihnen versichern: Als Allererstes versichert sich ein Entführer, dass man verstanden hat, dass er das Kind in seiner Gewalt hat. Beide Male haben wir das Kind wohlbehalten zurückbekommen. Seien Sie versichert, dass wir alles in unserer Macht stehende tun, um Ihre Tochter zu finden. Ich weiß, wie furchtbar das alles für Sie sein muss, aber wir tun wirklich alles, was uns möglich ist.«

»Was für eine Nachricht?«, fragt Randall nach. »Zeig mir die Nachricht mal.« Er greift nach ihrem Handy und Leslie weicht angesichts seiner plötzlichen Bewegung erschrocken zurück. Er hebt entschuldigend die Hände. »Entschuldigung, würdest du sie mir zeigen?«, fragt er mit zusammengebissenen Zähnen.

Leslie gibt ihm ihr Handy und beobachtet, wie sich seine Stirn beim Lesen der Nachricht runzelt.

»Hast du eine Ahnung, von wem die sein könnte?«, fragt sie ihn.

»Nein.« Kopfschüttelnd gibt er ihr das Handy zurück. »Du machst dir doch nicht wirklich Sorgen deswegen, oder? Der Constable hat recht. Das ist ganz klar ein Troll.« Kurz lacht er trocken auf. »Wenn ich nicht der bin, für den ich mich ausgebe, Les, wer bin ich dann?«

Leslie schüttelt den Kopf. Sie hat keine Antwort auf diese Frage.

»Vielleicht sollte ich einfach die Nummer anrufen und herausfinden, wer sich meldet«, überlegt Leslie.

»Tu das nicht, Les«, sagt Randall schnell. »Es könnte eine Art Betrug sein, um sich in dein Handy zu hacken. Überlass das besser der Polizei.«

»Vielleicht sollten Sie sich trotzdem ein wenig ausruhen«, sagt der Constable erneut, und Leslie zuckt mit den Schultern und verlässt die Küche. Anscheinend soll sie still sein und sich am besten unsichtbar machen, damit sie weiter ihrer Arbeit nachgehen können.

Randall folgt ihr schweigend die Treppe hinauf, und sie hat das Gefühl, dass er sich vergewissern will, dass sie wirklich ins Schlafzimmer geht.

»Mir geht es gut. Du brauchst nicht mitzukommen«, sagt sie. Wenn sie sich schon hinlegt, dann will sie auch allein sein. Sie hat Constable Willow die Nummer nicht gegeben, aber das ist wohl auch egal. Es ist wahrscheinlicher, dass es sich um einen Troll oder einen Betrüger handelt, der sein Glück versucht, als dass es jemand ist, der sie kontaktiert, weil er etwas weiß, das hilfreich sein könnte. Der Constable hat recht: Es wäre eine seltsame Nachricht für einen Entführer.

Anstatt wieder nach unten zu gehen, folgt Randall ihr ins Schlafzimmer und schließt die Tür hinter sich.

Sie seufzt, klettert auf das Bett und streicht mit der Hand über die weiche hellgrüne Seide der Bettdecke. Dann lehnt sie sich mit dem Handy in der Hand gegen ein Kissen.

Sie wünschte, sie könnte einfach die Augen schließen und schlafen und sie nur wieder aufmachen, wenn ihre Tochter gefunden wird. Ihre Gelenke schmerzen vor Erschöpfung. Randall steht neben dem Bett, die Hände in den Taschen, und sieht sie eindringlich an. Seine Lippen bewegen sich ein wenig, als ob er etwas sagen möchte, aber nicht weiß, wie er es ausdrücken soll. Aber sie will nicht mit ihm sprechen, nicht jetzt. Sie will mit niemandem sprechen.

»Du kannst gehen. Mir geht es gut«, sagt sie.

»Wirklich? Weißt du, schon vor dem, was ... schon vor heute warst du irgendwie seltsam.« Seine Hand wandert zu seinem Kopf und glättet seine Locken, dann kehrt sie in seine Tasche zurück. Immer wenn er unangenehme Gespräche führen muss, wird er zappelig.

»Wovon sprichst du, Randall?«

»Ich weiß es nicht.« Er nimmt seine Brille ab und putzt sie

mit seinem Pullover. »Ich habe das Gefühl, dass du dich zurückziehst oder so. Und dann triffst du dich auch noch mit Graham ... Ich weiß nicht, Les. Irgendwas hast du doch.« Er putzt weiter seine Brille, um sie nicht ansehen zu müssen. Er hasst Konfrontationen, und sie weiß, dass er sich eine Weile darauf vorbereitet hat, ihr das zu sagen.

»Jetzt ist nicht der richtige Zeitpunkt, wirklich nicht«, seufzt sie und starrt auf eine Straßenlaterne draußen vor dem Fenster. Sie kann nicht fassen, dass es jetzt dunkel ist und ihr Kind nicht zu Hause ist.

»Warum sollte jemand behaupten, dass du nicht der bist, für den du dich ausgibst?«, fragt sie, anstatt weiter auf ihn einzugehen.

Randall setzt sich seine Brille wieder auf. »Vielleicht ist keiner von uns der, für den er sich ausgibt«, sagt er kühl, verlässt das Schlafzimmer und schließt die Tür ganz leise hinter sich.

SIEBZEHN

SHELBY

Im Auto auf dem Heimweg ist ihre Mutter still. Trevor ist noch geblieben, um bei der Suche nach Millie zu helfen. Es kann doch nicht sein, dass sie sie immer noch nicht gefunden haben. Jemand weiß, wo sie ist. Jemand weiß es, aber nicht Shelby. Shelby hat keine Ahnung, wo sie ist, aber sie weiß, was passieren wird, wenn sie etwas sagt, egal was.

»Was passiert, wenn sie sie nicht finden?«, fragt sie ihre Mutter.

»Ich weiß es nicht. Aber ich möchte, dass du heute Abend nicht mehr darüber nachdenkst. Du musst dich ein bisschen ausruhen.« Die Augen ihrer Mutter sind auf die Straße gerichtet, die Straßenlaternen draußen sind nur noch als vorbeifliegende gelbe Lichtstreifen zu erkennen. Shelby spürt, dass sie beide eigentlich noch etwas sagen wollen, miteinander reden wollen, aber es gibt zu viel zu sagen, und darum schweigen sie. Ihre Mutter ist in den letzten Monaten so viel zufriedener geworden, manchmal wirkte sie sogar fast glücklich. Shelby hatte sich daran gewöhnt, dass ihre Mutter jede Situation zum Anlass nahm, ihrem Vater die Schuld für irgendetwas zuzuschieben. Es ging um mehr als nur um Geld; es ging darum, dass er wieder jemanden in seinem Leben hatte und sie ein weiteres Kind hatten. »Ich hätte gern ein zweites Kind gehabt«, hatte ihre Mutter zu Shelby gesagt, als Millie geboren wurde. »Aber ich musste arbeiten, damit dein Vater Zeit hatte, sich auf sein Programm zu konzentrieren, und jetzt schau, was aus mir geworden ist.«

»Vielleicht kannst du ja jetzt, wo du wieder verheiratet bist, noch ein Baby bekommen«, hatte Shelby vor ein paar Monaten vorgeschlagen.

»Jetzt bin ich zu alt«, hatte ihre Mutter geantwortet. »Dein Vater hat sich ein jüngeres Modell geholt, damit er noch ein Kind bekommen kann.«

Trevor macht ihre Mutter glücklicher, als sie es je war, aber unter der Oberfläche brodelt immer etwas. Ihre Mutter hat eine seltsame Art und Weise, die Welt zu sehen, als könnte sie niemanden außer sich selbst wahrnehmen. Aber das würde Shelby niemals jemandem sagen. Manchmal denkt sie, dass vielleicht *sie* das Problem ist. Wenn sie nicht wäre, hätte ihre Mutter ein viel einfacheres Leben gehabt. Sie hat sich so sehr bemüht, immer brav und gut in der Schule zu sein, um ihre Mutter glücklich zu machen, aber das hat nie lange geholfen.

»Ist doch egal, was sie denkt«, meinte Kiera, als Shelby ihr gestand, dass sie sich manchmal fragte, ob ihre Mutter es bereute, sie bekommen zu haben. »Mütter sind halt einfach …« Sie winkte mit der Hand ab, und Shelby fühlte sich dadurch viel besser.

Aber sie möchte trotzdem, dass ihre Mutter glücklich ist und glücklich bleibt.

»Es ist nicht deine Schuld«, sagt ihre Mutter jetzt wieder. »Es ist *ihre* Schuld, weil sie dich mit einem Kind allein gelassen hat, das nicht auf dich gehört hat.« Die Hände ihrer Mutter liegen genau so auf dem Lenkrad, wie es sich gehört, und sie sitzt ganz aufrecht in ihrem Sitz.

»Was meinst du mit ›nicht auf mich gehört‹?«

»Sie ist doch weggelaufen, oder? Also hat sie nicht auf dich gehört. Denn das hätte sie ja nicht tun dürfen.« Ihre Mutter stimmt sich selbst nickend zu. »Sie ist weggelaufen, das egoistische kleine Ding. Sie ist natürlich noch zu jung, um zu wissen, welche Auswirkungen das auf die Menschen um sie herum haben wird, aber trotzdem ... Das kommt daher, weil sie so verwöhnt ist. Sie weiß nicht, wie man sich benimmt.«

»Das ist nicht wahr«, flüstert Shelby. »Millie ist sehr lieb und sie hört immer.«

»Nun, vielleicht glaubst du das, aber du wohnst ja nicht dauerhaft dort, Gott sei Dank. Du weißt nicht, was dort vor sich geht, wenn du nicht da bist.«

Shelby starrt auf ihr Handy, das sie ausgeschaltet hat, und beobachtet, wie die Straßenlaternen auf dem schwarzen Display aufblitzen. Es ist so schwer, die Person zu sein, die zwischen ihrer Mutter und ihrem Vater steht. Sie hat das Gefühl, ihre Mutter zu verraten, wenn sie Millie und Leslie liebt, und sie hat sich sehr bemüht, es nicht zu tun, aber Millie ist ... Millie war ...

»Was würdest du tun, wenn ich es wäre? Wie würdest du dich fühlen?«, fragt sie nach ein paar Minuten.

Ihre Mutter mag Leslie nicht, aber dafür gibt es keinen bestimmten Grund, außer dass sie mit Shelbys Vater zusammen ist, der jetzt reich ist. Shelby fragt sich, ob ihre Mutter irgendeine Art von Mitgefühl für das spürt, was Leslie gerade durchmacht. Sie wünschte, sie könnte ihr einfach alles sagen, aber die Wahrheit wäre zu viel. Bevor Bianca Trevor kennenlernte, als Shelby und sie allein in einer Wohnung lebten, machte Shelby sich ständig Sorgen um sie. Immer wenn sie bei ihrem Vater war, dachte sie daran, wie einsam ihre Mutter war, die nur den Fernseher als Gesellschaft hatte. Bianca hat nicht viele Freunde, und Shelby weiß, dass das daran liegt, dass sie ziemlich unhöflich und schroff rüberkommt, dabei ist sie meistens einfach nur traurig und wütend darüber, dass ihr Leben nicht so verlaufen ist, wie sie es sich gewünscht hat. »Ich hätte so viel mehr aus mir machen können, als Assistentin zu sein«, hatte sie mal zu Shelby gesagt. »Wenn dein Vater sich einen richtigen Job gesucht hätte, als du jünger warst, hätte ich wieder zur Uni gehen und Psychologie studieren können. Aber meine Träume mussten auf Eis gelegt werden, und jetzt ist es zu spät.«

Shelby ist sich nicht sicher, ob ihre Mutter eine gute Psychologin gewesen wäre. In der Schule gibt es eine Psychologin, die immer dienstags kommt, und die ist nett und freundlich und lächelt immer. Sie scheint die Art von Person zu sein, der man sich leicht anvertrauen kann. Mit ihrer Mutter zu sprechen macht Shelby hingegen Angst, sie kann nicht mit ihr über das reden, was passiert ist. Sie hatte zwei Sitzungen mit der Schulpsychologin, die Fran heißt, und weil Fran so nett und zugänglich ist, hat Shelby sich fast – aber nur fast – erlaubt, ihr anzuvertrauen, was sie bedrückt. Aber so dumm ist sie nicht. Ihre Mutter und ihr Vater betonen immer wieder, dass sie ihnen sagen kann, was sie bedrückt, und dass sie es in Ordnung bringen können, aber sie weiß, dass das nicht möglich ist. Sie haben sie zu der Psychologin geschickt, weil sie beide hoffen, dass Fran sie gesund machen und sie wieder in eine liebe, gehorsame Shelby verwandeln wird, aber das wird nicht passieren, weil sie düstere Geheimnisse in sich trägt.

Und jetzt trägt sie noch mehr Dinge mit sich herum, die sie niemandem erzählen kann, wie die Lüge, dass Millie weggelaufen ist – obwohl sie ja eigentlich schon irgendwie weggelaufen ist, oder?

»Wie würdest du dich fühlen, Mum?«, fragt sie erneut, weil ihre Mutter nicht geantwortet hat.

Ihre Mutter schaut sie kurz an. »Ich würde mich ... Ich wäre natürlich völlig am Boden zerstört, Shelby – das weißt du doch. Jede Mutter wäre in einer solchen Situation einfach nur außer sich vor Sorge.«

»Wenn du etwas wüsstest, das helfen würde, würdest du es

sagen? Ich meine, selbst wenn es andere Leute in Schwierigkeiten bringen würde?«

Sie sind zu Hause angekommen, und ihre Mutter lenkt den Wagen in die Einfahrt, schaltet den Motor aus und sitzt schweigend im kälter werdenden Auto. Sie schaut nicht zu Shelby, sondern betrachtet im schwachen Licht ihre Nägel.

»Du weißt nichts, was helfen könnte, Shelby. Sie ist weggelaufen. Ganz einfach. Du hast der Polizei alles erklärt und sie suchen überall. Wahrscheinlich hat sie einfach nur Angst und versteckt sich irgendwo. Bestimmt ist sie in diesem Park. Der ist riesig und es ist vermutlich gar nicht so leicht, ein kleines Kind dort zu finden. Es ist erst ein paar Stunden her. Ich weiß, es kommt dir wie eine Ewigkeit vor, aber es waren nur ein paar Stunden und sie werden sie bald finden.« Ihre Mutter scheint sich ganz sicher zu sein, so als ob sie wüsste, dass das auf jeden Fall die Wahrheit ist, aber Shelby fürchtet, dass es sich dabei nur um Wunschdenken handelt.

»Es ist mittlerweile ziemlich kalt und sie hatte keine Jacke an. Sie mag es gar nicht, wenn ihr kalt ist, und sie hat Angst vor der Dunkelheit. Sie ist erst drei, Mum.«

»Das ist mir klar, Shelby.« Ihre Mutter schüttelt den Kopf und beißt sich auf die Lippe. »Glaubst du, das ist mir nicht klar?«

Shelby öffnet die Autotür und steigt aus. Das Haus, in dem ihre Mutter wohnt, ist ziemlich renovierungsbedürftig. Sie und Trevor haben es ein paar Monate vor ihrer Hochzeit gekauft und Trevor hat gesagt, dass sie es gemeinsam renovieren würden. Es hat drei Schlafzimmer und eine umlaufende Veranda, die noch vor Kurzem durchhing, jetzt aber aus glänzend poliertem Holz besteht. Da wird man im Sommer richtig schön sitzen können. Jedes Wochenende arbeitet Trevor an dem Haus. Manchmal hilft ihre Mutter ihm, und wenn sie zusammen arbeiten, sieht Shelby, wie glücklich Trevor ihre Mutter macht. Sie reden und lachen die ganze Zeit. Nach all den Jahren, in denen sie wütend und traurig war, geht es ihrer Mutter endlich besser. Es wäre schön, wenn sich das auch auf Shelbys Vater ausweiten würde, aber sobald sie auch nur erwähnt, was sie mit Leslie und ihrem Vater gemacht hat, wird ihre Mutter sofort wütend auf die ganze Welt. Sie versucht, vor ihrer Mutter nicht darüber zu sprechen, was sie im Haus ihres Vaters so macht, und das Gleiche gilt andersherum auch für ihren Vater – obwohl sie weiß, dass sie ihm von ihrem Leben bei ihrer Mutter und Trevor erzählen könnte und es ihm nichts ausmachen würde. Sie hat das Gefühl, dass sie beide Familien schützen muss. Und da sie die einzige Verbindung zwischen ihnen ist, muss sie vorsichtig sein, was sie erzählt. Das ist sehr anstrengend. Oder zumindest war es das, denn jetzt, nach dem was passiert ist, muss alles erzählt werden. Das spürt sie. Wie sollte sie jetzt noch Geheimnisse vor ihrer Mutter haben?

Shelby ist am Wochenende nicht gern in diesem Haus, in dem die Geräusche von Hämmern und Kettensägen sie bis in ihre Träume verfolgen. Sie ist lieber im Haus ihres Vaters, wo sie samstagmorgens zum Duft von Pfannkuchen aufwacht, während Millie in ihrer Zimmertür steht und betont laut flüstert: »Bist du schon wach, Shelby?«

Heute Morgen hat sie sich noch darüber geärgert, dass sie auf Millie aufpassen musste. Jetzt fragt sie sich, ob sie jemals wieder auf ihre kleine Schwester aufpassen kann.

ACHTZEHN

RUTH

Es dauert eine Stunde, bis ich genau das finde, was ich suche, und das liegt daran, dass ich mir nicht sicher bin, wonach ich eigentlich suche. Ich weiß nur, dass ich etwas suche, etwas, das ich dieser Mutter zeigen kann, dieser traurigen Mutter des vermissten kleinen Mädchens, damit sie genau weiß, mit wem sie verheiratet ist, mit wem sie nachts das Bett teilt und mit wem sie sich fortgepflanzt hat. Das muss sie wissen. Als ich Teenager war, habe ich versucht, meiner Mutter zu erklären, dass sie das alles falsch verstanden hat und dass Touchy Tony schlimmer war, als sie ursprünglich gedacht hatte, aber er hat alles wegdiskutiert, und egal, was ich auch sagte, sie wollte mir nicht glauben. Es ist nicht so, dass ich nicht schon früher nach ihm gesucht hätte. Denn das habe ich, aber meistens auf Facebook, und da er seinen Namen geändert hat, habe ich ihn natürlich nie gefunden. Auch unter seinem neuen Namen hat er kein Facebook-Profil, wahrscheinlich weil er Angst hat, seine Vergangenheit könnte ihn einholen. Letztes Jahr hat eine junge Frau von einer Privatuni eine Website eingerichtet, auf der andere Mädchen und Frauen davon berichten können, wenn sie in irgendeiner Form sexuelle Übergriffe erlebt haben. Ich erinnere mich daran, wie ich die Berichte las, die Qualen in ihren Worten spürte und mir verzweifelt wünschte, meine eigene Geschichte aufschreiben zu können. Aber obwohl mir klar war, dass die Website ein geschützter Raum war, ein Ort, an dem man mich verstehen würde, habe ich es trotzdem nicht getan. Was, wenn sie mir sagen würden, dass ich lüge? Wenn er es irgendwie lesen und mich der Verleumdung beschuldigen würden? Oder wenn jemand behaupten würde, dass ich mir das alles nur ausgedacht habe? Er hat immer noch diesen Einfluss auf mich, auch nach all den Jahren noch. Aber nicht mehr lange.

Ich klicke mich durch eine Website nach der anderen und spüre schließlich, dass meine Augen ein wenig brennen. Es ist nach neunzehn Uhr und ich möchte aufhören und ein Buch lesen oder so, aber das kann ich natürlich nicht. Ich muss das jetzt durchziehen. Und dann finde ich endlich, was ich brauche. Wenn man sich im Internet durch genügend Seiten klickt, kommt die Vergangenheit eines jeden Menschen ans Licht. Nichts bleibt verborgen.

Es ist ein Artikel aus einer kleinen Lokalzeitung. Ich überprüfe das Datum und stelle fest, dass der Artikel sieben Jahre nach seinem Verschwinden aus meinem Leben veröffentlicht wurde. Damals hatte er noch seinen alten Namen. Was auch immer an seiner nächsten Schule passiert war, musste ihn dazu gebracht haben, ihn zu ändern.

Ich lese die Worte langsam und denke lange über sie nach. Sie sagen niemandem etwas, es sei denn, man weiß bereits über ihn Bescheid. Wenn man Bescheid weiß, dann ist es leicht, zwischen den Zeilen zu lesen und die knappe Nachricht des Schuldirektors als etwas anderes als einen herzlichen Abschied zu deuten. Wenn man aber nicht Bescheid weiß, weil man von ihm ausgetrickst, betrogen und hintergangen wurde, dann scheint es nur ein kurzer Artikel zu sein, der einem Lehrer, der eine Schule verlässt, viel Glück für die Zukunft wünscht. Was diesen Artikel zu dem macht, wonach ich gesucht habe, ist das Bild von ihm: Er lächelt in die Kamera, während er selbstzufrieden zu einer Gruppe von Schülern spricht. Er war immer sehr selbstzufrieden.

Das Foto ist ein wenig körnig und viele Jahre alt, aber es zeigt ganz offensichtlich ihn. Er hat sich im Lauf der Jahre nicht stark verändert. Ich habe ihn sofort erkannt und ich bin mir sicher, dass seine Frau ihn auch erkennen wird.

Ich speichere den Link und suche dann nach ihrer E-Mail-Adresse. Sie hat nicht auf meine Nachricht geantwortet, aber vielleicht antwortet sie ja auf eine E-Mail. Ich suche auch nach ihrem Facebook-Profil, aber ich kann es nicht finden. Ihre Arbeits-E-Mail-Adresse muss genügen. Langsam und mit Mühe verfasse ich eine Nachricht, lösche sie wieder und tippe die wenigen Worte immer wieder neu. Aber ich schicke sie nicht ab. Meine Mutter hat mir mal einen Rat gegeben – einen ihrer wenigen wirklich guten Ratschläge –, und zwar abzuwarten, bevor ich etwas tue, was nicht mehr rückgängig gemacht werden kann. Ich muss darüber nachdenken, was ich tue, über die Konsequenzen, die diese Nachricht haben wird. Sie wird mich kontaktieren, da bin ich mir sicher, und dann werde ich aus meinem geschützten Raum in die Welt hinausgezerrt werden, ins grelle Licht der Öffentlichkeit, und ich werde erzählen müssen, was mir widerfahren ist und was ich getan habe. Ich bin mir nicht sicher, ob ich dazu bereit bin. Mein Herz schlägt schneller bei dem Gedanken, diesen Raum verlassen zu müssen, angeguckt zu werden, gesehen zu werden. Kann ich das schaffen?

Ich habe Hunger und mache mir Hühnersuppe mit Toast zum Abendessen. Während ich darauf warte, dass die Suppe warm wird, gehe ich zweimal in mein altes Kinderzimmer, aber dort hat sich nichts verändert. Alles ist immer noch ordentlich und sicher, und selbst wenn ich das hier durchziehe, werde ich immer noch mein Zimmer haben, mein Zuhause, in das ich zurückkehren kann. Das hoffe ich jedenfalls. Schnell werfe ich einen Stapel Spielkarten um und staple sie wieder. Das mache ich dreimal, damit ich wieder zur Ruhe komme, damit ich klar denken kann.

In der Küche esse ich langsam meine Suppe und denke über die Folgen des Absendens der E-Mail mit dem Artikel nach. Ehrlich gesagt glaube ich, dass ich zuvor eine so kryptische Nachricht geschickt habe, weil ich nicht ganz sicher war, ob ich vorbereitet bin auf das, was passieren wird. Aber ich kann nicht länger warten. Ich habe eine Verpflichtung diesem kleinen Mädchen gegenüber. Ich habe die Pflicht, den Lauf seines zukünftigen Lebens zu ändern. Wenn es nach Hause zurückkehrt, darf er nicht mehr da sein. Ich muss an seine widerlichen raffinierten Hände denken und daran, wie er mich in der Anwesenheit anderer berührt hat, ohne mit der Wimper zu zucken, wie die anderen es gesehen und nicht gesehen haben.

Ich setze mich vor meinen Computer, mein Finger schwebt über der Eingabetaste, der kleine Pfeil befindet sich über dem Wort »Senden«. Ich atme tief ein. Dann drücke ich auf die Taste, und schon ist sie weg. Zu spät, um die Dinge jetzt noch zu überdenken.

Während ich mir eine Tasse Tee mache, denke ich wieder darüber nach, die Polizei zu rufen. Ich könnte dem Ganzen jetzt sofort ein Ende setzen – mit dem Finger zeigen, erzählen, was passiert ist –, aber ich habe keine Lust, jetzt schon im Rampenlicht zu stehen, und wenn das kleine Mädchen gefunden wird, wenn es nach Hause zurückkehrt, dann muss ich sicher sein, dass er nicht mehr da sein wird. Das ist es, worauf ich warte. Die Mutter wird den Artikel lesen und sich bei mir melden, und dann werde ich ihr alles erzählen.

»Aber ich verstehe das nicht«, höre ich sie in meiner Vorstellung schon sagen, und dann werde ich es ihr erklären, damit sie es versteht.

Ich habe einmal eine Fernsehsendung gesehen, in der ein Anwalt einen Mann unter Druck setzte, gegen einen Mörder auszusagen, indem er sagte: »Sie wollen doch nicht, dass das noch jemandem passiert, oder?« Ich will nicht, dass das, was mir widerfahren ist, einem anderen jungen Mädchen widerfährt, und doch habe ich es zugelassen, jahrzehntelang, da bin ich sicher. Ich habe zugelassen, dass er weiterhin anderen Mädchen wehtut, weil ich mich zum Schweigen bringen ließ.

Im Wohnzimmer gehe ich zu meinem Stapel blauer Bücher, die ich ausgewählt habe, weil Blau eine beruhigende Farbe ist. Sie sind alle gebunden, einige sind gesprenkelt und rau, andere glatt und geschmeidig oder weich vom Alter. Ich drücke gegen den Stapel, bis er umkippt, und beginne ihn dann wieder aufzubauen. Sie wird sich bald bei mir melden. Da bin ich mir sicher.

NEUNZEHN

LESLIE

20:00 Uhr

Leslie steht in ihrem Schlafzimmer am Fenster, ihre Hände in den taubengrauen Seidenvorhängen vergraben. Sie zerdrückt den Stoff, knüllt ihn geistesabwesend zusammen. Mit dem teuren Stoff ist sie immer so vorsichtig umgegangen, hat darauf geachtet, ihn ausschließlich mit sauberen Händen zu berühren, nur sanft zu ziehen, um die Vorhänge morgens zu öffnen und das Licht hereinzulassen, und Millie klarzumachen, dass die Vorhänge sich nicht als Versteck eignen, in das man sich einwickeln kann. Aber was macht es schon, wenn der Stoff jetzt zerknittert und zerdrückt ist, fleckig vom Schweiß ihrer Hände?

Die Vorhänge werden durch einen Teppich in der Farbe »Asche« ergänzt, einen dicken Flor, in den man am Ende eines langen Tages wunderbar die Zehen kuscheln kann. Alles in diesem Raum passt zusammen, und oft hört sie Randall seufzen, wenn er den Raum betritt und hier Ruhe findet.

Der Vollmond wirft an diesem Abend ein unheimliches Licht auf die Straße und verdunkelt die Sterne. Leslie sieht Millie vor sich, wie sie den Sonnenuntergang beobachtet und darauf wartet, dass die Sterne erscheinen – das macht sie gern, wenn sie nicht gerade durch ein Spiel oder den Fernseher abgelenkt ist. Sie murmelt einen kleinen Reim vor sich hin, den sie und Millie oft zusammen singen. »Funkel, funkel, kleiner Stern, ach wie bist du mir so fern. Wunderschön und unbekannt, wie ein strahlend Diamant ...« Sie flüstert die Worte, und jedes Mal, wenn sie zum Ende kommt, flüstert sie den Namen ihrer Tochter und wünscht sich, dass Millie nicht mehr fern, sondern wieder hier ist, zurück in ihrem Zimmer, wo ihr rosafarbenes Himmelbett und ihr weiches, kuscheliges Einhorn auf sie warten.

Leslie ist allein und sollte sich eigentlich ausruhen, aber ihr Gespräch mit Randall hat sie nervös gemacht. Verheimlicht er etwas? Etwas, das erklären würde, was heute passiert ist? Verheimlicht er vielleicht etwas über Shelby? Und verheimlicht er es vor Leslie oder vor sich selbst? Ihr Rücken ist steif, er schmerzt vor Anspannung, aber sich auszuruhen hieße, nachzugeben, aufzugeben. Sie beobachtet weiter, wartet darauf, dass ihr Kind zurückkommt, dass einer der Suchenden mit Millie auf dem Arm auftaucht, dass ein Polizeiauto mit Millie auf dem Rücksitz in die Einfahrt rauscht. Sie wartet. Sie spielt den Tag in ihrem Kopf durch und versucht, ihn anders enden zu lassen. Hätte sie Graham gesagt, dass es besser wäre, sich an einem Schultag zu treffen, wenn Millie in der Vorschule war, unter dem wachsamen Auge von ihrem freundlichen Lehrer Mr Jackson, wäre Millie jetzt noch hier. Hätte sie nicht an der Kasse gemerkt, dass sie die Tomaten vergessen hatte, und hätte sie sich dann nicht umdrehen und sie holen müssen, sodass sie ihren Platz in der Schlange verlor, wäre Millie jetzt noch hier. Hätte sie Millie einfach mitgenommen und ihr einen Schokoladenmilchshake gekauft, während sie sich mit Graham unterhielt, wäre Millie jetzt noch hier. Es gibt so viele Möglichkeiten, wie dieser Tag anders hätte ablaufen können. Aber sie ist nicht die erste Mutter, die eine Zwölfjährige bittet, kurz babyzusitten, oder die zu lange im Supermarkt braucht. Sie ist nicht einmal die erste Mutter, die sich heimlich mit jemandem trifft, egal wie unschuldig es auch war. Es gibt Eltern, die ihre Kinder auf der Straße spielen lassen, Eltern, die Drogen und Alkohol konsumieren, die ihre Kinder vernachlässigen oder schlagen, und die erleiden nur selten einen solchen Schlag des Schicksals. Warum sie? Warum gerade jetzt? Warum dieses kleine Mädchen, das doch nur lieb und süß und eine Freude für die Welt ist?

Es klopft an der Zimmertür, und sie seufzt, denn sie hat keine Energie für ein weiteres anstrengendes Gespräch mit irgendjemandem.

»Herein«, ruft sie.

Constable Dickerson betritt den Raum, gefolgt von Constable Willow und Randall, und Leslie weiß, sie weiß mit absoluter Sicherheit, dass sie sie gefunden haben. Ihr Herz klopft wie wild, und dann erschrickt sie, denn sie sehen nicht fröhlich aus, lächeln nicht. Stattdessen sehen alle drei Männer niedergeschlagen aus, unbeholfen, wie die Überbringer schlechter Nachrichten.

»Was?«, fragt sie eindringlich. »Was?«

»Wir vermuten, dass wir eine glaubwürdige Spur haben, und ich wollte Sie davon in Kenntnis setzen. Constables aus der Umgebung sind unterwegs, um sie zu überprüfen.« Constable Dickersons Stimme ist sanft, aber Leslie hört noch etwas anderes. Hoffnung? Angst? Verzweiflung?

»Wo?«, fragt Randall.

»West Hills, das ist etwa vierzig Minuten von hier entfernt. Kennen Sie die Gegend?«

»Das ist ... ähm ...«, Randall zögert. »Ganz in der Nähe spiele ich Golf.«

Der Constable schenkt ihm ein knappes Lächeln, und Leslie beobachtet Constable Willow, der etwas in sein kleines Notizbuch schreibt. Ihr ist mulmig zumute.

»Während wir warten, wollte ich Ihnen die Aufnahme des Anrufs vorspielen, falls Sie die Stimme der Frau erkennen.«

»Aber sollten wir nicht dorthin fahren?«, fragt Leslie und schaut sich im Zimmer nach ihrer Jacke um. »Lassen Sie uns dorthin fahren.«

»Die örtliche Polizei ist fast da, Leslie. Hinzufahren lohnt sich nicht, wenn sie nichts finden, und wir sind nicht ganz sicher, was sie finden werden. Können Sie sich bitte einfach die Aufnahme anhören?«

Aber Leslie hat den Gedanken noch nicht verworfen, jetzt zum Auto zu rennen. »Wie lange wird es dauern, bis sie da sind? Wann rufen sie uns an? Rufen sie an, sobald sie sie haben?« Ohne sich zurückhalten zu können, wirft sie dem Polizisten ihre Fragen an den Kopf.

»Wir werden eine Videoübertragung starten, wenn sie ankommen, damit Sie Millie identifizieren können, falls nötig, aber bitte, können Sie sich jetzt den Anruf anhören?«

Leslie hält sich mit weiteren Fragen zurück, während sie die Arme verschränkt und ein Stück von Randall weggeht. *Ganz in der Nähe spiele ich Golf. Ihr Mann ist nicht der, für den er sich ausgibt.*

Ihr ganzer Körper zittert vor Anspannung. Randall nimmt seine Brille ab und putzt sie, während der Constable die Aufnahme auf seinem Handy abspielt: Das Rauschen lärmt in dem stillen Raum, dann ist eine fröhliche Frauenstimme zu hören: »Hallo, Crime Stoppers hier, was kann ich für Sie tun?«

Nun ertönt eine weibliche Stimme, die direkt als die einer älteren Frau erkennbar ist. »Nun, ja, ich denke Sie können etwas für mich tun, danke. Ich habe einfach noch nie Leute in diesem Haus gesehen, wissen Sie. Ich meine, es hatte nie ein Verkaufsschild, nichts. Ich war die Woche über bei meiner Tochter in Queensland, im Haus meiner Marie, und bin erst heute zurückgekommen.«

»In Ordnung, Ma'am, und um welches Haus geht es?«

»Um das Haus nebenan. Ich wohne in der 270 Clementine Road in West Hills, in der Nähe des großen Golfplatzes, den man nie hätte bauen dürfen, wenn Sie mich fragen. Zu viel Verkehr.«

»Okay, und Sie sagen, es befinden sich Leute im Haus nebenan?«

»Hm, ja. Ich bin zurückgekommen und war gerade dabei, auszupacken und Wäsche zu waschen – Sie wissen ja, dass man immer etwas zu waschen hat, wenn man auf Reisen war, nicht wahr? Auch wenn meine Marie darauf bestanden hat, jeden Tag die Wäsche für mich zu waschen. Sie weiß, dass ich meine Sachen gern sauber habe, und …«

»Ja, und Sie sagten, es seien Leute im Haus nebenan?« Leslie kann hören, dass die Frau, die bei Crime Stoppers ans Telefon gegangen ist, um Geduld bemüht ist. Sie kann sich vorstellen, dass viele einsame Menschen den Dienst nur anrufen, um zu plaudern. Aber das ist offensichtlich nicht nur Plauderei.

»Also«, beginnt die Anruferin, die sichtlich verärgert ist, dass sie unterbrochen wurde. »Wie ich schon sagte, ich war gerade dabei, Wäsche zu waschen, die Nachrichten liefen und ich habe von dem armen kleinen Mädchen gehört – Sie wissen schon, das vermisste kleine Mädchen, so ein hübsches Ding. Und ich musste daran denken, wie traurig seine Mutter sein muss, und dann habe ich ein Geräusch vor meinem Schlafzimmerfenster gehört und bin nachsehen gegangen, denn das tut man ja in so einem Fall, nicht wahr? Eine Straße weiter wohnt ein Kater, der manchmal zu Besuch kommt, und ich habe gehofft, dass er es ist, denn ich gebe ihm dann immer ein Schälchen Milch, und das mag er, und ich habe mich gefragt, ob ich frische Milch dahabe, aber es war nicht der Kater.«

»Okay, was haben Sie denn gesehen?«, fragt die andere Frau, ihr Ton nun etwas schärfer.

»Nun, ich habe gesehen, dass jemand im Haus nebenan ist.

Mein Schlafzimmerfenster blickt direkt auf das Fenster von einem der Schlafzimmer in diesem Haus, und das ganze Jahr über, seit Betty ausgezogen ist, stand es leer, es war also nicht verkauft worden. Ich sah jemanden, einen Mann, glaube ich, der ein kleines Mädchen hielt, das irgendwie in seinen Armen zusammengesackt war, und mir ist aufgefallen, dass es lange schwarze Haare hatte, genau wie das vermisste Mädchen im Fernsehen, und dass der Mann ein rosa Hemd oder so anhatte, und dann hat er sich umgedreht und mich gesehen und ist einfach aus dem Zimmer gerannt, davongestürmt, als wäre er ertappt worden. In dem Haus wohnt ja offiziell niemand, wissen Sie, darum fand ich das Ganze etwas seltsam und wollte schon an die Tür klopfen gehen, aber dann dachte ich mir, dass ich mir vielleicht alles nur eingebildet habe. Dass ich wohl einfach nur sehr müde sein muss. Darum habe ich noch einmal nachgesehen, und das Zimmer war komplett leer. Danach habe ich ein kleines Nickerchen gemacht, aber jetzt habe ich wieder die Nachrichten gesehen, und sie ist immer noch verschwunden, und da dachte ich plötzlich: ›Was, wenn sie es ist?‹«

»Okay, und um wie viel Uhr war das?«

»Es ist schon eine Weile her. Ich glaube, ich habe den Mann gegen ein Uhr gesehen, vielleicht war es auch später am Nachmittag. Ich habe meine Marie angerufen, um sie zu fragen, was ich tun soll, und nachdem ich ihr die Geschichte erzählt hatte, sagte sie, ich soll auf keinen Fall nach nebenan gehen, sondern die Polizei rufen, und ich hatte die Nummer von Crime Stoppers auf dem Fernsehbildschirm gesehen, wissen Sie, ganz unten auf dem Bildschirm, darum habe ich stattdessen Sie angerufen. Es muss das vermisste kleine Mädchen sein. Ich weiß es einfach.«

»Danke, Ma'am. Könnten Sie bitte Ihre Adresse wiederholen? Wir werden sofort jemanden losschicken.«

»Sofort ... Meine Güte, ich hätte heute Nachmittag direkt anrufen sollen. Sie lag zusammengesunken in seinen Armen, ganz und gar nicht wie ein schlafendes Kind. Ich meine, sie sah ... und ich sage das nur ungern, aber sie sah aus, als wäre sie ... tot.«

»Wir schicken jetzt sofort jemanden vorbei. Könnten Sie bitte Ihre Adresse wiederholen?«

Constable Dickerson stoppt die Aufnahme. »Also, erkennen Sie ihre Stimme vielleicht wieder? Kennen Sie die Adresse?«

»Nein«, sagt Randall schnell, und Leslie schüttelt nur den Kopf. Sie hat sich Stück für Stück von Randall entfernt, während sie hörte, was die Frau sagte. *Ganz in der Nähe spiele ich Golf ... rosa Hemd. Ihr Mann ist nicht der, für den er sich ausgibt.*

Wie viel weiß sie wirklich über Randall? Sie kennt ihn erst seit fünf Jahren. Er hatte ein komplettes Leben mit einer Frau und einem Kind, bevor sie ihn kennenlernte. Er hatte einen anderen Job, oder besser gesagt alle möglichen anderen Jobs. Er unterrichtete, um sich über Wasser zu halten, wie er es ausdrückte, und er arbeitete an den Wochenenden im Apple Store, um sein Lehrereinkommen aufzubessern, was Bianca verärgerte, die wollte, dass er seinen Abschluss in Informatik nutzte, um einen besseren und besser bezahlten Job zu bekommen. Aber er widmete sich komplett seinem Softwareprogramm und vergaß dabei die Bedürfnisse seiner Familie. Leslie versteht, warum Bianca forderte, er solle das Programm aufgeben. Selbst als Shelby noch klein war, musste sie arbeiten, damit sie die Hypothek und alles andere, was sie als Familie brauchten, bezahlen konnten.

Constable Dickersons Handy klingelt. »Dickerson«, sagt er. »Ja, gut. Danke.« Er dreht das Handy so, dass sie das Display sehen können. »So, sie sind am Haus.«

Das Video ist ziemlich wirr, und Leslie wird klar, dass das daran liegen muss, dass einer der Polizisten mit einem Handy in der Hand filmt, damit sie sehen können, ob es Millie ist. Ihr

Herz klopft ihr bis zum Hals und sie schlingt ihre Arme fest um sich, während sie sehen, wie eine Hand an eine Tür mit abgeplatzter weißer Farbe und einem verrosteten Türklopfer klopft.

Und dann sehen sie, wie sich die Tür öffnet, wie sie sich langsam öffnet …

ZWANZIG

SHELBY

Sie wacht in ihrem Bett auf und weiß nicht, wie sie es geschafft hat, einzuschlafen. Ihre Nachttischuhr zeigt an, dass es nach einundzwanzig Uhr ist. Ihr fällt ein, dass Millie vermisst wird. Ihr wird übel, als sie sich vorstellt, wie sie friert und weint, und dann muss sie aufstehen und ins Bad rennen, weil ihre Blase fast platzt, und dabei denkt sie, dass Millie vielleicht nicht friert oder weint. Millie könnte tot sein. Natürlich ist sie tot. Sonst hätte man sie ja gefunden.

Eine Polizistin sitzt im Wohnzimmer auf dem abgewetzten Ledersofa. Sie ist recht jung, hat braunes Haar, das zu einem schwungvollen Pferdeschwanz gebunden ist, und schöne grüne Augen. Sie kommt immer wieder in Shelbys Zimmer, um zu fragen, ob ihr noch etwas eingefallen sei und ob es ihr gut gehe, was Shelby für eine dämliche Frage hält. Wie um alles in der Welt sollte es ihr gut gehen? Shelby schüttelt jedes Mal den Kopf, aber sie weiß nicht, wie lange sie es noch aushält. Die Polizistin, die sich ihnen als Kate vorgestellt hat, weiß etwas. Shelby ist sich dessen sicher.

Sie verlässt das Badezimmer und will in ihr Zimmer zurückkehren, denn sie kann sich auf keinen Fall mit der adleräugigen

Polizistin ins Wohnzimmer setzen. Sie hat das Gefühl, dass sie ihr einfach alles erzählen würde, obwohl sie das gar nicht will. Ihr Zimmer hier ist nicht so groß wie ihr Zimmer im Haus ihres Vaters, aber das hat sie noch nie gestört. Ihre Mutter hat ihr erlaubt, eine Wand in einem hellen Grünblau zu streichen, und sie hat eine Bettdecke und eine Wolldecke, die zu dieser Farbe passen. Die Tür muss offen bleiben, denn Kate hatte gesagt: »Lass sie einfach ein Stück auf, wenn es dir nichts ausmacht. So kann ich sehen, ob du schläfst, falls ich etwas brauche.« Das sollte nett klingen, aber Shelby weiß auch, dass die Polizistin hören will, ob sie etwas Verdächtiges tut.

Mit dem Handy in der Hand steht sie an ihrer Zimmertür und schaltet es ein, in der Hoffnung, dass Kate nicht gerade jetzt nach ihr sehen wird.

Die erste Nachricht hat sie erwartet, darum überrascht sie sie nicht, und trotzdem schlägt ihr Herz schneller und sie spürt, wie sie beginnt unter den Achseln zu schwitzen. Sie schockiert sie auch nicht, denn eines weiß sie ganz genau: Egal wie sehr dich jemand angeblich liebt, wie glaubwürdig eine Person behauptet, sie sei dein Freund oder deine Freundin, oder wie aufrichtig jemand verspricht, dass man wichtig sei – am Ende denken alle nur an sich selbst. Als Absender steht da nur eine Nummer, denn sie wollte dieser Person nie einen Namen geben.

Du musst den Mund halten, liest sie, löscht die Nachricht sofort und schaltet ihr Handy aus. Sie kann das nicht mehr. Sie kann es einfach nicht.

EINUNDZWANZIG

RUTH

Ich schaue auf meine Uhr. Es ist fast neun. Warum hat sie nicht geantwortet? Bestimmt hat sie die E-Mail mittlerweile gelesen. Vielleicht aber auch nicht. Ich habe ihre Arbeits-E-Mail-Adresse benutzt. Es könnte sein, dass sie ihre Arbeits-E-Mails am Wochenende nicht liest. Ich will die Nachrichten einschalten, aber ich weiß, dass ich nicht mehr funktionieren werde, wenn ich ihn neben ihr stehen sehe. Ich spüre die Panikattacke bereits kommen.

Jetzt werde ich nervös. Eigentlich dachte ich, es wäre nun alles vorbei und ich könnte in mein einsames, sicheres Leben zurückkehren, in dem Wissen, dass ich das Richtige getan habe. Aber *habe* ich das Richtige getan? Kann seine Entlarvung das wiedergutmachen, was mir und seinem kleinen Mädchen widerfahren ist?

Ich schaue wieder auf meinen Computer und aktualisiere den Posteingang, aber da ist nichts. Ich stehe auf und gehe in mein Kinderzimmer, wo ich eine Sammlung von sechzig Teddys habe. Die kaufe ich in Wohltätigkeitsläden, weil ich weiß, dass jeder einzelne wahrscheinlich irgendwann einmal sehr geliebt wurde. Von allen Läden, in die ich mich zwinge, sind mir die Wohltätigkeitsläden am liebsten. Sie sind oft voller seltsamer Menschen, die nach einem Schnäppchen oder nach etwas suchen, das sie verloren haben. In Wohltätigkeitsläden ignorieren die Leute einander in der Regel, und in dem Laden, der meinem Haus am nächsten ist, sitzt meist eine alte Frau dösend hinter dem Tresen, die erst richtig wach wird, wenn ich direkt vor ihr stehe und mich räuspere. Dann nimmt sie wortlos mein Geld, und ich gehe mit meinem Einkauf und einem knappen Dankeschön hinaus und kann mich wieder auf den Heimweg machen. Ich bringe die Teddybären nach Hause und säubere sie sorgfältig, denn der Gedanke, dass sich Keime auf einer meiner Sammlungen befinden könnten, gefällt mir gar nicht. Sie sitzen in einem Bücherregal, auf den Regalbrettern und obendrauf. Ganz leise nehme ich sie alle runter. Normalerweise lege ich sie aufs Bett, während ich sie zähle, aber heute bin ich zu aufgeregt, um sie geduldig zu ordnen. Ich atme ein wenig ruhiger, seit ich in diesem geschützten Raum bin und seine sichere Luft einatme.

Schweigend hebe ich den ersten weichen Teddybären mit seinem dichten braunen Fell, den glänzenden schwarzen Augen, dem aufgenähten roten Mund und den großen, runden Ohren hoch. Ich drücke ihn fest an mich und lege ihn dann zurück in das Bücherregal. »Eins«, flüstere ich. Dann beuge ich mich hinunter und nehme den nächsten.

Während es immer später wird und meine Gewissheit schwindet, dass ich das Richtige getan habe, warte ich auf das Ping-Geräusch meines Handys, das den Eingang einer E-Mail ankündigt. Ich lausche angestrengt, während ich mich flüsternd durch die Bären zähle und Trost in ihrer Weichheit und in der Liebe finde, die sie noch immer in ihrem Fell tragen.

ZWEIUNDZWANZIG

LESLIE

21:15 Uhr

Die Tür zu dem Haus öffnet sich, und Leslie wird schlecht angesichts der Erwartung von dem, was sie gleich sehen wird. Hat derjenige, der in diesem heruntergekommenen Haus wohnt, ihr Kind? Wer ist es? Was hat derjenige mit ihr gemacht? *O Millie, o Liebling, es tut mir so leid, dass ich dich allein gelassen habe. Es tut mir so leid.*

Über der Eingangstür geht ein Licht an und plötzlich ist alles erleuchtet. Ein Mann steht in der Tür, er ist groß und trägt ein rosa Hemd, und hinter ihm erblickt Leslie ein kleines Mädchen in einem Schlafanzug, der mit roten Herzchen übersät ist, genau wie Millies Schlafanzug. Ihr stockt der Atem, während die Polizistin an der Tür sagt: »Es tut mir leid, Sie zu stören, aber wir haben Meldungen über ein vermisstes Kind erhalten, das sich möglicherweise in diesem Haus aufhält ...«

»Was?«, blafft der Mann mit dem dichten braunen Bart und wirkt augenblicklich aggressiv. Die Polizistin geht anscheinend einen Schritt zurück, denn die Kamera bewegt sich ein Stück weiter weg.

»Daddy, Daddy«, ruft das Kind und streckt die Arme nach ihm aus, um auf den Arm genommen zu werden. Leslie kann es jetzt richtig sehen.

Das Mädchen hat langes, feines schwarzes Haar, genau wie Millie, aber seine Haut ist dunkler und das Licht der Handykamera verrät, dass seine großen, von langen Wimpern umrahmten Augen braun sind.

Der Mann bückt sich und hebt das Kind hoch. In einer Hand hält es ein winziges Plüschkaninchen. Es schmiegt sich an den Mann und schiebt das Kaninchen zwischen sie beide.

»Wovon reden Sie?«, fragt er. »Stella ist doch hier, nicht wahr, Schatz? Was für ein vermisstes Kind? Ich habe mich heute schon zu Tode erschrocken, als von nebenan auf einmal eine alte Frau zu mir herübergeschielt hat. Ich dachte, das Haus wäre leer, aber da war sie plötzlich. Nach wem genau suchen Sie? Stella ist hier, und ihre Mutter weiß, dass sie bei mir ist. Hat sie Sie gerufen? Hat meine Ex-Frau Sie gerufen?« Seine Stimme wird lauter, seine Augen verengen sich zu Schlitzen. Leslie weiß, dass sich hinter seiner Aggression die Angst verbirgt, dass ihm seine Tochter weggenommen wird, und sie vermutet, dass eine hässliche Scheidung der Grund für seine Vorsicht ist. Aber das Kind in seinem Arm ist nicht ihres.

»Nein, Sir. Es tut mir leid, wir suchen Millie Everleigh – sie ist drei Jahre alt und wird vermisst. Haben Sie davon in den Nachrichten gehört?«

»Oh«, sagt der Mann, und Leslie beobachtet, dass er seine Tochter ein wenig fester an sich zieht, um sie zu beschützen, so wie Leslie es bei Millie hätte tun müssen. »Ja, davon habe ich gehört, aber ich war mit Auspacken beschäftigt, darum habe ich bei den Nachrichten nicht so genau hingesehen. Ich bin gerade erst eingezogen. Können Sie bitte aufhören, mein Kind zu filmen? Das ist nicht in Ordnung.«

»Du bist eine Polizistin«, sagt das Kind, und da wird offensichtlich, dass sie ein paar Jahre älter ist als Millie. Sie ist klein und hat das gleiche dunkle Haar wie Millie, aber sonst gleicht sie ihr überhaupt nicht.

Leslie spürt, wie ihre Schultern absinken und die Spannung in ihrem Kiefer nachlässt, als sie Constable Willow ins Handy sprechen hört. »Sie ist es nicht«, sagt er.

»Nun«, beginnt Constable Dickerson und klickt das Video weg. »Das tut mir leid, aber es klang glaubwürdig.« Er senkt den Blick auf den Teppich, und Leslie kann ihm noch nicht einmal böse sein.

»Ich verstehe«, sagt sie traurig. »Ich verstehe das doch.«

Randall hat ihr Kind nicht in ein Haus neben dem Golfplatz gebracht. Dass sie ihrem Mann so etwas zutraut, schockiert und beunruhigt sie. Sie kann im Moment nicht klar denken. Ihre Tochter ist immer noch verschwunden und sie werden vielleicht nie herausfinden, wo sie ist und was mit ihr passiert ist. Leslie wendet sich ab, lehnt ihren Kopf gegen die kalte Scheibe des Fensters und starrt zum Mond. »Funkel, funkel, kleiner Stern«, flüstert sie und bemerkt erst, dass alle gegangen sind, als sie sich wieder umdreht.

Auch Randall ist nicht geblieben, und sie nimmt ihm das nicht übel. Ihm war klar, dass sie vermutet hatte, er hätte etwas mit Millies Verschwinden zu tun, und obwohl er nicht der Mann im rosa Hemd ist, ist sie sich immer noch nicht ganz sicher, dass er gar nichts damit zu tun hat. Ihr Mann ist angeblich nicht der, für den er sich ausgibt. Das kleine Mädchen im Haus war nicht Millie, Shelby sagt nicht die Wahrheit, und Leslie weiß nicht, ob sie das alles überleben wird, ob sie weitermachen und es überleben kann.

DREIUNDZWANZIG

SHELBY

Sie schließt die Tür fast komplett, lässt sie aber so weit offen, dass Kate ihr nicht vorwerfen kann, sie wolle etwas verbergen. Als sie sich von der Tür wegbewegt, hört sie, wie ihre Mutter ein geflüstertes Gespräch am Handy führt.

»Komm einfach nach Hause. Das wird langsam lächerlich«, sagt sie, und Shelby weiß, dass sie mit Trevor spricht. Sie geht nicht zurück in ihr Bett, sondern bleibt hinter der Tür stehen und hält den Atem an.

»Wie bitte?«, blafft ihre Mutter und ihre Stimme wird ein wenig lauter, bevor sie wieder leiser spricht. »Das habe ich nicht gesagt. Das habe ich nie zu dir gesagt. Ich brauche dich hier. Hör auf, immer der Gute sein zu wollen. Die haben genügend Leute und sie werden sie schon finden, komm einfach nach Hause.« Sie klingt richtig wütend. »Du hättest besser aufpassen müssen. Wenn du der Held sein willst, musst du in der Lage sein, klar zu denken. Komm einfach nach Hause und lass die das machen. Es wird sich schon regeln, ob du da bist oder nicht.«

Shelby atmet langsam und vorsichtig aus, um ihre Mutter nicht auf sie aufmerksam zu machen, dann atmet sie tief ein und hält den Atem wieder an. Ihre Mutter ist wütend, fast rasend. Dieser Tag läuft nicht so, wie sie ihn sich vorgestellt hat. Wie egoistisch von ihr, denkt Shelby. Das ist einfach nur egoistisch.

»Nein, nein«, stöhnt ihre Mutter. »Ich möchte, dass wir Zeit miteinander verbringen, nur wir beide. Also, hör jetzt auf, komm einfach nach Hause. Komm jetzt sofort nach Hause. Ich will das nicht noch einmal sagen müssen. Es ist ihnen egal, dass du versuchst zu helfen. Die ganze Welt versucht zu helfen, und sie werden sie finden. Ich brauche dich hier.«

Bianca redet mit ihm, als wäre er ein Kind, als wäre er in Shelbys Alter. Aber das ist er nicht. Das ist er nicht, auch wenn er immer versucht, mit ihr über Snapchat und Instagram und TikTok zu reden. Er ist nicht in ihrem Alter.

Ihre Mutter beendet den Anruf und Shelby huscht zurück in ihr Bett und wickelt die Decke gerade um sich, als ihre Mutter in ihr Zimmer kommt. »Ich hatte gehofft, du würdest länger schlafen.«

»Es gibt keine Neuigkeiten, oder?«, fragt Shelby hoffnungsvoll.

»Nein«, sagt ihre Mutter knapp. »Sonst würde ich es dir natürlich sagen.«

»Worüber hast du mit Trevor gesprochen?«, fragt Shelby und ist überrascht, dass sie sich dabei nervös fühlt.

»Nichts, worüber du dir Sorgen machen müsstest«, sagt ihre Mutter, aber sie klingt irgendwie traurig. »Gar nichts.«

VIERUNDZWANZIG

RUTH

Ich nehme mein Handy und öffne die Nachrichtenseite, auf die ich immer gehe.

Es gibt einen Artikel über das vermisste kleine Mädchen mit einem weiteren Bild ganz oben. Auf diesem Bild ist sie anscheinend an einem Strand, denn hinter ihr kann ich die blaue Linie des Meeres sehen. Sie trägt einen großen rosafarbenen Sonnenhut. Das Bild ist eine Nahaufnahme ihres Gesichts: Sie lächelt nicht, sondern konzentriert sich auf etwas, und ihre blauen Augen sind groß und schön, ihre Lippen leicht geöffnet. Ich frage mich, was genau sie sah oder hörte.

Es gibt unbestätigte Berichte, dass Millie Everleigh in einem Haus in West Hills gefunden wurde. Die Polizei hat sich noch nicht geäußert, aber Quellen berichten, dass die Polizei zu einem Haus gerufen wurde, in dem das vermisste Kind gesichtet worden war. Weitere Informationen folgen, sobald sie vorliegen.

Ich erschrecke. Gefunden – sie haben sie gefunden? Aber dann scrolle ich ein bisschen weiter nach unten und lese, dass sie immer noch vermisst wird, immer noch weg ist. Ich wusste, dass das nicht sein konnte.

> *Update: Die unbestätigten Berichte über den Aufenthaltsort von Millie Everleigh haben sich als falsch erwiesen. Millie Everleigh wird immer noch vermisst und die Öffentlichkeit wird dringend gebeten, nach ihr Ausschau zu halten.*

Den Rest lese ich nicht, denn die Seite wiederholt nur, was bereits gesagt wurde.

Warum meldet sie sich nicht bei mir? Warum kann das nicht einfach vorbei sein? Ich schaue mir die ordentlich angeordneten Teddybären auf dem großen Holzregal an, dann stehe ich auf und werfe sie alle wieder auf den Boden. Es wird nie vorbei sein. Es fühlt sich so an, als ob es nie vorbei sein wird.

FÜNFUNDZWANZIG

LESLIE

22:00 Uhr

In ihrem Bett, mit der Bettdecke um die Beine geschlungen, spürt Leslie, wie ihr der Kopf auf die Brust sinkt, obwohl sie aufrecht sitzt. Sie driftet in einen Traum ab und hört Millie schreien: »Mummy, komm schon, Mummy – du kannst mich jetzt suchen.« Sie schreckt hoch und schaut sich hektisch im Zimmer um, aber ihr antwortet nur die Stille. Sie hatte ihr kleines Mädchen hier im Zimmer gespürt, Millies viel zu süßes Erdbeerduschgel gerochen, das große, runde Schaumblasen in der Badewanne erzeugt.

Aber ihr Kind ist nicht hier, und der Geruch aus ihrem Traum wird augenblicklich von dem zurückhaltenderen Sandelholzduft von Randalls Rasierwasser verdrängt, der noch in der Luft hängt.

Sie nimmt ihren Laptop vom Nachttisch, klappt ihn auf und klickt auf den Ordner, in dem sie alle möglichen Bilder ihrer Tochter gespeichert hat, angefangen mit einem Foto, das fünf Minuten nach ihrer Geburt von ihr mit zerknautschtem Gesicht und ein paar schwarzen Haarsträhnen gemacht wurde.

Sie klickt auf ein Bild, auf dem Millie eins ist und mit einer speckigen kleinen Hand nach einem Schokoladenkuchen greift, den Leslie für sie gebacken hat. Mit dem Finger fährt sie über ein Bild von Millie im Alter von zwei Jahren, auf dem sie ihre Arme um einen Pfannenwender geschlungen hat, der ihr ein paar Wochen lang als bizarres Kuschelspielzeug diente. Sie hatte ihn überallhin mitgenommen, sogar ins Bett, bis sie eines Tages das Interesse daran verlor. Dann klickt sie auf ein Bild von Millie an ihrem dritten Geburtstag, für den sie einen Clown zur Unterhaltung der gesamten Vorschulklasse engagiert hatte. Der Clown hatte einen riesigen Seifenblasenstab mitgebracht, und Millie wollte, dass er gar nicht mehr aufhörte, schillernde Seifenblasen zu produzieren, nicht einmal, um ihren rosa Einhorn-Geburtstagskuchen zu essen. Leslie berührt ihre Brust und versucht, sich gegen die Hand zu wehren, die ihr Herz zu umklammern scheint. Ist es wahr? War das der letzte Geburtstag, an dem sie Bilder von ihrem Kind gemacht hat?

Sie schließt die Augen und atmet ein und aus. Ihr Arbeits-E-Mail-Postfach ist voll mit Nachrichten, aber die müssen warten – vielleicht für immer. Dass sie mehr sein wollte als nur Millies Mutter, dass sie sich wieder einen Platz in der Arbeitswelt erobern wollte, macht ihr ein stechend schlechtes Gewissen. Wie konnte sie jemals mehr haben wollen als ihr kleines Mädchen? Sie blickt zum Fenster und durch die geöffneten Vorhänge. Gelegentlich blitzt Licht von den Journalisten und Fernsehteams auf, die geblieben sind, um auf Neuigkeiten zu warten. Den Nachbarn gefällt das bestimmt überhaupt nicht. Die Familien auf beiden Seiten haben Kinder im Teenageralter, die Handys bei sich tragen und daher immer lokalisierbar sind. Sie wünschte, sie hätte Millie eine dieser Uhren gekauft, mit denen Eltern ihre Kinder tracken können, aber Millie war ja nie ohne sie aus dem Haus gegangen. Sie war immer in Begleitung eines Erwachsenen oder eines Babysitters. Sie war immer sicher. Nur heute war sie nicht sicher.

Es ist bald Mitternacht, dann beginnt ein neuer Tag und Millie wird vierundzwanzig Stunden lang vermisst worden sein. Immer wenn sie auf ihr Handy oder die Uhr schaut und mehr Zeit verstrichen ist, spürt Leslie, wie ihre Panik und ihre Angst fiebrig steigen. Wenn ein Kind nicht in den ersten vierundzwanzig Stunden gefunden wird, wird es dann überhaupt gefunden? Heißt das, es ist ... Sie will das Wort nicht denken, kann es nicht ertragen, das Wort zu denken.

Sie öffnet ein Browserfenster und tippt eine Suchanfrage ein: »Wie viele Kinder unter fünf Jahren verschwinden in Australien?« Aber die Ergebnisse sind nutzlos. Es geht um Kinder, die im Falle einer Scheidung oder Trennung von einem Elternteil mitgenommen werden, aber das ist ja nicht das, was mit Millie passiert ist. Vergangene Fälle von vermissten Kindern lassen sie in dem warmen Zimmer frösteln. Ein kleines Kind, das verschwindet, ein Kind, das nie gefunden wird, wird Teil der Vergangenheit. Eine Warnung an alle Eltern. Sie kann sich nicht vorstellen, wie Mütter danach weiterleben.

Ohne es zu beabsichtigen, klickt sie auf ihr Arbeits-E-Mail-Postfach und will gerade den Laptop zuklappen, als ihr die Betreffzeile der obersten E-Mail ins Auge fällt: *Es geht um Ihr Kind.* Ihr Herz klopft ihr bis zum Hals. Ein weiterer Troll? Wahrscheinlich, vielleicht sogar Spam mit einem Virus. Es gibt nichts, was Leute nicht tun würden, aber sie muss trotzdem wissen, was drinsteht. Sie holt tief Luft, ihre Finger zittern leicht, dann öffnet sie die E-Mail, abgeschickt von einer Adresse, die sie nicht kennt. *Sehen Sie sich das mal an*, steht da, gefolgt von einem Link, auf den sie klickt, obwohl sie weiß, dass sie das nicht tun sollte, weil es ihren Computer beschädigen oder sie zu einer furchtbaren, widerlichen Website führen könnte, aber sie kann sich nicht stoppen. Sie schiebt die Decke von ihren Beinen, Schweißperlen laufen ihr über die Stirn. Ein Zeitungsartikel aus einer wohl lokalen Zeitung namens *The Alex Heights Gazette* aus Perth hat sich geöffnet. Leslie hat noch nie von Alex Heights gehört, aber sie war auch noch nie in Perth.

Der Artikel ist kurz und trägt die Überschrift:

Lehrer verabschiedet.

Die Schrift ist klein und etwas schwer zu lesen, aber das Datum fällt ihr gleich auf. Freitag, 18. November 2005. Wo war sie an diesem Tag? Damals war sie Anfang zwanzig, voller Hoffnung für die Zukunft, und hatte nach ihrem Grafikdesignabschluss gerade in der Werbebranche angefangen.

Tony Richardson (31) hat die Alex Heights High School nach drei Jahren als Informatiklehrer verlassen. Mr Richardson war ein beliebter Lehrer, der auch die Theatergruppe der Gemeinde leitete, die letztes Jahr mit einer lebendigen Inszenierung von Ein Sommernachtstraum überzeugte. *Mr Carl Donnelly, Schulleiter der Alex Heights High School, sagt: »Es ist immer traurig, einen Lehrer gehen zu sehen, aber manchmal müssen Menschen weiterziehen.«*

Leslie schnaubt angesichts dieses lächerlichen Artikels, der von einem körnigen Bild begleitet wird, das einen Mann zeigt, der offensichtlich gerade mitten im Satz die Arme hebt und eine Geste in Richtung einer anderen Person macht. Es muss ein Bild des Lehrers sein, der gerade Regie bei dem Theaterstück führt oder so etwas in der Art. Warum schickt ihr jemand so einen Schrott? Sie will den Artikel schließen, bevor er ihren Computer mit irgendeinem Virus infiziert, obwohl es vielleicht schon zu spät ist.

Doch dann sieht sie sich noch einmal das Foto an. Der Mann kommt ihr bekannt vor, obwohl die Qualität des Bildes nicht sehr gut ist. Während sie auf das Bild starrt, wird ihr plötzlich mulmig zumute, denn sie beginnt, das Gesicht zu erkennen. Das Foto ist schon alt, aber die Ähnlichkeit ist mehr als nur flüchtig. Es ist etwas unscharf, aber je länger sie es betrachtet, desto sicherer ist sie: Er ist es, ganz eindeutig. Sie hält sich die Hand vor den Mund. Das ist er, aber das ist nicht sein Name. Mittlerweile ist sie sich ganz sicher. Warum hat er seinen Namen geändert?

Das muss etwas mit Millie zu tun haben, das weiß sie. Sie muss Constable Dickerson finden und ihm den Artikel zeigen, ihm sagen, dass alles irgendwie miteinander zusammenhängt. Sie steht auf, Adrenalin durchströmt sie, sodass sie plötzlich hellwach ist, und genau in diesem Moment öffnet sich die Schlafzimmertür und Randall kommt herein.

»Les, geht's dir gut?«, fragt er. »Du sieht ganz blass aus.«

SECHSUNDZWANZIG

SHELBY

Es ist spät, und sie hört das leise Gemurmel aus dem Fernseher im Wohnzimmer. Kate, die junge Polizistin, ist gegangen und hat ihnen gesagt, dass morgen früh wieder jemand vorbeikommen wird. Sie haben offensichtlich beschlossen, dass Shelby sich in der Zwischenzeit an nichts Neues erinnern wird.

Ihre Mutter wartet darauf, dass Trevor nach Hause kommt, aber er besteht weiterhin darauf, bei der Suche zu helfen. Shelby weiß, dass ihre Mutter das wütend macht. Sie scrollt durch ihr Handy und hat Angst, eine weitere Nachricht zu bekommen, obwohl sie gleichzeitig darauf wartet. Vielleicht ist alles vorbei, wenn sie zurückschreibt, dass sie alles sagen wird. Vielleicht explodiert ihre ganze Welt, aber zumindest ist es dann vorbei. Die Leute posten auf ihrem Instagram-Account Kommentare mit Herzchen und schreiben, dass sie an sie denken und dass sie für sie da sind, wenn sie reden will. Sie ist berühmt, auf schreckliche und herzzerreißende Art ist sie berühmt. So etwas ist keiner ihrer Freundinnen je passiert.

Kiera schickt immer wieder Nachrichten, manche weinerlich, manche gemein.

Es tut mir leid, dass das passiert ist.

Shelby glaubt ihr das nicht.

Bitte erzähl keinem, dass ich da war. Ich hoffe, dass wir danach immer noch beste Freundinnen sind.

Die letzte Nachricht soll ihr wohl Angst machen, aber sie macht sie einfach nur sehr, sehr traurig.

Es war deine Schuld, Shelby. Wenn du nicht antwortest, sage ich es meiner Mutter. Was ist los mit dir? Ich hasse dich!

Kiera ist nicht die, für die Shelby sie gehalten hat. Und alle anderen auch nicht. Alle verstecken ihr wahres Ich. Dieses Ich kommt nur zum Vorschein, wenn etwas schief läuft, und Shelby fragt sich, wer *sie* ist, wer ihr wahres Ich ist. Ist sie ein guter Mensch, der allen erzählen wird, was passiert ist, oder ist sie ein schrecklicher Mensch, der allen erzählen wird, was passiert ist? Welche Shelby ist die richtige, wenn beide eigentlich dieselbe sind?

Kiera hat Angst davor, was passieren wird, wenn herauskommt, dass sie auch da war – und was passiert ist, weil sie da war.

In ihrem Kopf geht Shelby noch einmal alles durch, alles, was sie verheimlicht hat, und sie versucht, einen Weg zu finden, es zu erklären, ohne dass jemand anders verletzt wird. Sie legt ihr Handy weg und starrt an die Decke, wo sie mit den Augen die feinen Risse in der weißen Farbe verfolgt.

Die schreckliche Angst, die sie bekam, als Millie weggerannt war und sie und Kiera sie verfolgt hatten, kommt zurück. Sie war so schnell. Sie war einfach aus der Haustür geschossen und durch den Garten und das offene Tor gerannt. Shelby hatte Kiera das Tor von drinnen per Knopfdruck geöffnet, als sie angekommen war, und Kiera hatte das Tor anscheinend nicht wieder geschlossen, nachdem sie in den Vorgarten gekommen war. Wenn Kiera das Tor zugemacht hätte, wenn sie einfach das Tor zugemacht hätte ... aber das hatte sie nicht. Es ging alles so schnell, und Shelbys Beine waren so schwer, als könnte sie sich nicht schnell genug bewegen, als würde sie nur ganz langsam laufen, während sie ihrer kleinen Schwester hinterherrannte, die auf die Straße stürzte, einfach durch das Tor und auf die Straße hinaus, wo gerade ein Auto kam, direkt auf Millie zu. »Millie, nein!«, rief Shelby, wenn sie sich recht erinnert – aber vielleicht auch nur in ihrem Kopf.

Und dann war das Auto da, mitten auf der Straße und direkt vor Millie, die zu klein war, um von der Person am Steuer gesehen zu werden. Es fuhr geradewegs auf sie zu. In ihrem Zimmer stöhnt Shelby jetzt leise angesichts der Angst, die sie überkam, als ihr klar wurde, dass sie nicht schnell genug bei ihrer Schwester sein würde, und sie begriff, was passieren würde.

Aber es ist nicht passiert. Es ist nicht passiert.

Millie hätte von dem Auto erfasst werden können – sie hätte in die Luft geschleudert und getötet werden können, weil sie so klein war –, aber das Auto wurde langsamer, die Bremsen quietschten, die Reifen drehten durch und Gummigeruch erfüllte die Luft auf der ruhigen Straße.

Es hielt an.

SIEBENUNDZWANZIG

RUTH

Ich zähle meine Teddybären zu Ende und genieße es, wie sich jeder einzelne von ihnen in meinen Händen anfühlt. Es ist spät, fast elf, so lange war ich schon seit Jahren nicht mehr wach. Aber ich kann nicht einschlafen. Ich muss das jetzt durchziehen. Ich schaue auf mein Kinderbett. Da lag ich früher und träumte, machte mir Sorgen und weinte, dachte darüber nach, wie mein Leben verlaufen wäre, wenn es diesen einen bestimmten Lehrer nicht gegeben hätte. Manche Mädchen und Frauen tragen nur einen leichten Schaden davon, wenn ihnen so etwas wie mir passiert. Sie sind verletzt, beschädigt, aber sie können weitermachen. Wenn ich eine funktionierende Therapie gemacht hätte, wenn ich jemanden zum Reden gehabt hätte, dem ich vertraute, oder zumindest jemanden, der an mich glaubte – aber das hatte ich nicht. Er war so gut in dem, was er tat.

»Was ist dein Problem?«, schrie meine Mutter, als ich mich weigerte, weiter zur Schule zu gehen.

»Warum bist du so?«, schluchzte sie, als ich mich in meinem Zimmer einschloss und mich weigerte, zum Essen zu kommen.

»Was wird jetzt nur aus dir?«, fragte sie mich kurz vor ihrem Tod, nachdem die Zigaretten ihr Werk verrichtet hatten, so wie jeder Arzt es prophezeit. Ihre geschädigte Lunge bekam nicht mehr genug Luft. Es ist eine furchtbar grausame Art zu sterben, und am Ende konnte ich nur noch ihre Schmerzen lindern. Sie mochte es, wenn ich für sie sang, vor allem Kirchenlieder wie »Amazing Grace«. Sie hörte mir gern zu, wenn ich ihr von ihren eher seltsamen Aktionen erzählte. »Weißt du noch, als du mich aus der Schule geholt hast, als ich zehn war, und wir einfach zum Flughafen gefahren sind, um nach Queensland zu fliegen?«

»Ja, und du hast dich nur beschwert und gejammert, dass du keine Zeit zum Planen und Packen hattest.« Sie nickte, die Erinnerung brachte sie zum Lächeln.

»Weißt du noch, als wir eine ganze Woche lang Kuchen zum Frühstück gegessen haben, jeden Tag einen anderen?«

Sie hatte gekichert und dann gekeucht und gehustet. »Du hast mir gesagt, es würde deine Zähne kaputt machen.«

Ich war ein Kind, das Routine und Ordnung mochte. Es gab Regeln im Leben, aber meine Mutter schien sich für keine davon zu interessieren. Ich musste nie zu einer bestimmten Zeit ins Bett gehen, und es war ihr egal, ob ich meine Hausaufgaben machte oder nicht. Aber sie liebte mich, das weiß ich. Sie hatte mir bloß nicht geglaubt, als sie es hätte tun sollen. Das war ihr größter Fehler.

Ich weiß auch nicht, was in Zukunft aus mir wird, aber ich habe das Gefühl, dass dies der Anfang von irgendetwas ist. Sobald er entlarvt ist, sobald alles aufgedeckt ist, kann ich alles hinter mir lassen. Vielleicht, möglicherweise, eventuell kann ich es hinter mir lassen. Ich schaue wieder auf das Bett. Wahrscheinlich werde ich das nicht können. Aber zumindest werde ich die Wahrheit gesagt, ihn vor der Welt entlarvt und allen gezeigt haben, dass man ihm nicht trauen kann. Zumindest das werde ich getan haben, und was auch immer dann passiert, es wird immer noch besser sein als das, was jetzt ist. Wenn er erst einmal für seine Taten bezahlt hat, kann mein Inneres ihn loslassen. Das ist alles, was ich wirklich will – dass mein Inneres frei von ihm ist.

ACHTUNDZWANZIG

LESLIE

22:45 Uhr

Leslie dreht den Laptop zu ihrem Mann. »Kannst du mir das erklären?«, fragt sie.

Er schaut auf den Bildschirm, dann nimmt er seine Brille ab und poliert sie an seinem Hemd, ohne ihren Blick zu erwidern. Er setzt sie wieder auf und sieht sie an. »Wer ist das?«, fragt er.

»Sag du es mir«, sagt sie.

Er sieht sich das Bild noch einmal an. »Oh, okay ... ja, jetzt erkenne ich es. Inwiefern ist das relevant?«

»Ich muss mit Shelby sprechen«, sagt Leslie bestimmt. »Ich muss die Polizei informieren und mit Shelby sprechen. Ich rufe jetzt den Constable.« Sie steht auf und nimmt ihren Laptop. Weil sie jetzt etwas hat, das helfen könnte, das ein Hinweis darauf sein könnte, wo Millie ist, hat sie plötzlich wieder Energie. Sie weiß nicht, wie es helfen wird, aber irgendjemand da draußen scheint mehr zu wissen, und diese Person will ihr sagen, dass Millie nicht einfach nur ein Kind ist, das weggelaufen ist.

»Warte ... warte, bitte«, bittet Randall. »Gib mir einen

Moment, nur einen Moment.« Er geht für eine Weile auf und ab, und sie sieht, wie sich seine Lippen bewegen, während er überlegt, was er tun soll, und wird immer gereizter.

»Wo ist meine Tochter, Randall?«, zischt sie. »*Sie* hat keinen Moment. Sie ist verschwunden, weg. Wo ist sie? Willst du mir sagen, dass das hier nichts ist, was ich der Polizei sagen sollte? Shelby hat sich in den letzten Monaten seltsam benommen, viel Mist gebaut ... und ... du und Bianca habt über nichts anderes mehr geredet, und Bianca glaubt, es liegt daran, dass sie Zeit hier verbringt, aber vielleicht liegt es gar nicht daran.«

»Les, bitte ... lass mich nachdenken.« Er fährt sich mit den Händen durch die Haare. »Lass uns zuerst mit Shelby reden. Wenn wir es der Polizei sagen und sie dann Angst bekommt und sich verkriecht ... Ich meine, wenn er irgendwas damit zu tun hat, dann hat sie einen Grund, Angst zu haben, sie ... Mir wird ganz übel. Shelby und Millie waren doch beide zusammen hier, zu Hause in unserem Haus. Was um Himmels willen sollte er mit der ganzen Sache zu tun haben?«

»Ich möchte die Polizei informieren. Sie müssen die E-Mail zurückverfolgen, diese Person finden und sie fragen, was sie weiß.«

»Nein«, sagt er, schreit fast. »Nein ... erst Shelby. Ich flehe dich an. Ich glaube ... ich glaube, sie kann es erklären, und dann ...«

»Was dann?«

»Ich weiß es nicht«, sagt er und schüttelt den Kopf. »Ich weiß es doch auch nicht.«

»Sie werden uns nicht gehen lassen, das weißt du, und Shelby schläft wahrscheinlich schon. Wir müssen das der Polizei überlassen.« Sie steht auf, geht zu ihrem Schrank und zieht sich einen dicken Pullover über, weil sie friert. Vergeblich versucht sie, die Puzzleteile in ihrem Kopf zusammenzufügen.

»Ich behaupte einfach, dass wir einen Spaziergang machen wollen, einen schnellen Spaziergang an der frischen Luft. Dann können wir zu Shelby fahren und herausfinden, ob das nur ein Zufall ist, denn vielleicht ist es ja so und er hat nichts damit zu tun.«

Leslie nickt, denn es ist sinnlos, sich mit ihm zu streiten. Er beschützt ja nur seine Tochter.

Zehn Minuten später gehen sie in Mäntel gehüllt nach unten.

»Wir wollen ein bisschen rausgehen«, sagt Randall. »Um etwas frische Luft zu schnappen.«

»Es ist etwas spät für einen Spaziergang«, sagt Constable Dickerson. »Wir brauchen Sie hier.« Er sieht müde aus, und sie sieht, dass er Schokolade gegessen hat, um wach zu bleiben. In der Küche riecht es nach ständig neu gebrühtem Kaffee und der langsam schmelzenden süßen Karamellschokolade, die geöffnet neben ihm liegt.

»Meine Frau ...«, beginnt Randall. »Leslie hat gerade einen Tiefpunkt. Nur etwas frische Luft, einmal um den Block. Wir haben unsere Handys dabei. Wir sind in ein paar Minuten wieder da.« Er ist überzeugend, aufrichtig, kein Mann, den man anzweifeln oder infrage stellen muss. Aber sie hat ihn infrage gestellt, den ganzen Tag über hat sie ihn infrage gestellt.

Der Constable gibt nach und hält die Hand hoch. »Fünf Minuten«, sagt er streng. »Gehen Sie hinten raus, vorm Haus stehen immer noch ein paar Journalisten. Ein hartnäckiger Haufen, das muss man ihnen lassen.«

Als sie draußen sind, gehen sie zügig, und Leslie ist überrascht, wie schnell die stille Dunkelheit sie nach den Lichtern und dem Lärm in ihrem Haus umhüllt.

Ihr Mann ist nicht der, für den er sich ausgibt. Die Worte kommen zurück und lassen sie nicht los. Warum hat sie diese Nachricht erhalten? Als ein Auto auftaucht, hebt Randall die Hand. Er hat das Uber schon im Haus gerufen und den Fahrer angewiesen, sie zwei Straßen weiter abzuholen.

Warum hat sie diese Nachricht erhalten? Der Mann auf

dem Foto ist nicht ihr Mann. Er ist es nicht. Warum sollte jemand denken, dass er ihr Mann ist? Sie geht den Tag in Gedanken durch. Überall waren Kameras, die gefilmt haben. Vielleicht hat ihn jemand neben ihr stehen sehen? Vielleicht hat jemand ...

»Er hat mich umarmt«, sagt sie, als sie in das Uber steigen.

»Was?«, fragt Randall, beugt sich vor und vergewissert sich, dass der Mann weiß, wohin er fahren muss. Der Fahrer ist groß und schweigsam und nickt nur. Leslie fragt sich, wie oft er kurz vor Mitternacht in die Vorstadt gerufen wird. Ob er wohl die Nachrichten verfolgt hat und eine Ahnung hat, wer sie sind?

»Er hat mich umarmt«, wiederholt sie. »Heute haben mich alle möglichen Leute umarmt und er war definitiv einer von ihnen. Kurz nach der Pressekonferenz kam er zu mir und hat mich umarmt. Vielleicht haben sie da noch gefilmt; vielleicht ist der Person, die mir die Nachricht und den Artikel geschickt hat, das aufgefallen und dann eine Verwechselung unterlaufen.«

»Was hat das zu bedeuten, Les? Er hat also seinen Namen geändert – na und?«

»Ich weiß es nicht«, sagt sie. »Aber es hat irgendetwas zu bedeuten, und es muss etwas mit dem zu tun haben, was heute passiert ist. Das muss es einfach.«

Das Auto fährt los und schützt sie, vor der Kälte und den Geräuschen der Reifen auf der Straße, und sie betrachtet die Häuser, an denen sie vorbeifahren. Nur noch in wenigen davon brennt Licht. Es ist Schlafenszeit. Der Tag ist zu Ende und sie sollte tief schlafen, mit ihrer Tochter im Nebenzimmer. So sollte es sein, aber so ist es nicht, und das ist nicht ihre Schuld. Dessen ist sie sich jetzt sicher. Es ist nicht ihre Schuld, aber irgendjemand ist schuld. Irgendjemand ist definitiv schuld.

NEUNUNDZWANZIG

SHELBY

Shelby wälzt sich in ihrem Bett hin und her. Die Erinnerung an den Nachmittag kommt so schnell auf sie zugerast, wie das Auto auf Millie zugerast kam. Sie erinnert sich an ihre unerträgliche Angst. Aber das Auto hielt an. Es fuhr Millie nicht an, es hielt an.

Ihr Magen krampfte sich zusammen, vor Erleichterung wurde ihr ganz übel.

Millie stand wie erstarrt direkt vor der Stoßstange, ihre blauen Augen weit aufgerissen, aber Shelby wusste, dass sie nicht begriff, wie knapp sie dem Tod entkommen war. Leslie sagte ihr immer wieder, dass sie sich von Straßen fernhalten und sie nur mit einem Erwachsenen oder mit Shelby an der Hand überqueren solle. Aber sie hatte das noch nicht verstanden, noch nicht.

Kiera und Shelby standen regungslos auf dem Bürgersteig. Sie sahen beide zu, wie sich die Autotür öffnete und er ausstieg. Shelby wusste schon, dass er es war, sie hatte sein Auto sofort erkannt. Warum er dort war, wusste sie nicht, denn eigentlich hatte er etwas zu tun gehabt, aber darüber hatte sie zu dem Zeitpunkt nicht nachgedacht.

»Was zum Teufel ist hier los?«, fragte er wütend.

»Ich muss los«, sagte Kiera schnell, winkte und drehte sich um.

»Hey, warte«, rief er, aber Kiera rannte los und überließ es Shelby, sich um den Mist zu kümmern, den sie gebaut hatte. Shelby stürzte auf die Straße und nahm Millie auf den Arm.

»Sie ist weggelaufen«, hatte sie gesagt. »Sie ist weggelaufen und ich konnte sie nicht fangen.« Die Angst in ihr wich einer Blase voller Glück, als die Arme ihrer kleinen Schwester sich um ihren Hals legten. Sie wollte jubeln, laut lachen und in die Luft springen, weil Millie nichts passiert war. Das Auto hatte sie nicht angefahren. Shelby würde Ärger bekommen, das war ihr klar, aber Millie war nichts passiert, und das war alles, was zählte.

»Sie hätte tot sein können«, schrie er. »Du solltest dich um sie kümmern.«

»Ich weiß«, hatte Shelby zurückgeschrien. Millie schlang die Arme fester um ihren Hals, ihr kleiner Körper zitterte noch vor Schock oder aus Traurigkeit darüber, dass Kiera sie angeschrien hatte, oder wegen beidem. Shelby rannte den Bürgersteig entlang, sie wollte unbedingt schnell wieder ins Haus. »Tut mir leid, Millie, tut mir leid, tut mir leid«, sagte sie immer wieder, während die Arme ihrer kleinen Schwester sich an ihr festhielten und ihr Körper sich beim Laufen auf und ab bewegte. Sie musste Millie nach drinnen bringen, wo sie in Sicherheit war, weit weg von der Straße und ihren schrecklichen Gefahren, weit weg von allem, was ihr dort wehtun könnte.

Im Haus, wo die Wärme der Heizung sie zum Schwitzen brachte, erlaubte sie sich, richtig zu atmen. Sie setzte Millie ab.

»Warum hat er geschrien?«, fragte Millie.

»Setz dich mal hin«, sagte Shelby bestimmt. Sie drehte sich um, um die Tür zu schließen und ihn auszusperren, aber er war schon da. »Es tut mir leid …«, begann sie.

»Das ist völlig inakzeptabel. Sie ist erst drei Jahre alt. Warum war diese Kiera hier? Hast du Leslie gefragt, ob du eine Freundin zu Besuch haben darfst?« Seine Stirn war in Falten gelegt, seine blauen Augen dunkel und wütend.

Ihr Körper begann zu zittern, als das Adrenalin nachließ, das sie jetzt, da Millie in Sicherheit war, nicht mehr zu brauchen glaubte, und Shelby konnte nicht verhindern, dass ein paar Tränen flossen. Aber sie war immer noch in erster Linie erleichtert, dass ihrer Schwester nichts passiert war.

»Ist ja gut«, sagte er. »Okay, mach dir keine Sorgen. Es geht ihr gut. Setzt euch hin, ich hole euch was zu trinken.«

»Nein, ich komme schon klar. Leslie kommt bald nach Hause. Warum bist du hier?«

Millie saß an ihrem kleinen Tisch und nahm einen großen schwarzen Buntstift in die Hand. »Ich mag Kiera nicht, sie ist gemein«, sagte sie und malte einen Kreis, den sie mit dicken schwarzen Strichen füllte. Sie wusste nicht, wie nah ihr Leben dem Ende gekommen war. Einfach so, im Bruchteil einer Sekunde, hätte sie tot sein können, aber Shelby hatte nicht die Kraft, es ihr zu erklären, es ihr verständlich zu machen.

»Es ist gut, dass ich hier bin, angesichts dessen, was ich gerade gesehen habe. Stell dir vor, wie unglaublich aufgebracht Leslie sein würde. Ich meine, wie unverantwortlich von dir, Shelby. Ich bleibe besser noch eine Weile, damit ich weiß, dass es allen gut geht. Du hattest kein Recht, eine Freundin einzuladen, und ich habe keine Ahnung, was Millie dazu veranlasst haben könnte, wegzulaufen. Das ist alles nicht gut.« Sie hasste es, wenn er den Belehrungsmodus anschaltete und versuchte, ihr zu sagen, was sie alles falsch machte. Je mehr er sie belehrte, desto schlechter fühlte sie sich und desto mehr zweifelte sie an sich selbst. Sie wollte ihn einfach nur loswerden.

»Nein, wir kommen klar«, sagte sie wieder. Sie wollte, dass er ging, einfach ging, dann würde sie sich mit an Millies kleinen Tisch setzen und mit ihr malen. Sie würde Millie sagen, dass

Kieras Besuch ihr Geheimnis bleiben würde und dass Kiera nie wieder herkommen würde. Sie würde ihr versprechen, dass sie nicht mehr mit Kiera befreundet sein würde, wenn Millie das Geheimnis für sich behalten und Leslie nichts von dem Auto und der Straße erzählen würde. In diesem Moment war ihr noch nicht klar, dass es nicht nötig sein würde, Millie zum Schweigen zu überreden.

»Setz dich«, sagte er. »Wir müssen darüber sprechen. Ich möchte Leslie und deinem Vater wirklich nicht erzählen müssen, was ich gerade gesehen habe.« Seine Stimme klang scharf, ein wenig drohend. »Ich hole jetzt Saft.«

»Kiera war gemein zu mir«, sagte Millie, während ihr Buntstift über das Papier wanderte und alle weißen Stellen schwarz ausmalte. Shelby wusste, dass sie in Schwierigkeiten steckte. Nicht nur, weil sie Millie weglaufen und fast überfahren lassen hatte. Sie steckte in Schwierigkeiten, weil er da war. Aber warum war er da? Und woher hatte er gewusst, dass sie allein war? Sie hatte sich über den schrecklichen Zufall gewundert, dass er gerade in dem Moment vorbeifuhr, als Millie auf die Straße rannte. Und dann war es ihr wie Schuppen von den Augen gefallen, und ihr wurde klar, wer es ihm gesagt hatte. Ihr stieg etwas in der Kehle auf, aber sie schluckte, um es zu unterdrücken. Sie war in Schwierigkeiten, und sie konnte nichts dagegen tun, denn sie musste Millie beschützen.

Shelby wünschte sich ganz fest, dass Leslie nach Hause kam. Sehnsüchtig schaute sie zur Küchentür und hoffte, sie von der Garage aus hereinkommen zu hören. Sie betete, sie rufen zu hören: »Komm und hilf mir mit den Einkäufen, wenn du was Süßes willst.« Leslie würde ihn in der Küche erblicken, und alles wäre ganz einfach und normal. Aber Leslie war schon länger weg als die eine Stunde, die sie angekündigt hatte. Shelby hatte auf ihr Handy geschaut und gesehen, dass es schon nach dreizehn Uhr war. Sie wollte gerade ihrer Stiefmutter eine Nachricht schicken, da kam er mit zwei Gläsern

Saft zurück ins Zimmer. »Ich mag Apfelsaft nicht«, wollte sie sagen, tat es aber nicht. Niemand wusste mehr auch nur irgendetwas über sie, niemanden interessierte es, was sie mochte und was nicht.

»Hier, bitte sehr«, sagte er zu Millie und stellte den Saft auf ihren kleinen Tisch.

»Danke, danke, danke«, sang Millie.

»Du bist ein liebes Mädchen«, sagte er zu ihr und streichelte ihr über den Kopf, woraufhin sie ihn anstrahlte. Er reichte Shelby ihr Glas und sagte: »Trink aus, du bist auch ein liebes Mädchen.«

Shelby drückte gegen das Glas in ihrer Hand und fragte sich, ob sie es wohl zerdrücken könnte, sodass der Apfelsaft in alle Richtungen spritzte und sie einen Lappen holen musste. Millie war zu klein, um zu verstehen, wer er wirklich war, und selbst die Erwachsenen um sie herum hatten keine Ahnung, wer er war.

»Setz dich«, sagte er noch einmal, und schließlich gehorchte sie, stellte das unangetastete Glas Saft auf den kleinen Tisch neben dem Sofa und schob es weit von sich weg. Sie wusste nicht, was sie sonst tun sollte. Er setzte sich neben sie. Sie wollte weglaufen, einfach aufstehen und weglaufen, aber sie musste auf Millie aufpassen. Ob sie ihre kleine Schwester wohl hochheben und dann mit ihr nach oben rennen könnte, um sich mit ihr im Schlafzimmer von Leslie und ihrem Vater einzuschließen? Konnte sie schnell genug rennen?

Wenn Leslie jetzt reinkäme, dann würde sie ganz bestimmt einfach sagen: »Oh, hallo, was machst du denn hier?«, und er würde ihr antworten: »Ich schaue nur nach Shelby«, und sie würde ihm glauben – denn das taten alle.

»Ich muss auf die Toilette«, sagte sie und wollte aufstehen, aber er ergriff ihren Arm und zog sie zurück auf das Sofa neben sich.

»Setz dich«, sagte er. »Millie ist mit Malen beschäftigt,

nicht wahr, Millie? Shelby und ich werden uns jetzt ein wenig unterhalten.«

»Unterhalt, halt, halt«, sang Millie, blickte auf und sah Shelby an, bevor sie sich wieder ihren Malsachen zuwandte und ein neues Blatt Papier und einen leuchtend violetten Buntstift nahm. Ihre Wut auf Kiera war vergessen, ihre Flucht auf die Straße nur noch eine Erinnerung, ihre Traurigkeit verschwunden.

Und dann ...

Shelby schließt die Augen, und sie hasst es, dass das Bild immer noch da ist, das Bild von dem, was passiert ist, und sie weiß, dass es nie verschwinden wird.

Ihre Zimmertür schwingt auf und ihre Mutter steht da. »Dein Vater und seine Frau möchten mit dir sprechen«, sagt sie und erschreckt Shelby, die ihr Handy schnell mit zitternden Händen unter ihrem Kissen vergräbt. Sie hat niemanden kommen hören, aber sie spürt, dass ein Gespräch der Erwachsenen vorausgegangen sein muss, in dem ihre Mutter versucht hatte, ihren Vater und Leslie davon abzuhalten, hereinzukommen und mit ihr zu sprechen, aber die beiden darauf bestanden hatten. Alle drei Erwachsenen sind ein wenig rot im Gesicht und Shelby kann sich vorstellen, dass der Streit zwischen ihnen in einem aggressiven Flüsterton stattgefunden haben muss. Schon im Alter von fünf Jahren hatte sie gewusst, dass es eher ein schlechtes Zeichen war, wenn ihre Eltern die Stimmen senkten. Das bedeutete, dass der Streit, den sie gerade hatten, schlimm war. Am Abend, bevor sie ihr verkündet hatten, dass sie sich scheiden lassen würden, war es fast komplett still im Haus gewesen, aber wenn sie genau hingehört hatte, war da dieses wütende Zischen eines Streits zu hören gewesen.

Leslie und ihr Vater drängen in ihr Zimmer, und Shelby merkt, dass Leslie sich umschaut. Sie schämt sich ein wenig für das Chaos. Leslie ist sehr ordentlich, und Shelby versucht, in

Leslies Haus immer ordentlich zu sein, und weil es dort so viel Stauraum gibt – kleine Einbauschränke und Schubladen in ihrem Zimmer zum Beispiel –, macht es ihr irgendwie Spaß, dort ordentlich zu sein. Aber hier wohnt sie die meiste Zeit, und ihr Leben hier ist chaotisch und kompliziert. So chaotisch und so kompliziert.

»Du musst nicht mit ihnen reden, wenn du nicht willst«, sagt ihre Mutter, und Shelby hat plötzlich das Gefühl, dass ihr Zimmer überfüllt und stickig ist. Ihre Mutter will, dass sie sich weigert. Das weiß sie. Ihr Herz rast und sie versucht, tief durchzuatmen. An jedem anderen Samstagabend würde sie jetzt schon schlafen. Alle im Haus würden schon schlafen.

»Wir müssen wirklich mit dir reden, Shelby«, sagt ihr Vater, und seine Stimme klingt verzweifelt. Er fleht sie beinahe an, mit ihnen zu reden. Sowohl Leslie als auch ihr Vater sehen älter aus als heute Morgen, als es leicht unförmige Pfannkuchen zum Frühstück gab und ihr Vater sich für seinen albernen Golftag herausgeputzt und gelacht hatte, während er erfolglos versuchte, perfekte Pfannkuchen zu machen, damit Leslie ausschlafen konnte.

»Schon okay«, sagt sie. Ihre Mutter schüttelt wütend den Kopf. »Wirklich«, bekräftigt sie, damit ihre Mutter versteht, dass es ihre Entscheidung ist.

»Na gut«, seufzt ihre Mutter, nimmt einen Stapel sauberer Wäsche aus dem Schaukelstuhl, der in Shelbys Zimmer steht, seit sie ein Baby ist, und legt ihn auf den Boden. Dann setzt sie sich hin und sieht Leslie und Shelbys Vater an.

»Eigentlich wäre es uns lieber ...«, beginnt Leslie, scheint aber die Nerven zu verlieren und sieht stattdessen Shelbys Vater an.

»Kannst du uns kurz mit ihr allein lassen, Bianca?«, bittet ihr Vater, und Shelby zerspringt fast das Herz, weil er so traurig aussieht und alles ihre Schuld ist und sie keinen Weg findet, irgendetwas in Ordnung zu bringen.

»Auf keinen Fall. Ich bleibe hier, während ihr mit ihr sprecht, danke«, schnauzt ihre Mutter und spuckt die Worte dabei einzeln aus. Ihre Mutter macht sich Sorgen um sie, das weiß Shelby, aber sie hasst es, wenn sie so mit ihrem Vater spricht, und sie hasst es, dass sie Leslie manchmal ansieht, als wäre sie Dreck an ihrem Schuh. Sie würde nicht direkt behaupten, dass sie Leslie liebt, nicht wirklich, aber manchmal ist es einfacher, mit ihr zu reden als mit ihrer eigenen Mutter.

Ihre Mutter sieht sie mit zusammengekniffenen Augen an, und Shelby weiß plötzlich, so wie man Dinge manchmal einfach weiß, dass sie sich nicht ihretwegen sorgt, sondern wegen dem, was Shelby sagen wird. Ihr Körper fühlt sich auf einmal ganz seltsam an und sie reibt sich das Gesicht, das heiß ist und juckt. Sie fühlt sich wie ein Mädchen in einem Horrorfilm, das gerade gemerkt hat, dass es sich in einer Sackgasse befindet.

Ihre Mutter hatte ihm gesagt, dass sie babysittet; sie hatte ihm gesagt, dass sie mit Millie allein war. *Wer bist du?*, möchte Shelby sie fragen. *Du wirkst nicht wie meine Mutter, wer bist du also? Zu wem bist du geworden? Welches deiner wahren Ichs sehe ich jetzt gerade?* Ihre Mutter will, dass sie schweigt, nicht weil sie sich Sorgen um Shelby macht, sondern weil sie sich Sorgen um jemand anderen macht.

Sie setzt sich aufrechter auf ihr Bett und versucht, tief einzuatmen, aber der Atem bleibt ihr im Hals stecken und sie muss husten. In ihrem Kopf brummt es, sie begegnet dem Blick ihrer Mutter und ein schrecklicher Gedanke schießt ihr in den Kopf.

Ihre Mutter weiß genau, was passiert ist.

Aber kann das denn sein? Kann es wirklich sein, dass sie es weiß und nichts gesagt hat?

Ihre Mutter schüttelt erneut den Kopf und bestätigt damit, dass sie will, dass Shelby den Mund hält.

Während sie versucht, die schreckliche Vorstellung zu

verarbeiten, dass ihre Mutter es weiß – dass sie es die ganze Zeit wusste, während der ganze Vorort nach Millie gesucht hat –, fühlt sie eine Welle der Traurigkeit in sich aufsteigen. Ihre Mutter weiß es, und doch hat sie beschlossen zu schweigen, um die Person zu schützen, die sie am meisten liebt.

Und was noch schlimmer ist: Vielleicht hat ihre Mutter auch verstanden, was Shelby schon seit ein paar Monaten zu sagen versucht, ohne es aussprechen zu müssen.

Und jetzt bekommt Shelby Angst.

Weiß ihre Mutter, wo Millie ist? Wo sich Millies Leiche befindet? Und was wird sie tun, wenn Shelby die Wahrheit sagt? Sie darf nichts sagen. Sie muss lügen, wenn ihre Mutter weiter dasitzt und sie ansieht. Sie kann die Worte nicht aussprechen, wenn der böse Blick ihrer Mutter auf ihr ruht.

»Bianca«, sagt ihr Vater und richtet sich auf. »Leslie und ich werden mit Shelby allein sprechen. Genau das tun wir jetzt. Ich habe keine Geduld mehr für deine Spielchen. Geh jetzt und lass uns allein.«

Shelby fällt die Kinnlade ein kleines Stück nach unten. So spricht ihr Vater sonst nie mit jemandem, und als sie Leslie und ihre Mutter ansieht, kann sie an ihren Gesichtern ablesen, dass auch sie schockiert sind. Ihre Mutter schüttelt sich sogar ein wenig, um ihren Schock loszuwerden.

»Shelby möchte, dass ich bleibe, nicht wahr, Shelby?«, sagt sie.

Obwohl sie weiß, dass es draußen kalt ist, steht Shelby von ihrem Bett auf und drückt gegen ihr Zimmerfenster, um es leicht zu öffnen. Kalte Luft weht herein. Die Erwachsenen im Zimmer schweigen, während sie auf ihre Antwort warten, und sie wünschte, sie könnte die Zeit zu einem Tag zurückdrehen, bevor das alles passiert ist. Sie wünschte, sie hätte mit ihrem Vater gesprochen und ihm die Wahrheit darüber gesagt, was ihr Problem ist. Und sie wünschte, sie wäre irgendwo anders als hier, wäre jemand anders als sie selbst.

Aber sie ist hier, und wenn sie nicht die Wahrheit sagt, dann wird sich nichts ändern. Sie kann nicht mehr in diesem schrecklichen Schwebezustand verharren und sie kann Leslie und ihrem Vater die Wahrheit nicht länger vorenthalten.

Sie setzt sich wieder auf ihr Bett. »Ich will nicht, dass du bleibst«, flüstert sie und richtet den Blick auf die kuschlige blaue Decke auf ihrem Bett, um ihre Mutter nicht ansehen zu müssen.

Ihre Mutter sagt nichts. Sie steht einfach auf und verlässt das Zimmer, wobei sie die Tür auf eine Art und Weise hinter sich zuschlägt, für die Shelby Ärger bekommen würde.

»Also, Shelby«, sagt ihr Vater, sobald ihre Mutter weit genug weg sein müsste, obwohl Shelby ihr durchaus zutrauen würde, ihr Ohr an die Tür zu pressen. »Wir müssen dich etwas wegen heute Nachmittag fragen.«

»Okay«, sagt Shelby skeptisch, müde und traurig zugleich.

»Es geht um Trevor«, beginnt Leslie.

»Trevor«, wiederholt Shelby mit matter Stimme.

»Ja«, bestätigt ihr Vater.

Shelby nickt langsam, während sich eine Träne ihren Weg über ihre Wange bahnt.

»Oh, mein Schatz«, platzt es aus Leslie heraus und sie setzt sich zu ihr auf das Bett. »Was ist passiert? Was ist denn passiert?«

DREISSIG

RUTH

Ich kann nicht länger wach bleiben. In meinem alten Zimmer rolle ich mich mit einer Decke vom Sofa auf dem Boden zusammen, mache mich ganz klein und warte mit dem Handy in der Hand. Ich habe nicht geschafft, was ich mir vorgenommen hatte. Sie wird die E-Mail nicht lesen und ihn für mich vor der Welt entlarven. Morgen früh werde ich dorthin gehen müssen. Ich werde zum Haus des Kindes gehen und allen dort die Wahrheit sagen müssen. Ich schaue noch einmal auf das Bett, dann rolle ich mich auf dem Boden zu einer Kugel zusammen und schlafe ein.

EINUNDDREISSIG

LESLIE

23:00 Uhr

Leslie spürt, wie Frustration in ihr aufsteigt, als sie ihre Stieftochter betrachtet, die zusammengekauert auf ihrem Bett sitzt und weint. Wenn sie schreien oder drängen, werden sie nicht die Antworten bekommen, die sie brauchen, aber sie spürt, dass etwas Schreckliches passiert sein muss, und sie beginnt, sich Sorgen zu machen, dass Trevor auftauchen könnte, bevor Shelby etwas gesagt hat.

Er ist nicht hier, was bedeutet, dass er auf der Suche nach Millie sein könnte. Er könnte auch bereits auf dem Weg nach Hause sein, und sie hat keine Ahnung, was er mit dem Verschwinden ihrer Tochter zu tun hat. Was weiß er? Was weiß Shelby?

Sie denkt über den Artikel nach, den sie über Trevor gelesen hat, der früher jemand ganz anderes war. Warum sollte ein Lehrer seine Schule verlassen, in einen anderen Staat ziehen und seinen Namen ändern? Wovor ist er weggelaufen? Und dann schlägt der Gedanke, den sie zu verdrängen versucht hat, wie eine Bombe in ihren Kopf ein.

»Shelby«, beginnt sie sanft, »hat Trevor …« Sie verschränkt ihre Finger ineinander, während sie überlegt, wie sie das fragen soll, was sie fragen will, aber nicht glaubte, jemals fragen zu müssen. Wie sie die eine Frage stellen soll, die sie niemals wollte stellen müssen. Und während sie nachdenkt, sieht sie ihre Stieftochter an und erkennt etwas im Gesicht des Mädchens. Shelby möchte etwas sagen. Sie will ihnen die Wahrheit sagen, aber sie braucht Hilfe dabei, denn sie ist doch noch ein Kind.

Sie zwingt ihre Finger dazu, ruhig zu sein, und faltet die Hände fest, um zu verhindern, dass sie sich wieder Haare ausreißt, dann räuspert sie sich und fragt ganz ruhig: »Hat Trevor dir etwas angetan, was dir nicht gefallen hat? Hat er dir oder …«, und hier hält sie inne, weil sie schlucken muss, als Säure in ihrer Kehle aufsteigt, »… oder Millie etwas angetan?«

Hinter ihr steht Randall, die Hände in den Taschen vergraben, und sie spürt förmlich, wie sein Körper heißer wird, während sie diese Worte sagt, als ob die Wut ihn buchstäblich in Brand setzt, aber er schweigt, denn auch wenn er nicht hören will, dass seiner Tochter – seinen Töchtern – etwas zugestoßen ist, müssen sie es wissen.

»Er …«, wispert Shelby, »er … er behauptet, er würde nichts machen, er wäre nur nett und … würde versuchen, aus uns eine richtige Familie zu machen, damit Mum glücklich sein kann. Er sagt … ich bilde mir Sachen ein und wäre ›schwierig‹.«

»Was?«, fragt Randall. »Was soll das heißen?«

Die Tür springt auf und Bianca kommt ins Zimmer gestürmt. Sie hat also doch an der Tür gelauscht.

»Was um alles in der Welt ist hier los?«, schreit sie. »Was wollt ihr von ihr hören?«

»Bitte, Bianca«, fleht Leslie, »bitte lass sie einfach sprechen.«

»Nein«, kreischt Bianca. »Ich will, dass ihr beide aus meinem Haus verschwindet. Sofort! Es ist nicht die Schuld meiner Tochter, dass dein Kind verschwunden ist, dass du Shelby den ganzen Nachmittag mit einem verzogenen Kleinkind allein gelassen hast, das jetzt weggelaufen ist, und ich kann nicht glauben, dass du das aus irgendeinem gottlosen Grund Trevor in die Schuhe schieben willst. Was um alles in der Welt soll er denn bitte mit all dem zu tun haben? Seid ihr beide wahnsinnig? Ihr klingt völlig wahnsinnig und drängt sie dazu, etwas zu sagen. Ihr versucht sogar, ihr Worte in den Mund zu legen. Das ist widerlich, *ihr* seid widerlich.« Ihr Gesicht ist knallrot und Leslie bemerkt, dass sie trotz der kalten Luft, die durch das von Shelby geöffnete Fenster hereinweht, leicht schwitzt. Die Kontrolle, die sie sonst über alles in ihrem Leben hat, scheint verschwunden zu sein.

Und Leslie weiß, dass sie Angst hat, dass das, was Shelby gesagt hat, wahr ist. Leslie würde immer zuerst ihrem Kind und dann erst ihrem Mann glauben, aber Bianca hat sich ihre eigene Meinung gebildet, ohne wirklich zuzuhören.

»Verschwindet einfach, alle beide, sofort, sonst rufe ich die Polizei«, schreit Bianca.

»Hey, Bianca, ich bin zu Hause«, hören sie es rufen, als sich die Haustür öffnet. Auf dem Bett erstarrt Shelby, nur ihre Augen bewegen sich noch und blicken wild zwischen ihrer Mutter und ihrem Vater hin und her. »Wo sind denn alle?«

Leslie kann spüren, wie sich die Angst des Mädchens auf ihren eigenen Körper überträgt. Shelby hat Angst vor Trevor. Sie hat Angst, und weil sie zum Schweigen gebracht wurde, werden sie nie erfahren, was er getan hat.

»Shelby, bitte«, flüstert sie.

»Er fasst mich an«, sagt Shelby mit einer Stimme, die so rau klingt, als hätte sie sie lange nicht benutzt. »Er sagt, er wäre mein Freund, aber Freunde fassen einander nicht so an. Er macht es und sagt dann, es wäre nicht passiert oder ich würde mir das nur einbilden. Aber ich weiß, dass er es macht, und gestern …«

»Was war gestern?«, fragt Trevor, der mit einem übersüßen Lächeln im Gesicht ins Zimmer kommt.

Randall dreht sich zu ihm um, und Leslie weiß sofort, dass er ihn schlagen wird.

»Sie lügt doch nicht schon wieder, oder?«, fragt Trevor und schüttelt traurig den Kopf, während er hinter Bianca tritt, damit Randall erst an seiner Ex-Frau vorbeimuss, um an ihn zu kommen. Er entspricht der Norm eines gut aussehenden Mannes, aber sein Gesicht ist irgendwie ausdruckslos, aalglatt. Er könnte gleichzeitig jeder und niemand sein, einfach irgendjemand. Aber er ist nicht irgendjemand, das weiß Leslie jetzt – er ist der Stiefvater eines jungen Mädchens, und er hat es missbraucht. Shelby lügt nicht, sie übertreibt nicht. Leslie spürt die erschütternde Wahrheit ihrer Worte, und sie möchte Trevor ins Gesicht spucken.

»Ich möchte deinem Vater und Leslie wirklich nicht sagen müssen, was du getan hast, Shelby. Sag ihnen einfach, dass du dir das alles nur ausgedacht hast, dass du lügst. Du musst verstehen, Randall, dass Shelby nicht wollte, dass ihre Mutter wieder heiratet. Es war schon schwer genug für sie, eine Stiefmutter zu haben; da wollte sie natürlich nicht auch noch einen Stiefvater. Aber das ist kein Grund, furchtbare Lügen zu erzählen, oder, Shelby? Kein Grund, deine Mutter unglücklich zu machen, indem du Lügen erzählst.« Zu dem ausdruckslosen, aalglatten Gesicht passt seine ausdruckslose, aalglatte Stimme, die überhaupt nicht bedrohlich scheint, und doch kann Leslie hören, dass er Shelby droht.

»Ich lüge nicht«, flüstert Shelby.

Randall tritt auf Bianca zu. »Ich bring dich um«, knurrt er.

Trevor geht einen Schritt zurück und hebt die Hände, in seiner Stimme liegt jetzt ein leichter Anflug von Panik. »Du weißt, was mit Lügnerinnen passiert, nicht wahr, Shelby? Jetzt sag die Wahrheit. Sag ihnen, was du Millie angetan hast, oder *ich* werde es ihnen sagen, und dann kommst du ins Gefängnis. Und da wirst du für sehr lange Zeit bleiben müssen.«

Shelby bricht in lautes Schluchzen aus.

»Raus – alle beide«, schreit Bianca. Sie wendet sich an Trevor. »Ich habe dir doch gesagt, du sollst nach Hause kommen. Dass du kommen sollst, um hier alles zu regeln. Warum hast du nicht auf mich gehört?«, brüllt sie.

»Halt den Mund, Bianca. Und jetzt verschwindet ihr beide mit euren unflätigen Anschuldigungen aus meinem Haus«, sagt Trevor und fuchtelt mit geballten Fäusten mit den Armen.

Leslie will ihre Stieftochter packen und sie schütteln, bis ihr die Zähne klappern und die Antworten aus dem Mund sprudeln. Aber sie möchte sie auch packen und mit ihr weglaufen, raus aus diesem Haus, in dem sie missbraucht wird und es niemanden zu interessieren scheint.

Sie dreht sich um und sieht Bianca und Trevor an. »Ich rufe die Polizei. Die können sich darum kümmern.«

Als sie ihr Handy aus der Tasche holt, stürzt sich Trevor auf sie, während Randall auf Trevor losgeht und Bianca aufschreit. Trevor ist am schnellsten bei ihr und stößt sie so hart weg, dass sie nach hinten stolpert. Sie fällt und ihr Kopf prallt gegen die Kante von Shelbys Nachttisch. Sie spürt einen scharfen, intensiven Schmerz und sackt benommen und mit klingelnden Ohren zu Boden.

Durch die schrillen Schreie in ihrem Kopf hindurch hört sie das Klatschen von Haut auf Haut, und sie weiß, dass Randall Trevor geschlagen hat.

»Trevor – nicht«, ruft Bianca, und dann wird alles schwarz.

ZWEIUNDDREISSIG

SHELBY

Shelby krabbelt weiter zurück auf ihr Bett. Sie kann nicht glauben, dass das gerade passiert ist, dass sie sich hier inmitten dieses Albtraums befindet. So benehmen sich doch keine Erwachsenen. Was ist nur mit ihnen allen los?

Leslie liegt auf der Seite zusammengesunken auf dem Boden, und Shelby sieht, wie ein Rinnsal Blut ihren Nacken hinabläuft. Ihr Vater sieht sich wie wild im Zimmer um und kauert sich dann neben seine Frau.

»Les, Les, alles okay?«, fragt er und berührt sie an der Schulter, bevor er ihren Körper flach auf den Boden legt. »Ich glaube, wir brauchen einen Krankenwagen«, ruft er und schaut zur Tür. Doch ihre Mutter und Trevor sind verschwunden. Trevor ist weggerannt, ihre Mutter hinterher.

»Sie ist mit ihm mit«, sagt Shelby verbittert. »Immer entscheidet sie sich für ihn.« Tief in sich weiß sie, dass sie eines Tages auf diesen Moment zurückblicken und erkennen wird, dass dies der Moment war, in dem sie verstand, dass ihre Mutter sie nicht so liebte, wie sie es sollte, so wie Leslie Millie liebt, so wie jede Mutter ihr Kind lieben sollte. Und dass ihr diese Erkenntnis für immer wehtun wird. Aber im Moment ist sie einfach nur überwältigt und verängstigt, erschöpft und traurig. Sie kann nicht klar denken.

All die Dinge, die sie ihrem Vater sagen wollte, kommen in ihr hoch, all die Dinge, die sie verheimlicht hat, weil sie anfangs glaubte, sie würde sich irren, dann dachte, es sei ein Missverständnis, und dann gesagt bekam, sie bilde sich das nur ein. Seit Monaten stellt sie sich selbst infrage, fragt sich, ob sie dumm oder ein schlechter Mensch ist, und jedes Mal, wenn sie ihrer Mutter gegenüber etwas auch nur annähernd Negatives über ihn sagte, bekam sie Folgendes zu hören: »Findest du nicht, dass ich es verdiene, so glücklich zu sein wie dein Vater?« Sie hat ihrer Mutter nie die ganze Wahrheit gesagt. Stattdessen hat sie belanglose Dinge gesagt, um zu testen, ob ihre Mutter ihr zuhört und ihr glaubt.

»Ich habe das Gefühl, Trevor ist oft wütend auf mich«, hatte sie gesagt, nachdem er sie angeschrien hatte, weil sie während der Nachrichten im Fernsehen gesprochen hatte.

»Du musst lernen, zu respektieren, wenn er seine Ruhe braucht. Wenn er vor dem Fernseher sitzt, dann sei einfach still«, hatte ihre Mutter geantwortet.

»Trevor klopft immer an die Badezimmertür, wenn ich dusche. Kannst du ihn bitten, damit aufzuhören?«

»Es ist nicht seine Schuld, dass wir uns kein Haus mit zwei Badezimmern leisten können. Wir arbeiten beide so hart, wie wir können. Ich habe nicht den Luxus, mit einem so reichen Mann wie deinem Vater verheiratet zu sein. Trevor muss dann dringend zur Arbeit oder wohin auch immer. Du bist ein Kind, Shelby, du musst auf uns hören.«

»Ich mag es nicht, dass Trevor mich so oft umarmt.«

»Er versucht nur, nett zu sein, ein Teil dieser Familie zu sein. Dir macht es doch bestimmt auch nichts aus, Leslie zu umarmen. Hör auf, alles auf dich zu beziehen. Sei einfach nett zu ihm. Ich will nicht allein versauern müssen, nur weil du Probleme hast, die nichts mit Trevor zu tun haben.«

Alle Antworten, die ihre Mutter ihr gab, und jede ihrer Reaktionen haben Shelby gezeigt, dass man ihr nicht glauben wird, und sogar sie selbst begann infrage zu stellen, was eigentlich passiert war und was nicht.

Er macht nichts, was so schlimm wäre, dass sie sich hinstellen und sagen könnte: »Das hat er mir angetan.« Stattdessen sind es einfach nur ganz viele Kleinigkeiten, die sie auch ignorieren könnte, wenn sie wollte, und die sie wahrscheinlich einfach abtun sollte; aber das schafft sie nicht, und das ist so anstrengend. Sie fühlt sich verfolgt in ihrem eigenen Zuhause. Darum duscht sie mittlerweile, wenn er nicht da ist, und klemmt ihren Schaukelstuhl unter die Türklinke, während sie sich umzieht (er erlaubt es nicht, dass Zimmertüren abgeschlossen werden, für den Fall, dass es brennt). Vor ein paar Monaten im Sommer, als es noch heiß war, war sie in einem kurzen Pyjama schlafen gegangen. Mitten in der Nacht war sie aufgewacht, die Bettdecke lag auf dem Boden und er stand in ihrem Zimmer. »Es ist kalt«, hatte er gesagt, als sie erschrocken vor ihm zurückgewichen war. »Ich hatte Angst, du würdest in diesem kleinen Pyjama frieren.« Sich einzureden, dass er nur nett sein wollte und sich Sorgen machte, wurde immer unmöglicher. Es war widerlich und sie ekelte sich vor sich selbst.

Es fühlt sich an, als hätte er ihre Mutter mit einer Art Zauber belegt, damit sie nicht sehen kann, was direkt vor ihren Augen vor sich geht. Aber vielleicht macht Shelby ja wirklich aus einer Mücke einen Elefanten, ist einfach überempfindlich und bezieht alles auf sich.

Immer wenn sie bei ihrem Vater und Leslie war, dachte sie darüber nach, es ihnen zu sagen, aber Trevor gibt ihr das Gefühl, dass gar nichts passiert ist.

»Ich mag es nicht, wenn du mich so lange umarmst«, hatte sie zu ihm gesagt. Vielleicht musste sie ja einfach nur sagen, was sie dachte.

»Was für ein Mädchen mag denn keine Umarmungen?

Deine Mutter sagt mir ständig, ich soll versuchen, mit dir auszukommen, und ich versuche es ja auch, aber du machst es mir wirklich schwer. Warum willst du, dass wir alle unglücklich sind, Shelby? Was ist nur los mit dir?«

»Hör auf, einfach ohne anzuklopfen in mein Zimmer zu kommen«, sagte sie ihm ein andermal.

»Ich habe nach einem Ladegerät gesucht. Es ist ja nicht meine Schuld, dass du das einzige funktionierende Gerät im Haus genommen hast. Was wirfst du mir eigentlich vor?«

Und genau das ist das Problem. Sie weiß es nicht. Sie kann es nicht richtig erklären. Wenn sie im Internet von solchen Sachen liest, dann sind sie immer groß und schlimm, es geht um Mädchen, die wirklich verletzt werden, aber er tut nichts, von dem sie behaupten könnte, dass es unrecht ist. Es sind immer nur kleine Dinge – Dinge, bei denen sie sich unwohl fühlt, aber sie versucht sich einzureden, dass es nur daran liegt, dass sie es nicht gewohnt ist, mit ihm in einem Haus zu leben.

Aber heute Nachmittag hat sich alles verändert. Heute Nachmittag hat er ihr wirklich etwas angetan, und der Mensch, der es sah, der liebe kleine Mensch, der noch zu jung war, um zu wissen, was er sah, wollte sie verteidigen.

»Ruf einen Krankenwagen«, herrscht ihr Vater sie nun an, woraufhin sie zusammenzuckt. Sie greift zu ihrem Handy und wählt die Notrufnummer, aber noch bevor sie die Ruftaste drücken kann, öffnet Leslie die Augen und sagt: »Nein, kein Krankenwagen. Mir geht es gut.«

Shelby kann sehen, dass es ihr definitiv nicht gut geht. Ihr Gesicht ist kreidebleich und ihre Lippen sind blau angelaufen. Aber sie legt ihr Handy trotzdem weg.

Leslie versucht, sich aufzusetzen. »Erzähl uns, was passiert ist, Shelby«, sagt sie. »Wo ist Millie?«

DREIUNDDREISSIG

RUTH

Eine Stunde später wache ich auf, nehme mein Handy in die Hand und schaue in panischer Erwartung auf das Display, um zu sehen, ob ich irgendeine Antwort von ihr erhalten habe, irgendeine Art von Bestätigung – aber da ist nichts. Es ist Mitternacht, und ich weiß, dass ich auf keinen Fall wieder einschlafen werde.

Ich schaue auf das Bett meiner Kindheit, auf dem eine Decke liegt, die meine Großmutter gestrickt hat. Sie besteht aus verschiedenfarbigen Quadraten, und meine Großmutter hat nicht nur ein paar Farben ausgewählt, sondern ganz viele Farben. Ich schaue mir die Decke seit Jahren immer wieder an, und selbst jetzt entdecke ich noch manchmal Farben, Mischungen aus Blau und Grün oder Rot und Rosa, und stelle fest, dass ich sie noch nie gesehen habe. Ich liebe diese Decke. Sie gab mir ein Gefühl der Sicherheit, als nichts anderes mich sicher fühlen ließ. Aber ich brauche sie jetzt nicht mehr so oft. Denn jetzt habe ich ja meine Stapel.

Ich verlasse den Raum und gehe auf Toilette. Dann klappe ich meinen Laptop auf und schaue mir einen Beitrag mit den ersten Pressekonferenzen zu dem vermissten kleinen Mädchen an, wobei ich mich zwingen muss, sie bis zum Ende anzuschauen. Ich schaue nicht weg und schalte nicht ab. Ich bin auf der Suche nach etwas, bin aber nicht sicher, was es ist. Vielleicht ein Hinweis darauf, warum sich die Mutter nicht bei mir gemeldet hat. Will sie die Wahrheit nicht wissen? Ich habe ihr geschrieben, dass dieser Artikel etwas mit ihrem Kind zu tun hat. Sie hätte sich schon längst bei mir melden müssen – es sei denn, es ist ihr egal, und ich weiß, dass das möglich ist. Meiner Mutter war es egal. Meine Mutter ist auf ihn hereingefallen, hat sich von ihm einlullen und manipulieren lassen. Sie sagte mir immer, dass ich diejenige sei, die sich irre und im Unrecht sei. Sie war nicht die erste Frau, der das passierte, da bin ich mir sicher. Als ich dreizehn war, war er vierundzwanzig. Meine Mutter war zu alt für ihn, aber er war ja sowieso nie an ihr interessiert. Jetzt ist er viel älter, und seine neue Frau scheint jünger als vierzig zu sein, aber sie weiß nicht, dass er sich auch für sie nicht interessiert. Stattdessen geht es ihm um das kleine Mädchen, das das gleiche feine schwarze Haar hat wie seine Mutter. Er wird warten, bis es ein bisschen älter ist, und dann ...

Ich sehe mir die erste Pressekonferenz von dem Moment an, in dem der Polizist die Hände hebt und sagt: »Vielen Dank an alle.« Ich sehe sie mir einmal an und dann noch einmal, und das Entsetzen fließt plötzlich durch meine Adern, weil ich nicht das sehe, was ich erwartet habe. Ich hätte es schon beim ersten Mal sehen sollen. Ich hätte richtig hingucken sollen, denn ich sehe nicht das, was ich sehen sollte.

Der Mann, der neben der Mutter steht – der Mann, der ganz eindeutig der Vater des vermissten kleinen Mädchens ist –, ist nicht Touchy Tony. Er ist es nicht.

VIERUNDDREISSIG

LESLIE

00:00 Uhr

Leslie lässt sich von Randall in eine sitzende Position auf dem Boden neben Shelbys Bett helfen. Sie sieht sich nach Bianca und Trevor um, aber sie sind verschwunden. Jeder Punkt, auf den sie sich konzentriert, flirrt und verschwimmt. Es ist einfacher, wenn sie ihre Augen schließt. Sie muss ins Krankenhaus, das weiß sie. Sie spürt das warme Blut in ihrem Nacken und hebt eine Hand, um die Stelle zu berühren, an der sie sich den Kopf gestoßen hat, und spürt dort nasses, verfilztes Haar.

»Wir müssen dich zu einem Arzt bringen«, sagt Randall entschlossen.

»Ja, aber lass sie erst sprechen, Randall. Sie soll uns einfach sagen, wo Millie ist.« Ihre Stimme ist ganz schwach, ihre Atmung schwer und ihr Körper fühlt sich seltsam an, aber sie muss erst Bescheid wissen.

»Ich weiß es nicht«, bringt Shelby hervor, der die Stimme im Hals stecken bleibt. »Ich weiß nicht, wo er sie hingebracht hat.«

»Er ist weg«, sagt Bianca.

Sie ist wieder im Zimmer, wie Leslie gerade erst feststellt, und ihre Stimme kommt aus der Richtung der Tür. Leslie dreht den Kopf, um sie anzuschauen. Bianca ist am Türrahmen zusammengesackt und sieht alt und ausgezehrt aus. Ihr Haar ist unordentlich und schwarze Striemen von ihrer Wimperntusche beflecken ihre Wangen. Sie hat geweint, aber Leslie ist bewusst, dass sie nur um sich selbst geweint hat. Sie ist die egoistischste Frau, der Leslie je begegnet ist, und sie empfindet ein schreckliches Mitleid für Shelby, die mit ihr als Mutter leben muss. Mütter beschützen ihre Kinder, aber Bianca hat Shelby nicht beschützt, und genau deshalb hat Leslie den ganzen Tag an ihrem eigenen Verhalten als Mutter gezweifelt.

»Ihr habt ihn verjagt. Er ist weg und wird nicht wiederkommen. So sollte das alles nicht enden ...«

»Was soll das alles bedeuten, Bianca? Was bedeutet das?«, schreit Randall. »Weißt du, wo Millie ist? Weißt du es? Wenn du es weißt ... Dann gnade dir Gott ...« Er ballt eine Faust und hebt sie in Richtung seiner Ex-Frau.

Obwohl sie nicht richtig sehen kann und ihr Magen verrückt spielt, obwohl ihr die Beine nachzugeben drohen, springt Leslie angetrieben vom Adrenalin auf. Sie stürzt sich auf Bianca, packt sie an den Schultern und drückt ihre Finger fest in ihr Fleisch.

»Du dämliche, egoistische Kuh. Sag uns, was du weißt, sofort. Er hat mein Kind, er hat mir mein Kind genommen und deiner Tochter wehgetan, und es ist dir egal, es ist dir völlig egal. Was für ein Mensch bist du nur? Was für eine Mutter bist du?«

Bianca tut nichts, sie steht einfach nur mit schockiertem Gesichtsausdruck da.

»Sag was!«, schreit Leslie. »Sag doch was.« Biancas Haut ist feucht, ihre Brust hebt und senkt sich schnell. Leslie drückt fester zu, sie will sie zum Sprechen bringen, zu einer Reaktion, zu irgendetwas.

Aber Bianca reißt Leslies Hände von ihrem Körper. »Das ist alles deine Schuld«, zischt sie und starrt ihre Tochter mit hasserfüllten Augen an. »Deine Schuld.« Dann dreht sie sich um und verlässt den Raum, und während sie in fassungsloser Stille dastehen, hören sie, wie die Haustür zugeschlagen wird und Bianca mit quietschenden Reifen davonfährt.

»O Gott«, keucht Randall. Er lässt sich auf Shelbys Bett fallen. »Es tut mir so leid, mein Schatz. Ich hatte ja keine Ahnung, überhaupt keine Ahnung, was du durchmachst. Du wirst auf keinen Fall hierbleiben. Du kommst mit uns nach Hause. Das ist doch Wahnsinn, der reine Wahnsinn. Warum habe ich nicht gemerkt, was vor sich geht?«

»Weil ich es dir nicht gesagt habe, Dad«, schluchzt Shelby.

Leslie schaut ihre Stieftochter an und sieht, dass sie sich auf ihrem Bett aufgesetzt hat. Ihre Knie geben jetzt wirklich nach und sie rutscht mit dem Rücken gegen die Wand hinab auf den Teppich. »Bitte, Shelby ...«, flüstert sie.

Shelby steht auf. »Du rufst besser Constable Dickerson an, Dad. Er soll auch zuhören.« Ihre Stimme ist kräftig, sie hat die Schultern zurückgenommen und einen entschlossenen Gesichtsausdruck. In Leslies Ohren klingt sie älter als heute Morgen. Irgendetwas hat sich verändert. Entweder es ist etwas zerbrochen oder wieder ganz geworden, da ist sie sich nicht sicher.

Randall nickt, holt sein Handy hervor und ruft den Constable an. »Dickerson hier«, hören sie ihn alle sagen, da Randall das Handy auf Lautsprecher gestellt hat.

»Constable Dickerson«, sagt Randall. »Ich bin im Haus meiner Ex-Frau. Trevor ist abgehauen und ich glaube, Bianca ist hinter ihm her. Leslie hat eine E-Mail erhalten von ... von jemandem, wir haben keine Ahnung, von wem, aber sie enthielt einen Link zu einem Artikel, in dem es um Trevor ging. Sehen Sie mal auf ihrem Computer nach. Er hat irgendwas mit Millies Verschwinden zu tun. Leslie ist verletzt, aber ihr geht es so weit gut, und Shelby will uns jetzt erzählen, was passiert ist. Wir müssen ihr zuhören ... Bitte, wir müssen ihr alle zuhören.«

»Das ist ja unglaublich. Wir haben die letzte halbe Stunde nach Ihnen gesucht. Keiner von Ihnen beiden ist ans Handy gegangen, und meine Leute haben nicht mehr nur nach Ihrer Tochter, sondern auch nach Ihnen beiden gesucht. Sie haben eine Menge Ärger verursacht und ...«

»Sie haben recht, Constable Dickerson, vollkommen recht, aber bitte hören Sie mir zu, vielleicht hilft Ihnen das, meine kleine Schwester zu finden«, unterbricht Shelby. Sie verschränkt die Arme und starrt auf das Handy, als ob der Polizist sie sehen könnte.

»In Ordnung, dann leg los. Ich schicke jetzt sofort Leute rüber. Erzähl uns, was passiert ist, Shelby.«

»Gestern Nachmittag ...«, beginnt Shelby.

FÜNFUNDDREISSIG

SHELBY

»... da muss Mum ihm gesagt haben, dass ich mit Millie allein bin«, sagt Shelby.

»Aber woher wusste sie das?«, fragt Randall.

»Sie ruft mich immer eine Million Mal an, wenn ich bei euch bin«, gesteht sie und reibt sich frustriert mit der Hand über die Stirn. »Sie stellt Hunderte Fragen darüber, was ich esse und wo du und Leslie seid und so, und wenn ich ihr sage, dass ich babysitte, dann behauptet sie immer, dass ihr mich ausnutzt. Ich stimme ihr dann so halb zu, aber nicht, weil ich das wirklich so sehe. Sie will bloß nicht hören, dass ich bei euch glücklich bin, und ich verstehe das. Es ist schwer für sie. Ich war wirklich froh, als sie Trevor kennengelernt hat. Am Anfang war er nett, aber er hat nicht wirklich mit mir geredet. Das fing erst an, nachdem sie geheiratet haben. Ich dachte immer, ich würde mich vielleicht irren, aber jetzt ...« Sie beißt sich auf die Lippe und schnieft, eine Träne fällt von ihrem Gesicht auf ihren Hals.

»Ich wünschte, du hättest was gesagt«, seufzt ihr Vater. »Ich wünschte, du hättest es mir einfach gesagt. Ich hätte dir geglaubt, Shelby, ich hätte dir geholfen.«

»Entschuldigung«, mischt sich Constable Dickerson ein. »Willst du damit sagen, dass er dich anfasst, dass er sich dir gegenüber unangemessen verhält?«

Shelby zittert und fährt sich mit der Hand über das Gesicht. »Ja, er ... Ich weiß nicht, wie ich das sagen soll«, zögert sie.

»Kein Problem, das ist gar nicht schlimm, erzähl einfach weiter.« Die Stimme des Constable klingt bestimmt, und sie spürt, dass er damit erreichen will, dass sie weitererzählt, dass sie die Fakten auf den Punkt bringt und nicht einfach zu einem Häufchen Elend und peinlicher Tränen zerfließt, denn genau das würde sie gerade am liebsten tun. Wut, Schmerz und Traurigkeit steigen in ihr auf, aber über all diesen Emotionen schwebt ein schreckliches Gefühl der Scham. Sie offenbart ihrem Vater und Leslie etwas Ekliges, und dann hört auch noch ein anderer Mann mit. Ein Polizist zwar, aber dennoch ein Mann. Wenn sie könnte, würde sie sich die Decke über den Kopf ziehen und einfach verschwinden. Aber das geht jetzt nicht. Hier geht es nicht nur um sie.

»Er hat mir eingeredet, dass ich das alles falsch verstehe, und ich habe ihm die meiste Zeit geglaubt, ich habe ihm geglaubt, aber ich ...« Ihre Wangen sind nass von Tränen, aber sie darf den Tränen jetzt nicht nachgeben. Sie muss alles erklären. »Als ich auf Millie aufgepasst habe, kam Kiera vorbei ...«

»Kiera?«, fragt der Constable nach.

»Sie ist eine Freundin von Shelby«, sagt ihr Vater, »aber ich weiß nicht ...«

»Alles klar, lassen wir Shelby ausreden«, sagt der Constable. Randall schweigt und nickt, als wäre der Constable mit ihnen im Raum.

»Millie wollte, dass wir mit ihr malen, aber Kiera hatte keine Lust und ...« Shelby wedelt mit den Händen. Sie muss so viel erklären und sie hat das Gefühl, nicht schnell genug sprechen zu können. »Millie wurde wütend und meinte, sie würde weglaufen, und dann hat Kiera die Tür aufgemacht und zu ihr gesagt, dass sie abhauen soll, was sie dann auch gemacht hat, und wir sind hinter ihr her, und dann ist sie auf die Straße gerannt ...«

»O Gott«, stöhnt Leslie.

»Aber sie ist nicht angefahren worden«, sagt Shelby schnell, »sie ist nicht angefahren worden. Alles war okay, aber das Auto, vor das sie gerannt ist, gehörte Trevor, und er ist ausgestiegen und hat mich angeschrien, und Kiera ist weggerannt, und dann ist er uns ins Haus gefolgt. Mit Millie war alles okay. Ihr ging es gut, aber dann hat er uns beiden Saft geholt und er ... er hat sich neben mich gesetzt ...«

»Shelby, bitte, wo ist sie? Wo ist mein Baby?«, flüstert Leslie, und Shelby merkt, dass mit ihrer Stiefmutter etwas nicht stimmt. Sie sitzt zusammengekauert auf dem Boden, ihre Haut ist blass im Vergleich zu ihrem schwarzen Haar, ihre braunen Augen sehen riesig aus in ihrem Gesicht und darunter liegen dunkle Schatten.

Aber sie muss alles der Reihe nach erzählen, darum spricht sie weiter. »Er hat seinen Arm um meine Schultern gelegt und zu Millie geschaut und gesagt: ›Sie wird mal eine richtige Schönheit sein, wenn sie älter ist, nicht wahr?‹ Das fand ich so ekelhaft, weil ... weil er es auf eine widerliche Art und Weise gesagt hat. Ich bin aufgestanden, um von ihm wegzukommen, ich wollte Millie nach oben bringen, aber er hat meinen Arm gepackt und gesagt: ›Komm her. Setz dich hin und sei lieb.‹ Er hat mich zurück aufs Sofa gezogen und ich habe mich hingesetzt, weil ich nicht wollte, dass Millie Angst bekommt. Sie hatte nämlich aufgehört zu malen und hat uns ganz genau beobachtet.«

»Millie, Millie, Millie ...«, stöhnt Leslie leise vor sich hin, und Shelby wird von Reue und Traurigkeit angesichts dessen überwältigt, was sie jetzt sagen muss, was sie dieser Frau über ihr Kind erzählen muss.

Sie kann keinen Moment länger stillsitzen. Ihre Nerven sind zum Zerreißen gespannt. Sie werden ihr die Schuld geben. Sie werden ihr nicht die Schuld geben. Sie werden ihr die Schuld geben. Sie werden ihr nicht die Schuld geben. Sie steht auf und läuft im Raum umher, während sie spricht und dabei auf ihre Füße in den gestreiften rosa und lila Socken schaut. Sie kann es nicht ertragen, jemanden anzusehen, während sie erzählt, was passiert ist.

»Er hat seine Arme um mich gelegt und dann irgendwie meine Schulter gestreichelt …« Sie hält inne und muss daran denken, wie seine Berührungen, die Stellen plötzlich heiß werden ließen und sich wie Nadelstiche anfühlten. Sie muss an seinen warmen, nach Kaffee riechenden Atem an ihrem Ohr denken, und daran, wie ihr Herz laut pochte.

»Bitte, Shelby, sag es uns … sag es uns …«, flüstert ihr Vater. Sie schaut ihn an, und sie sieht, dass er weinen wird, er wird tatsächlich wegen ihr weinen. Er liebt nicht nur Millie, er liebt auch sie.

»Er hat so was gesagt wie: ›Deine Mutter ist so glücklich, seit wir verheiratet sind.‹ Und ich habe gesagt: ›Ich weiß‹, aber dann hat er den Kopf geschüttelt und gesagt, dass es eine Sache gäbe, die sie immer noch unglücklich machen würde, und ich habe ihn gefragt, was er meint, und er hat gesagt … er hat gesagt: ›Dass du und ich nicht miteinander auskommen, dass wir uns nicht mögen, das macht sie sehr traurig.‹ Seine eine Hand lag auf meinem Bein und hat mich irgendwie gestreichelt, und er hat gefragt, ob ich mich daran erinnern würde, wie traurig sie war, bevor sie ihn kennengelernt hat, und er hat auch gesagt, dass er nicht will, dass sie sich wieder so fühlen muss, nur weil er und ich nicht miteinander auskommen.«

»So ein verdammter Mistkerl«, flüstert ihr Vater. Sie

wünschte, sie könnte jetzt aufhören, aber das geht nicht, sie muss alles erzählen.

»Ich habe gesagt: ›Bitte hör auf‹, aber seine Hand ist einfach weiter mein Bein hoch. Ich habe versucht, mich wegzubewegen, aber er hat mich festgehalten. ›Mach deiner kleinen Schwester keine Angst‹, meinte er. ›Entspann dich. Ich weiß, dass du willst, dass deine Mutter glücklich ist.‹ Er hat gesagt, dass er sich so viel Mühe geben würde, aus uns eine richtige Familie zu machen, damit Mum immer glücklich sein kann, und dass ich es ihnen beiden schwer mache, weil ich so schwierig bin.«

Ihr Gesicht ist so heiß, dass es förmlich zu brennen scheint. Das ist alles so ekelhaft, so falsch, so schlimm, aber jetzt ist es fast vorbei, fast zu Ende. Die Worte sprudeln weiter aus ihr hervor, während sie auf ihre Socken auf dem Holzboden starrt, rosa und lila, rosa und lila. Fast vorbei. Fast durch. Fast vorbei, fast durch.

»Ich habe geweint, weil er mich angefasst ... angefasst hat, und es war so ekelhaft«, sagt sie, »und ich habe gesagt: ›Hör auf, bitte, hör auf. Hör auf!‹« Sie spürt, dass ihr Körper so stark zittert wie in dem Moment, als er neben ihr saß, sie an den Schultern festhielt und sie an Stellen anfasste, an denen er sie nicht anfassen sollte. Und das Schlimmste an allem war, dass sie Angst bekam, dass er ihre Mutter verlassen würde, weil sie nicht nett zu ihm war, weil sie ihn gebeten hatte, aufzuhören, ihn sogar angefleht hatte, aufzuhören, und sie wusste, dass ihre Mutter dann für immer traurig sein würde.

»Millie ist von ihrem Stuhl aufgestanden«, fährt sie fort, und ihre Stimme ist jetzt sehr leise, weil sie so schrecklich traurig ist, so traurig, dass ihr Körper sich ganz schwer anfühlt, »und hat gesagt: ›Shelby hat gesagt, du sollst aufhören, und Shelby ist der Boss, weil Mum nicht zu Hause ist, darum musst du aufhören.‹«

Sie sieht das entschlossene Gesicht ihrer kleinen Schwester vor sich, die Trevor mit einem kleinen Finger droht. Und sie spürt, dass sie sie in diesem einen Moment, in diesen wenigen Sekunden, mehr geliebt hat als jeden anderen Menschen auf der Welt, weil Millie ihr zugehört hat. Sie hatte Shelby tatsächlich zugehört, und es kam ihr so vor, als würde ihr sonst keiner mehr zuhören. Keiner außer Millie. Aber dann … dann …

SECHSUNDDREISSIG

RUTH

Ich habe mich getäuscht. Das wird mir klar. Ich habe mir das Ende erst heute Nachmittag angesehen, weil ich es vorher nicht ertragen konnte. Ich habe mich komplett getäuscht. Ich habe einen schrecklichen, schrecklichen Fehler gemacht. »O nein«, stöhne ich und wippe auf dem Sofa vor und zurück. »O nein.«

Ich weiß nicht, was ich jetzt tun soll. Ich weiß nicht, wie ich dieses Problem lösen soll. Daher kehre ich in mein altes Zimmer zurück, wo alles still und sicher ist, still und sicher, und ich nehme alle Teddybären aus dem Bücherregal. Ich fange an, sie zu zählen und wieder zurückzulegen, und warte darauf, dass mein Herz langsamer schlägt und meine Atmung gleichmäßiger wird – ich warte darauf, dass sich mir eine Möglichkeit offenbart, dieses Problem zu lösen.

SIEBENUNDDREISSIG

LESLIE

00:30 Uhr

Leslie spürt, wie ihr ein Schluchzen im Hals stecken bleibt bei den Worten, die sie immer benutzt, wenn sie Shelby bei Millie lässt. »Shelby ist der Boss, Millie, bis ich nach Hause komme, darum musst du tun, was sie sagt.«

»Okay, Mum, alles klar.«

Ihr kleines Mädchen war heute Morgen ganz aufgeregt gewesen. Millie ist gern mit Shelby allein zu Hause. Wie jede Mutter achtet Leslie darauf, dass ihr Kind möglichst wenige Süßigkeiten konsumiert, aber sie weiß, dass Shelby Millie mehr Süßigkeiten erlaubt, als sie haben darf, wenn die beiden allein sind. Sie weiß das, aber sie sagt nichts dazu, denn Schwestern müssen Geheimnisse haben, Schwestern müssen sich gegen die Erwachsenen in ihrem Leben verbünden, selbst wenn es um so etwas Irrelevantes wie heimliche Süßigkeiten geht. Seit es Millie gibt, hofft sie, dass Millie und Shelby sich so nahestehen, dass ihr kleines Mädchen jemanden hat, an den es sich wenden kann, wenn sie und Randall mal nicht mehr sind.

»Ich habe Millie gesagt, sie soll sich wieder setzen«, fährt

Shelby fort, und ihre Stimme wird immer leiser, während sie weiter auf ihre Socken starrt. Leslie hält den Atem an, denn sie will nicht hören, was als Nächstes kommt, sie will es nicht wissen, sie will nicht fühlen, was sie jetzt fühlen muss. »Aber sie hat sich nicht gesetzt. Sie hat sich direkt neben mich gestellt, und sie hatte diese kleine Spielschere in der Hand – ihr wisst schon, die aus dem Set, das ihr für sie gekauft habt.«

Leslie nickt. Sie weiß genau, von welcher Schere Shelby spricht. Sie ist rot-orange und schneidet nur den bunten Knetteig, mit dem Millie so gern spielt. Millie ist bewusst, dass Scheren, echte Scheren, gefährlich sein können, und sie darf die echte Schere in der Küche nicht benutzen.

Shelby spricht weiter. »Sie hat gesagt: ›Hör auf, lass Shelby in Ruhe‹, und sie hat versucht, auf meinen Schoß zu klettern. Trevor hat sie angeschrien, dass sie gehen soll, und er hat sie geschubst, einfach geschubst, sodass sie auf den Boden gefallen ist. Und dann lag sie da, aber ihre Augen waren offen und sie hat mich angeguckt. Sie hatte nichts, aber dann hat er seine Hand wirklich tief reingesteckt und es tat weh, und ich habe ›Aua!‹ geschrien, und Millie ist aufgesprungen und hat ihm an den Haaren gezogen.«

Shelby hört auf zu sprechen und sieht sie an. »Ich habe versucht, ihn aufzuhalten«, sagt sie. »Es tut mir so leid.« Und dann sackt sie schluchzend auf dem Boden zusammen. »Er hat sie runtergeworfen, und ihr Kopf ...« Shelby berührt ihren Hinterkopf, und Leslie spürt einen stechenden Schmerz an der Stelle, an der Millies Kopf auf den Tisch aufgeschlagen sein muss. »Da war ein Geräusch, wie ein Knall, und dann ist sie auf den Boden gefallen und lag einfach nur da«, flüstert Shelby. »Sie lag einfach nur da, mit geschlossenen Augen, und sie hat sich nicht bewegt, sie hat sich nicht mehr bewegt ...« Ihr lautes Schluchzen erfüllt den Raum, ein Damm scheint gebrochen und alle Emotionen strömen aus ihr heraus, Angst und Scham und Wut und Schmerz erfüllen die Luft.

Randall, dessen Gesicht vor Entsetzen ganz blass ist, geht zu seiner Tochter und legt die Arme um sie. »Psst«, sagt er, »Psst, ist ja gut ... alles ist gut.«

Dabei ist nichts gut.

Leslie beobachtet die beiden und fühlt sich ganz weit weg und allein, und obwohl sie weiß, dass ihr das eigentlich etwas ausmachen sollte, macht es ihr nichts aus. Denn sie *ist* allein. Völlig allein, und so sollte es auch sein.

Millie ist tot. Leslie weiß das jetzt ganz sicher. Ihr kleines Mädchen, ihr liebes Kind, ist tot.

ACHTUNDDREISSIG

SHELBY

Sie hört auf zu weinen, steht auf und entfernt sich von ihrem Vater, um sich ein Taschentuch vom Nachttisch zu holen.

»Okay, Shelby, und was ist dann passiert?«, fragt der Constable. Shelby erschrickt, als sie seine Stimme hört. Sie hatte ganz vergessen, dass er am Telefon ist. Sie atmet tief durch.

»Dann hat er sie hochgenommen, und sie ... sie lag in seinen Armen, und ihre Augen waren zu. Und er hat gesagt: ›Das ist deine Schuld. Deine verdammte Schuld. Du bist schuld, Shelby. Du.‹ Und dann hat er sich umgeguckt, als wüsste er nicht, was er machen soll, und hat gesagt: ›Lass die Haustür auf. Sag, dass sie weggelaufen ist. Sag, du kamst die Treppe runter vom ... vom Badezimmer und sie war weg, und halt den Mund. Ich warne dich, halt den Mund.‹ Dann ist er gegangen.«

Sie lässt Trevors letzte Worte in der Luft hängen, und in der Stille kann sie die tiefe Verzweiflung ihrer Stiefmutter, den ungläubigen Schock ihres Vaters und ihre eigenen schrecklichen Schuldgefühle spüren.

Sie muss daran denken, wie sie im Wohnzimmer stand, nachdem Trevor aus der Haustür gerannt war, wie sie einfach nur wie erstarrt in der kalten Luft dastand. Sie hatte keine

Ahnung, wie das alles passieren konnte, aber als sich ihre Muskeln zu verkrampfen begannen, wusste sie eines mit Sicherheit: Man würde ihr die Schuld geben. Es war ihre Schuld, und selbst wenn sie versuchen würde, den Leuten zu erzählen, was Trevor getan hatte, würde ihr keiner glauben. Keiner. Wer glaubt schon eher einem Kind als einem Erwachsenen?

Sie wollte auf das Sofa sinken, um ihre kleine Schwester weinen, schreien und toben, aber stattdessen rannte sie die Treppe hinauf, denn ihre Blase platzte fast vor Angst und Panik, und sie ging auf Toilette, und dann ging sie wieder nach unten und rief aus irgendeinem Grund nach Millie, sie rief nach ihrer kleinen Schwester, als ob nichts passiert wäre und sie einfach mit einem Buntstift in der Hand und einem Lächeln auf dem Gesicht an ihrem kleinen Tisch sitzen würde. Sie nahm die Saftgläser und brachte sie in die Küche, vielleicht war Millie ja dort und steckte gerade die Hand in die Süßigkeitendose. Dann spülte sie die Gläser aus und stellte sie in den Geschirrspüler und stand in der stillen Küche, in der Millie nicht war, in dem Haus, in dem Millie nicht war, an dem Ort, an dem Millie nie wieder sein würde. Erst als sie nichts außer der schrecklichen, stillen Leere des Hauses mehr fühlen und hören konnte, begann sie zu weinen, und dann hatte sie Panik bekommen, weil ihr klar wurde, was passiert war, und sie hatte Leslie angerufen.

»Es tut mir leid«, flüstert sie schließlich, denn es scheint, als würde die Stille schon seit einer Ewigkeit andauern.

»Okay«, sagt der Constable, und alle im Raum starren auf das Handy, als hätte er die Antwort, als wüsste er, was zu tun ist. »Während du uns alles erzählt hast, habe ich meinem Kollegen mitgeteilt, dass wir diesen Trevor Richards beziehungsweise Tony Richardson finden müssen, wer auch immer er ist. Constable Willow hat die E-Mail gefunden, die Sie erwähnt haben, und wir verfolgen sie zurück. Sie müssen jetzt bitte zurückkommen. Das Auto, das Sie abholt, sollte jeden Moment da sein.«

Hinter Shelbys Fensterscheibe leuchten rote und blaue Lichter auf, als das Polizeiauto in die Einfahrt einfährt.

»Wir brauchen eine Aussage von Shelby. Ich werde jetzt alle alarmieren. Wir brauchen sein Autokennzeichen und dann werden wir ihn schnappen. Ich verspreche Ihnen, wir werden ihn finden. Bitte kommen Sie zum Haus zurück.«

»Okay«, sagt ihr Vater. Seine Stimme ist matt und traurig, seine Schultern sind gebeugt. Er sieht ... gebrochen aus. Shelby hat ihren Vater und ihre auf dem Boden zusammengesunkene Stiefmutter gebrochen. Sie hat sie beide gebrochen.

NEUNUNDDREISSIG

RUTH

Als ich den letzten Teddybär wieder in das Regal stelle, weiß ich endlich, was ich tun muss. Es ist fast ein Uhr nachts, ein neuer Tag, aber ich weiß, was ich tun muss.

Ich nehme einen Teddybär aus dem Regal, lege ihn auf das Bett und decke ihn mit der Decke meiner Großmutter zu. »Sicher«, flüstere ich, dann ziehe ich alle meine Schichten an, nehme meine Tasche mit den Steinen und verlasse das Haus. Doch ich lasse das Licht an, denn ich weiß, dass ich sehr, sehr schnell sein muss. Ich steige in mein Auto und bin auf dem Weg, meinen Fehler zu korrigieren und die Wahrheit zu sagen – ich muss die Mutter informieren, ihr alles sagen.

VIERZIG

LESLIE

00:45 Uhr

»Wie sollen wir sie finden?«, fragt Leslie. »Wie sollen wir sie jemals finden ... und sei es nur ihre ...« Sie bringt das Wort nicht über die Lippen, sie weigert sich, das Wort »Leiche« auszusprechen, obwohl sie sich jetzt sicher ist, dass es das ist, wonach sie suchen, alle Helfer und die Polizei.

»Wir müssen zurück nach Hause«, sagt Randall und hält Leslie seine Hand hin, damit sie sie ergreifen kann, was sie auch tut. Er zieht sie vom Boden hoch und schlingt für einen kurzen, innigen Moment die Arme um sie. Sie lehnt ihren Kopf an seine Brust, hört den gleichmäßigen Schlag seines Herzens und weiß, dass auch ihr eigenes Herz schlägt, auch wenn es wahrscheinlich jeden Moment aufhören wird. Wenn ihr kleines Mädchen tot ist, kann sie unmöglich noch leben. Und doch lebt sie noch.

Ihr Kopf ist wieder klar, auch wenn die Kopfschmerzen nicht nachlassen. Sie fühlt sich wie eine Betrunkene, die durch einen Schock nüchtern geworden ist. Dabei ist sie eine Verletzte, ernüchtert durch Verzweiflung.

Sie sieht nicht, sondern spürt vielmehr, dass Shelby kommt und sich neben sie beide stellt, und sie dreht den Kopf, um ihre Stieftochter anzusehen, dieses Mädchen, das erst seit fünf Jahren Teil ihres Lebens ist. Mit hochgezogenen Schultern und blassem Gesicht steht Shelby da und schlingt die Arme um sich, als könnte sie von niemandem sonst Trost erwarten. Sie ist ein Kind, das auf eine Weise im Stich gelassen wurde, die ein Kind niemals erfahren sollte. Shelbys Schwester ist wahrscheinlich tot, und ihre Mutter hat sich entschieden, dem Mann zu folgen, der Shelby in den letzten sechs Monaten gequält hat, anstatt bei ihrer einzigen Tochter zu bleiben. Leslie ist sich nicht sicher, wer Shelby nach dieser ganzen Sache sein wird, wer sie alle sein werden. Sie lässt Randall los und tritt ein Stück zurück, dann dreht sie sich um und öffnet die Arme für ihre Stieftochter.

»Es war nicht deine Schuld«, flüstert sie. »Nicht deine Schuld.«

Shelby lässt sich in den Arm nehmen, schmiegt sich an sie und legt ihren Kopf an Leslies Schulter. Randalls Arme legen sich um sie beide. Leslie spürt in diesem Moment, dass sie ihre Tochter verloren hat, dass sie aber auch noch eine Tochter hat. Sie hat Shelby.

Schließlich lassen die drei einander los und Randall wischt sich mit dem Hemdsärmel über die Augen. »Wir müssen jetzt zurück«, sagt er. »Pack ein paar Sachen, Shelby. Egal was passiert, du musst nie wieder hierher zurückkommen. Wir holen später alles, nimm erst mal nur das Nötigste mit.«

Shelby nickt und stopft schnell ihre Schulsachen in ihre Schultasche und nimmt noch einige Bücher und zusätzliche Kleidung mit. Es klingelt an der Tür, und Constable Willow erwartet sie dort. Er spricht nicht, nickt nur. Und dann sitzen sie alle im Auto auf dem Weg zurück nach Hause, zur Polizei und den Nachbarn und allen, die zu helfen versuchen, aber nichts wird ausreichen. Millie ist tot. Sie wird nicht mehr wiederkommen.

EINUNDVIERZIG

SHELBY

Es ist so spät, so leise, die Straßen sind so leer. Das Polizeiauto fährt durch dunkle Straßen, in denen andere Menschen leben. Andere Menschen, die warm und sicher in ihren Betten liegen. Sie wird niemals dorthin zurückmüssen, und wenn man sie dazu zwingen will, wird sie sich weigern.

Sie kann den Verrat ihrer Mutter noch nicht verarbeiten, kann nicht glauben, dass sie sich entschieden hat, Trevor hinterherzulaufen. Das Einzige, was jetzt zählt, ist Millie zu finden. Sie müssen ihre Schwester finden.

Sie wird später darüber nachdenken, was ihre Mutter getan hat ... was ihre Mutter weiß.

»Ich glaube«, sagt sie dann laut, »ich glaube, Mum weiß, was passiert ist. Ich glaube, dass sie es weiß. Ich habe gehört, wie sie mit ihm telefoniert hat, und ich glaube, sie weiß es.« Sie ist sich jetzt sicher – auf die gleiche schreckliche Art, wie sie sich sicher ist, dass ihre kleine Schwester tot ist –, dass ihre Mutter ihr einen bösen Mann vorzieht. Sie ist sich dessen sicher.

»Ja«, stimmt Leslie ihr leise und traurig zu. »Ich glaube, du hast recht.«

Shelby starrt auf die Straßenlaternen und kneift die Augen ein wenig zusammen, sodass die Lichter zu einem langen, funkelnden gelben Strahl verschwimmen. Das hat sie schon als kleines Kind gemacht. Sie wollte Millie zeigen, wie man das macht. Sie wollte ihr zeigen, wie man sich die Nägel langsam und ordentlich lackiert, wie man mit Mobbern umgeht, wie man Cupcakes backt, was man zu einem Jungen oder einem Mädchen sagt, den oder das man mag. Sie wollte ihrer kleinen Schwester so viele Dinge zeigen, denn sie ist – sie war – ihre kleine Schwester; nicht ihre Halbschwester – einfach ihre Schwester. Und jetzt wurde sie ihr genommen, und sie spürt, wie sich ihre Hände zu Fäusten ballen. Sie würde Trevor am liebsten umbringen. In ihr brennt und wütet ein schreckliches Gefühl.

Als sie in die Einfahrt des Hauses einbiegen, ist Shelby überrascht, dass keine Presse mehr anwesend ist, sondern nur Constable Dickerson, der in der Einfahrt auf und ab geht.

Der junge Constable parkt den Wagen und Constable Dickerson öffnet die Tür an der Seite, auf der ihr Vater sitzt. »Wir haben einen Anruf erhalten«, sagt er. »Von Ihrer Ex-Frau.«

»Sie weiß, wo Millie ist«, sagt ihr Vater mit tonloser Stimme.

»Das stimmt. Woher wussten Sie …?«, beginnt der Constable. »Sie hat angerufen und gesagt, sie hätte ihren Mann eingeholt und es geschafft, ihn zu überreden, ihr zu sagen, wo er das Kind gelassen hat.«

»Das ist eine Lüge«, sagt ihr Vater. »Sie wusste die ganze Zeit, wo Millie ist.«

Shelby will ihn unterbrechen, um ihre Mutter zu verteidigen und zu sagen, dass sie so etwas nie tun würde, aber sie weiß, dass er recht hat. Was für ein Mensch ist ihre Mutter? Und zu was für einem Menschen macht Shelby das?

Ihr Vater steigt aus dem Auto und Leslie folgt ihm. »Wo ist sie? Wo ist sie?«, fragt sie nervös.

»Angeblich im Park«, antwortet Constable Dickerson. »Sie hat gesagt, sie wäre im Park, und wir haben alle dorthin geschickt. Alle sind dort. Aber ich muss Ihnen mitteilen, dass wir die Gegend bereits durchkämmt haben – wir haben den ganzen Tag und Abend dort gesucht – und Millie ist nicht da, wo Bianca behauptet hat. Sie ist nicht da. Sie hat uns ganz genau beschrieben, wo sie angeblich ist, und ich habe Leute mit Taschenlampen dort hingeschickt, aber sie ist nicht da. Wir suchen weiter, aber wir müssen akzeptieren, dass wir vielleicht belogen wurden. Es tut mir sehr leid, wir werden weitersuchen.«

»Wir müssen dahin«, sagt Leslie.

»Bitte«, sagt der Constable. »Bitte warten Sie einfach hier, warten Sie jetzt hier.«

Shelby sieht, wie ihre Stiefmutter gegen das Auto sackt, wie ihre Knie nachgeben, und im Nu ist sie aus dem Auto gestürzt und hält sie in den Armen, um sie zu stützen. Leslie ist fast genauso groß wie sie, und so hält Shelby ihre Stiefmutter fest, bis ihr Vater sich umdreht und hilft.

ZWEIUNDVIERZIG

RUTH

Ich rase in meinem kleinen gelben Käfer durch die Straßen, auf dem Weg zu dem Haus, an dem ich erst gestern war, zu dem Haus, zu dem ich ihm gefolgt bin.

Er trug Sportklamotten, hatte Schweißflecken unter den Armen und roch stark nach Deo, als er in das Café kam. Er nahm keine Notiz von mir, kein einziges Mal. Ich bin jetzt zu alt für Touchy Tony, viel zu alt, aber ich musste wissen, ob es ein anderes junges Mädchen gab, dem er wehtat. Ich wollte wissen, mit wem er zusammenlebt und wo er wohnt, ob er eine Frau oder eine Freundin hat. Und am Samstag fand ich endlich den Mut, ihm zu folgen.

Aber ich habe ein paar Dinge ziemlich falsch verstanden. Ich dachte, ich hätte etwas gesehen, dabei habe ich etwas ganz anderes gesehen. Touchy Tony ist jetzt Trevor, und er ist nicht der Vater des Kindes. Ich habe einen ganz, ganz schrecklichen Fehler gemacht. Ich bin ihm vom Café aus gefolgt, bin seinem Auto hinterhergefahren und war ein paar Wagenlängen hinter ihm, als das Kind auf die Straße sprang und er eine Vollbremsung hinlegte. Ich konnte ebenfalls anhalten und beobachtete mit klopfendem Herzen, wie er aus dem Auto stieg und die

Jugendliche anschrie, die dem kleinen Mädchen gefolgt war. Ich parkte am Straßenrand, und sie bemerkten mich nicht, weil sie so sehr in ihr eigenes Drama vertieft waren. Ich hatte nicht erwartet, dass er den Mädchen ins Haus folgen würde. Und als er es doch tat, als er mit seinem Auto in die Einfahrt fuhr und ihnen folgte, da dachte ich, es wäre sein Haus, seine riesige, imposante Villa.

Er war so wütend auf das ältere Mädchen, dass ich dachte, er wäre vielleicht der Vater, dass er vielleicht der Vater von beiden Mädchen war, obwohl sie eigentlich nicht wie Schwestern aussahen.

Ich wartete, bis sich mein Körper von dem Schock, das Kind mitten auf der Straße zu sehen, beruhigt hatte. Ich wartete lange und sah mir dabei das Haus mit seinem gepflegten Vorgarten an, und ich kam zu dem Schluss, dass es ihm sehr gut gehen musste, dass er alles hatte, einschließlich zweier Töchter. Der Karmagott hatte Touchy Tony nicht bestraft – im Gegenteil: Er war belohnt worden. Er war immer wieder abgehauen, und jedes Mal war er belohnt worden. Ich fragte mich, und mir drehte sich dabei der Magen um, ob er seinen Töchtern das antat, was er mir und all den anderen Mädchen, die er unterrichtet hatte, angetan hatte.

Ich saß noch eine Weile da und wollte gerade meinen Wagen wenden, um meine Wut über sein Glück mit nach Hause zu nehmen, als er wieder aus dem Haus kam, mit dem kleinen Mädchen, dem kleinen Kind, das schlaff in seinen Armen hing. Und ich wusste es, ich wusste einfach, dass er etwas Schreckliches getan hatte, etwas, das sich nicht leugnen ließ, und ich hatte ihn gesehen. Die Welt ist voll von furchtbaren Zufällen. Zwar hatte ich ihn beobachtet, war ihm gefolgt, hatte gewartet und gehofft, dass ich beobachten würde, wie er etwas tat, wodurch ich ihn vor der Welt entlarven konnte, doch jetzt, wo es soweit war, empfand ich nur Entsetzen über den schlaffen kleinen Körper in seinen Armen.

Ich sah, wie er in sein Auto stieg und das Kind achtlos auf den Rücksitz schob, seine Bewegungen waren panisch und hektisch.

»Oh«, stöhnte ich laut, »o nein!« Er hatte dem Kind wehgetan, ich wusste es.

Ich fuhr ihm hinterher, behielt sein silbernes Auto stets im Auge und folgte ihm, als er einmal um den Block fuhr und sich dann auf den Weg zum Park machte.

Er fuhr in eine Seitenstraße, die am Park entlangführt, und ich folgte ihm weiter, doch als ich sah, dass es eine Sackgasse war, hielt ich an.

Ich parkte neben einem Haus auf der Straßenseite dem Park gegenüber hinter einer Reihe anderer Autos und bemerkte dort Luftballons, die am Tor des Hauses befestigt waren. Irgendein Kind feierte gerade eine Party. Ich stieg aus meinem Auto aus, blieb auf der Straße stehen und hörte fröhliche Rufe aus dem Garten. »Zeit für Kuchen«, rief eine Männerstimme. Sehen konnte ich nichts. Ich bewegte mich schnell von dem Haus weg und in Richtung seines geparkten Autos.

Als ich näher kam, hörte ich seine Stimme.

»Hör mir zu, hör mir einfach mal zu. Es war nicht meine Schuld. Ich wollte nur nach ihr sehen. Du willst nicht, dass sie dort Zeit verbringt, und das sehe ich genauso.« Er sprach weiter und erwähnte, dass er vor Gericht gehen würde und dass er etwas brauche, was er ihnen anlasten könne. Ich wusste nicht, von wem er sprach, aber mir fiel auf, dass seine anfangs panischen und schnellen, geschrienen Sätze ruhiger und langsamer wurden, während er die Person am anderen Ende der Leitung davon überzeugte, ihm zu glauben, dass nichts davon seine Schuld sei und dass er ein guter Mann sei, der nur versuche, sie glücklich zu machen. Es war offensichtlich eine Frau, mit der er sprach. Ich erkannte die Art und Weise, wie er schon immer mit Frauen und Mädchen sprach, mit einer ganz speziellen Singsangstimme.

»Du weißt, dass ich alles tun würde, um dich glücklich zu machen. Das ist das Einzige, was für mich zählt«, sagte er, und während er der Frau am Telefon zuhörte, schlich ich näher. Ich sah, wie er neben seinem Auto auf und ab ging. Er hatte es am Straßenrand neben dem Park abgestellt.

»Ich weiß nicht, warum. Ich bin in Panik geraten, darum habe ich sie mitgenommen. Aber was soll ich jetzt machen?«, fragte er die Person am Telefon. Ich fragte mich, ob er mit der Mutter des kleinen Mädchens sprach, aber dann wurde mir klar, dass das nicht sein konnte. Eine Mutter würde nicht zulassen, dass ihrem Kind so etwas zustößt. Mütter sollten ihre Kinder doch eigentlich beschützen, es sei denn ... sie sind die Ausnahme zu dieser Regel. Als ich sie dann später im Fernsehen sah, ihren offenen Kummer und ihre Angst, da wusste ich, dass sie nicht die Frau gewesen war, mit der er gesprochen hatte. Er hatte also nicht nur seiner kleinen Tochter wehgetan, er hatte wahrscheinlich auch noch eine Affäre. Touchy Tony – einmal ein Lügner, immer ein Lügner.

Ich hielt den Atem an und ging ein paar Schritte weiter. Er hatte mich nicht bemerkt. Ich war nah an ihm dran, aber da der Park an dieser Stelle voller Büsche war, musste ich mich nur ein wenig ducken, damit er mich nicht sehen konnte. Der Himmel war grau und voller Wolken und die Luft kalt, und das Einzige, was ich hören konnte, war jemand, der nach einem Hund rief: »Baxter, Baxter, los, komm schon, los, los, such den Ball, komm schon.«

»Ja, okay«, sagte Tony. »Ich bin am Park. Ich lasse sie hier, ja, gute Idee. Sie ist ... ich weiß es nicht ... ja, sie atmet. Ich meine, es war doch nur ein kleiner Schlag auf den Hinterkopf ... Genau, ja. Ich lasse sie hier und dann werden sie nach ihr suchen. Und ich werde sie finden. Ich werde sie als Erster finden ... Okay. Ich liebe dich. Weißt du, dass ich dich mehr als alles andere auf der Welt liebe? Alles, was ich will, ist, dass du glücklich bist ... Ja, alles klar.«

Mir wurde klar, was er vorhatte, und ich ging noch weiter in die Hocke, bis ich versteckt hinter ein paar Büschen mit dornigen grünen Blättern praktisch auf dem kalten Boden saß. Ich sah zu, wie er den kleinen Körper aus dem Auto hob und vorsichtig auf den Boden legte. Er strich ihr einmal über das Gesicht, und ich glaubte, in der Art, wie er sie berührte, eine Art Liebe zu sehen, falls er dazu fähig war. Ich dachte, er wäre ihr Vater.

»Okay«, sagte er immer wieder, »okay, okay.«

Ich hob meine Hand zum Mund und biss auf einen Finger, um sicherzustellen, dass ich keinen Laut von mir geben würde. Was für ein Vater war er nur? Sie war noch so klein. So kleine Mädchen hatte er früher nicht belästigt. Es war unerträglich, aber er war schließlich krank und wahnsinnig. Er liebte seine Tochter, aber er hatte ihr wehgetan. Er wusste nicht, was Liebe ist.

Ich wartete, bis er in sein Auto eingestiegen war, und schaute mich um, ob irgendjemand ihn gesehen hatte. Und dann fuhr er einfach los, wendete sein Auto und fuhr davon. Touchy Tony, Trevor Richards – mal wieder kam er ungeschoren davon.

Jetzt würde er seine eigene Tochter als vermisst melden, sich an der Suche nach ihr beteiligen und sie dann finden und sich als Held feiern lassen. Mal wieder würde er die ganze Welt an der Nase herumführen.

Aber das würde ich nicht zulassen.

Ich erhob mich aus meinem Versteck und ging auf sie zu. Rosa Ugg-Stiefel, ein blasses Gesicht, dunkle Wimpern und schwarzes Haar und ein komplett regloser kleiner Körper.

Aber sie ist nicht seine Tochter. Sie ist das Kind von jemand anderem. Ich hätte es wissen müssen. Er hat immer die Kinder von anderen verletzt.

Jetzt komme ich an dem großen, schönen Haus an, dem Haus, das nicht ihm gehört. Ich parke und steige aus. Es ist diese seltsame Zeit mitten in der Nacht, wenn es scheinbar nur noch wenige Minuten dauert, bis es hell wird, dabei wird es noch Stunden dauern. Ich ziehe meinen Mantel an, um mich gegen den steifen Wind zu schützen, und gehe auf das Haus zu, in dem alles still ist. Die Presse ist jetzt nicht mehr da, niemand schaut mehr hin, niemand sieht mehr etwas.

Hier gibt es nur mich. Mich und das, was ich gesehen und getan habe, und das, was ich jetzt tun muss.

DREIUNDVIERZIG

LESLIE

01:30 Uhr

Sie sitzt in der Küche und trinkt eine Tasse Tee, die kalt geworden ist. Vor ihr zeigt das Display ihres Handys an, dass es halb zwei nachts ist. Eine seltsame Zeit, um wach zu sein, obwohl sie sich noch gut an das nicht allzu lange zurückliegende nächtliche Stillen von Millie erinnert, wie nur sie und das Baby im Schaukelstuhl in ihrem Zimmer saßen, während die ganze Welt schlief, alle außer ihnen beiden, so schien es zumindest. Für viele Mütter ist diese Phase die schlimmste. Man ist allein mit einem kleinen, bedürftigen Wesen, das nicht in der Lage ist, sich mitzuteilen. Aber Leslie hatte diese Phase geliebt, hatte den Gedanken geliebt, dass sie alles für dieses winzige Wesen war, dass sie es erschaffen hatte und dass sie es nun halten und füttern und seine Haut an ihrer spüren durfte.

Randall liegt im Bett und Constable Dickerson döst auf dem Sofa im Wohnzimmer. Sie alle warten darauf, dass die Person gefunden wird, die die E-Mail geschickt hat, in der Hoffnung, dass diese Person vielleicht etwas gesehen hat, vielleicht etwas weiß.

»Dürfen Sie denn gar nicht nach Hause gehen?«, hatte sie den Constable vor einer Stunde gefragt.

»Eigentlich habe ich Feierabend, aber ich habe darum gebeten, bleiben zu dürfen. Ich muss bleiben«, sagte er, und dann hatte er ihr leicht den Arm getätschelt, und sie hatte seine Anteilnahme und Fürsorge gespürt. Der Park war vollständig, gründlich und immer wieder durchsucht worden. Aber sie werden trotzdem weitersuchen.

Der Fernseher ist ausgeschaltet, aber sie weiß, dass nach Trevor gesucht wird. Bianca hat seit ihrem Anruf bei der Polizei keinen Kontakt mehr aufgenommen, nicht einmal, um sich nach ihrer Tochter zu erkundigen. Constable Dickerson hat Shelbys Handy, falls Bianca darauf anruft. Die Polizei weiß, dass sie Trevors Tat verheimlicht hat. Vielleicht wird sie versuchen zu behaupten, dass sie es erst gemeinsam mit allen anderen herausgefunden hat. Aber da war sie ja schon weg gewesen, war Trevor hinterhergelaufen, ihrem Mann. Sie muss gewusst haben, dass er Millie im Park zurückgelassen hatte. Warum sonst hätte sie die Polizei in diese Richtung lenken sollen? Aber Millie ist immer noch weg, immer noch verschwunden. Sie ist nicht im Park, nirgendwo. Es fühlt sich unmöglich an, und doch ist es wahr. Wusste Bianca auch, dass Trevor sich ihrer Tochter gegenüber unangemessen verhielt? Wusste sie es, wollte es aber nicht wahrhaben? Leslie schaudert bei dem Gedanken, dass ein Mann, egal welcher Mann, ihr Kind auf diese Weise berührt. Das ist so krank.

Sie hebt die Hand, um ihren Hinterkopf zu berühren, und spürt dort eine wachsende Beule. Sie hat das Blut abgewischt, aber sie hat sich geweigert, ins Krankenhaus zu fahren, bis ihr Kind gefunden ist. Sie hat nicht protestiert oder argumentiert, sie hat sich einfach geweigert. Und Randall und Constable Dickerson haben es akzeptiert.

Sie hört etwas, das wie ein leises Klopfen an der Haustür klingt, und ihr Körper versteift sich, ihr Atem stockt, weil sie sich nicht ganz sicher ist, ob sie wirklich etwas gehört hat, aber dann hört sie es wieder, und sie steht auf, um zur Tür zu gehen. Sie weiß, dass nur sie es gehört hat, denn im Rest des Hauses bleibt es still. Der Gedanke, dass es ihr kleines Mädchen sein könnte, das nach Hause kommt, lässt ihr kurz das Herz aufgehen. Millie ist nämlich zu klein, um an die Klingel zu kommen. Aber sie weiß, dass sie es nicht ist.

Obwohl sie wohl besser den Constable wecken sollte, falls sie ihn braucht, öffnet sie die Tür.

Auf der Treppe steht eine Frau in einem weiten grünen Kleid. Sie ist schlank und hat braune Locken mit grauen Strähnen, die von einer großen Spange zurückgehalten werden.

»Ja?«, fragt Leslie skeptisch, denn sie vermutet eine Journalistin.

»Sie sind ihre Mutter«, sagt die Frau mit sanfter, tiefer Stimme.

»Ja«, bestätigt Leslie und tritt einen Schritt zurück. Sie ist kurz davor, der fremden Frau die Tür vor der Nase zuzuschlagen, nach dem Constable zu rufen und wegzurennen.

»Sie sehen ihr ähnlich«, sagt die Frau und räuspert sich dann.

Leslie weiß, dass sie die Tür jetzt wirklich zuschlagen sollte. Die Frau hat wahrscheinlich im Fernsehen gesehen, was passiert ist, und ist eine seltsame Voyeurin, die die Mutter eines vermissten Kindes in natura sehen will. Aber Leslie steht einfach nur da. Vielleicht liegt es an der späten Stunde, an der Stille oder daran, dass ihr vor Erschöpfung und wegen des Schlags auf ihren Kopf leicht schwindelig ist. Sie und die Frau sehen einander an.

»Ich kann Sie zu ihr bringen«, sagt die Frau.

»Was?« Leslie ringt nach Luft.

»Mein Name ist Ruth«, sagt die Frau ruhig und beherrscht, »und ich kann Sie zu ihr bringen.« Ihre Hand steckt in ihrer Tasche und scheint etwas zu berühren, und Leslie denkt, es könnte eine Waffe sein – warum nicht? Nichts ist unmöglich – doch dann zieht sie die Hand aus der Tasche und zeigt Leslie einen glänzenden schwarzen Stein. »Turmalin, zum Schutz«, erklärt sie. »Ich ... ich kann Sie zu ihr bringen. Bitte. Wirklich.«

Leslie starrt sie mit offenem Mund an, während sie wie angewurzelt auf der Stelle steht. Die Stille im Haus wird immer bedrückender. Der leicht orangefarbene Himmel bildet einen seltsamen Kontrast zu der Frau, sodass Leslie glaubt, sie würde halluzinieren.

»Verstehen Sie mich?«, fragt Ruth, beugt sich vor und berührt Leslie leicht am Arm, sodass sie zurückschreckt und ein Zittern durch ihren Körper fährt. Die Frau ist echt. Was sie gesagt hat, ist echt.

»Randall, Randall ...«, ruft Leslie, aber sie bewegt sich nicht, weil sie immer noch befürchtet, dass die Frau eine Erscheinung ist und sie Dinge sieht und hört. Sie behält die Fremde im Auge, die an der Eingangstür steht. Ruth wirkt ruhig, aber als Leslie auf ihre Hände schaut und bemerkt, wie sie eine davon zwanghaft öffnet und schließt, während sie mit der anderen über den Stein in ihrer Tasche streicht, wird ihr klar, dass die Frau Angst hat.

»Was ist hier los?«, fragt Constable Dickerson, der zur Haustür kommt.

»Les, Les, alles okay?«, hört sie Randall sagen, als er die Treppe mit der Brille in der Hand und vom Schlaf zerknitterter Kleidung herunterkommt.

»Sie behauptet ...«, beginnt Leslie, und dann hält sie inne, weil sie einen Moment lang befürchtet, dass man ihr sagen wird, dass sie ins Leere starrt, dass da keine Frau vor ihrer Tür steht, die behauptet, sie könne sie zu ihrem Kind bringen.

»Okay, könnte ich bitte Ihren Namen erfahren?«, sagt Constable Dickerson, der in den Polizeimodus gewechselt ist.

»Ich heiße Ruth«, sagt die Frau. »Ich kann Sie zu ihr bringen. Sie kommen in meinem Auto mit«, sagt sie zu Leslie. »Sie können uns folgen.« Und dann dreht sie sich um und geht zu einem gelben Käfer, der auf der Straße parkt.

Leslie schaut zu Randall und Constable Dickerson.

»Was?«, fragt Randall ungläubig.

»Warten Sie mal kurz«, ruft der Constable der Frau zu.

»Ihr könnt uns folgen«, sagt Leslie, und erst nachdem sie aus dem Haus gerannt ist, wobei Randall versucht hat, sie zu packen, fällt ihr auf, dass sie noch ihre flauschigen rosa Hausschuhe trägt.

»Leslie, warte«, hört sie ihn rufen.

»Ihr könnt uns folgen«, wiederholt sie, als die Frau in ihr Auto steigt und auf Leslie wartet. »Ihr folgt uns.«

Später wird sie an diesen Moment zurückdenken und ihr wird klar sein, dass ihr Verhalten lächerlich und gefährlich war. Sie hat sich selbst und alle um sie herum in Gefahr gebracht. Ohne zu wissen, wer die Frau ist, steigt sie einfach zu ihr ins Auto. Später wird sie sich über sich selbst und ihre Entscheidung wundern. Aber in diesem Moment ist sie sich absolut sicher, dass diese Frau weiß, wo ihr Kind ist. Es ist kein Gedanke, eher ein Gefühl, eine tiefe, intensive Erkenntnis. Diese Frau wird sie zu ihrem Kind bringen.

Während sie durch die stillen Straßen fahren und nur ihr Atem im Auto zu hören ist, dämmert ihr, dass sie genau das den ganzen Tag und die ganze Nacht befürchtet hat. Millie war verschwunden, aber jetzt wurde sie gefunden, und da die Frau sie nicht einfach zur Tür gebracht hat, kann das nur bedeuten, dass sie nicht mehr lebt. Sie war verschwunden, aber jetzt wurde sie gefunden, aber Leslie wird sich selbst niemals wieder finden können.

VIERUNDVIERZIG

SHELBY

Sie liegt zusammengerollt auf ihrem Bett, als sie die Schreie hört. Sofort setzt sie sich auf, denn sie weiß, dass irgendetwas passiert sein muss, und zwar nichts Gutes. Verzweiflung macht sich in ihr breit. So wird sie sich für alle Ewigkeit fühlen. Sie wird Trevor nie wieder sehen müssen, wird kaum mit ihrer Mutter sprechen können, und ihre kleine Schwester ist tot. Haben sie sie gefunden? Haben sie ihre Leiche gefunden?

Fröstelnd klettert sie aus dem Bett, ohne ihre Decke ist es kalt, und sie öffnet ihre Zimmertür. »Alles in Ordnung«, sagt eine Polizistin, die den anderen Polizisten, den jungen Mann, abgelöst haben muss. »Alles gut.«

»Was ist denn los?«, fragt Shelby.

»Sie glauben ...«, beginnt die Frau und hält dann inne. Offensichtlich fragt sie sich, ob sie Shelby überhaupt etwas sagen soll.

»Sie haben sie gefunden«, sagt Shelby, ihre Stimme ist nur mehr ein verlorenes, trauriges Flüstern.

»Das glauben sie zumindest«, sagt sie. Shelby will die Treppe hinunterrennen, wo alle Lichter brennen, sie will ihren Vater suchen, aber sie merkt, dass ihre Füße zu schwer sind, um sie überhaupt anzuheben. Darum dreht sie sich um und legt sich wieder in ihr Bett, zieht sich die weiche Decke über den Kopf und rollt sich zu einer kleinen Kugel zusammen.

»Versteckst du dich, Shelby?«, hört sie ihre kleine Schwester fragen.

»Ja«, flüstert sie dem Geist zu. »Ich verstecke mich.«

FÜNFUNDVIERZIG

RUTH

Wir fahren schweigend. Es gibt so viel, das ich ihr erzählen muss, so viele Dinge, die ich sagen und erklären will, aber ich weiß nicht, wie ich anfangen soll. Sie ist der erste Mensch, der seit dem Tod meiner Mutter auf dem Beifahrersitz meines Autos sitzt. Und der einzige andere Mensch, um genau zu sein. Seinetwegen war ich mein ganzes Leben lang allein. Noch nie hatte ich eine gute Freundin oder einen Liebhaber. Ich bin eine Frau mittleren Alters, und er hat mir alles genommen. Ich hätte ein schönes Leben haben können, das weiß ich. Aber es lag nicht nur an ihm. Es waren auch alle um ihn herum, und die Art und Weise, wie sie mich infrage stellten und an mir selbst zweifeln ließen.

»Wie hast du sie gefunden?«, flüstert sie. Sie ist eine hübsche Frau, zart und klein, mit schönem Haar, genau wie ihr kleines Mädchen.

»Ich habe ihn gesehen«, sage ich.

»Ihn?«, fragt sie nach.

»Tony ... ich meine Trevor. Es ist eine lange Geschichte, aber ich bin ihm gefolgt und habe gesehen, wie er Ihr Haus mit ihr verlassen hat. Er hat sie getragen.«

»Warum sind Sie ihm gefolgt?«

»Ich kannte ihn, als ich noch jung war.«

»Ach ja, er war Lehrer«, sagt sie und ihre Stimme klingt dabei ganz neutral, sie stellt lediglich eine Tatsache fest.

»Genau«, bestätige ich, »aber das ist nicht alles. Hier sind wir.« Ich biege in die Einfahrt meines kleinen Hauses ein und mache mir kurz Gedanken darüber, was sie wohl von meinem Haus halten wird, aber dann wird mir klar, dass es ihr völlig egal sein wird. Es gibt nur eine Sache, die sie interessiert.

Das Polizeiauto, in dem auch ihr Mann sitzt, hält hinter uns an. »Schnell«, sage ich, weil wir hineingehen müssen, bevor sie versuchen, uns aufzuhalten.

Sie steigt aus, und wir beide stürzen den Weg zur Haustür entlang.

Als ich die Tür öffne, drehe ich mich zu ihr um und sage: »Es tut mir leid. Ich dachte, Tony ... Trevor wäre Ihr Mann. Ich dachte, sie wäre sein Kind. Ich habe mich geirrt.«

Sie nickt, stumm, ungeduldig, verzweifelt.

Ich führe sie auf einem seltsamen, gewundenen Weg um all meine Stapel herum in den hinteren Teil des Hauses. Ich höre, wie sie bei dem Anblick Atem holt, aber sie sagt nichts dazu. Ich öffne die Schlafzimmertür, hinter der es still und leise ist. Einen Moment lang steht sie in der Tür, ihr Körper ist wie erstarrt. Sie hat Angst. Ich verstehe das.

Und dann kommt sie herein und geht zum Bett, wo sie sich auf die Knie fallen lässt. Das kleine Mädchen hat sich nicht mehr bewegt, seit ich es dort hingelegt habe. Ich hätte es ins Krankenhaus bringen sollen, das ist mir klar. Aber ich konnte nicht zulassen, dass es zu ihm zurückmuss. Ich musste sicherstellen, dass jeder wusste, was er getan hat. Meine Fehler häufen sich, und während ich die Frau beobachte, begreife ich, dass ich mich heute wie eine Verrückte verhalten habe. Ich habe schon angefangen, mich ein wenig verrückt zu verhalten, seit ich ihn im Café gesehen, ihn verfolgt und dabei beobachtet habe, wie er das Kind in den Park gelegt hat. Ich bin verrückt, und jetzt weiß ich, dass mein Leben, so schrecklich es auch bisher war, noch schlimmer werden wird. Man wird mir die Schuld geben. Als ich in der Schule versuchte, mich dem Vertrauenslehrer anzuvertrauen, gab er mir die Schuld. »Du erfindest diesen Unsinn«, sagte er zu mir. Als ich zu Hause versuchte, es meiner Mutter zu erklären, gab sie mir die Schuld. »Irgendetwas stimmt nicht mit dir, Ruth.« Und jetzt, da ich versucht habe, es der Welt zu sagen, wird man mir vorwerfen, dass ich sie behalten habe, und das ist letztlich auch wirklich ganz allein meine Schuld.

Sie hebt die Hand und legt sie ihrem kleinen Mädchen auf die Brust, dabei höre ich sie leise murmeln: »O Baby, o mein Baby, o mein Schatz.« Sie berührt die Brust ihrer Tochter, das habe ich nicht über mich gebracht. Stattdessen habe ich sie mit meiner Decke zugedeckt und einen meiner weichen Teddybären neben sie gelegt, der sie beschützen soll. Ich bin sichergegangen, dass ihr nicht kalt werden kann, aber ich wusste nicht, ob sie noch lebt. Als ich sie aufgehoben hatte, konnte ich spüren, dass sie noch atmete; als ich sie sanft in mein Auto gesetzt hatte, spürte ich die Wärme in ihrem Körper. Und als ich sie in mein Haus brachte, spürte ich, dass ihr Wesen den Raum ausfüllte. Aber ich hatte Angst, sie mir zu genau anzusehen. Das hätte ich tun sollen, ich hätte sie schnell ins Krankenhaus bringen und die Polizei rufen sollen.

Aber was, wenn sie mir die Schuld gegeben hätten? Als ich jünger war, wollte ich allen sagen, was er mir antat, aber sie stellten so viele Fragen, wiesen mich auf Ungereimtheiten in meinen Geschichten hin und zwangen mich, sie zu wiederholen, bis ich Fehler machte. Mir wurde klar, dass ich immer die Schuldige sein würde, solange er seine Finger im Spiel hatte. Ich wollte nicht, dass seiner kleinen Tochter das auch passiert. Ich fand, dass er eine kleine Tochter nicht verdient hatte. Aber sie ist nicht seine kleine Tochter.

Es fühlt sich so an, als wäre ich plötzlich aufgewacht. Was habe ich getan?

Die Augen der Frau weiten sich und sie sieht mich an, mit Entsetzen oder etwas anderem im Gesicht. Ich spüre die beiden Männer hinter mir, und sie öffnet ihren Mund und schreit.

SECHSUNDVIERZIG

LESLIE

02:00 Uhr

»Sie atmet noch«, schreit Leslie. »Sie atmet.« Sie legt ihre Hände auf die Brust ihrer Tochter und fühlt, wie sich ihr Brustkorb leicht, fast unmerklich, hebt. Ihre Haut ist blass und ihr Körper bewegt sich nicht, aber sie lebt. Sie atmet.

Randall ist sofort an ihrer Seite und berührt seine Tochter, während Leslie ihn ansieht und sich aus tiefstem Herzen wünscht, dass er es auch sieht, es auch fühlt. Und dann steht auch Constable Dickerson neben dem Bett und legt seine Finger auf Millies kleinen Hals, um den Puls zu prüfen, während er über sein Funkgerät einen Krankenwagen ruft.

»Kommt sofort her!«, bellt er.

Es scheint nur wenige Augenblicke zu dauern, bis Sirenen durch die Luft heulen, blinkende Lichter in den Fenstern auftauchen und die Sanitäter eintreffen, die kalten Wind mit in den Raum bringen. Randall befördert Leslie vom Bett weg, damit sie zu ihrem Kind gelangen können.

Sie stehen in der Ecke und Leslie spürt, wie sich ihr der

Magen umdreht und ihre Beine schwach werden. »Bitte, bitte …«, fleht sie.

»Gehen wir«, sagt eine Sanitäterin und nickt Leslie und Randall zu. Leslie sieht, dass Millies Gesicht mit einer Sauerstoffmaske bedeckt ist. Endlich ist es echt, endlich ist es bestätigt. Was auch immer von nun an geschieht, ihre Tochter ist am Leben. Sie lebt.

»Die Mutter«, ruft die Sanitäterin, und Leslie reißt sich von Randall los und rennt ihnen hinterher, denn sie ist die Mutter, wird immer die Mutter sein, und ihr kleines Mädchen lebt.

SIEBENUNDVIERZIG

SHELBY

Ihr Vater kehrt erst aus dem Krankenhaus zurück, als die Sonne schon seit Stunden am Himmel steht und das Haus von der Wintersonne erwärmt ist. Der Vorgarten erinnert mit seinen zertrampelten Blumenbeeten an all die Menschen, die gestern hier waren, um zu gaffen, zu fragen, zu helfen.

Sie hat die ganze Nacht nicht geschlafen, weil sie wach bleiben musste, bis sie wusste, dass ihre Schwester in Sicherheit war. Die Polizistin war in ihr Zimmer gekommen, um ihr zu sagen, dass Millie auf dem Weg ins Krankenhaus war.

»Aber sie ist ...«, hatte Shelby gesagt, und dann hatte sie das Wort »tot« nicht herausgebracht.

»Sie lebt«, sagte die Polizistin, und Shelby musste auf die Toilette rennen, während ihr das Wort im Kopf herumspukte. Lebt, lebt, lebt. Sie war nicht tot gewesen, als Trevor ihren schlaffen Körper aufgehoben, aus dem Haus getragen und dabei gezischt hatte: »Sag, dass sie weggelaufen ist.«

Als ihr Vater ins Haus kommt, sitzt sie in eine Decke eingewickelt auf dem Sofa und hält eine Tasse mit heißer Schokolade in der Hand, die ihr die Polizistin gemacht hat, die lieb und nett ist und keine Fragen gestellt hat, sondern einfach nur bei ihr saß, während sie gewartet haben. Jetzt ist sie so müde, dass sie heulen könnte, aber sie kann nicht schlafen. Sie darf die Augen nicht zumachen, bis sie weiß, ob es ihrer Schwester gut geht.

Sie hört, wie er demjenigen, der ihn hergebracht hat, ein Dankeschön zuruft – wahrscheinlich ein anderer Polizist –, und wartet angespannt und ängstlich darauf, dass er hereinkommt und sich aufs Sofa fallen lässt. »Danke«, sagt er zu der Polizistin, die nickt und aufsteht. Shelby wird klar, dass sie wohl ihre Babysitterin war, und sie merkt, wie ihre Wangen bei dem Gedanken rot werden, dass sie immer noch eine Babysitterin braucht. Gleichzeitig ist sie dankbar, dass die Polizistin hier war. Seit zwei Uhr morgens saß sie schweigend bei ihr und sah zu, wie Shelby durch die Fernsehkanäle zappte, in denen nur alte Sitcoms und Dauerwerbesendungen für Schmuck und Staubsauger zu laufen schienen, bis das Frühstücksfernsehen und die Nachrichten kamen, in denen die ganze Geschichte allgegenwärtig war und Millies Gesicht, ihr Haus und Trevor immer wieder zu sehen waren. Die Polizei sucht ihn, sie sucht nach Trevor Richards, auch bekannt als Tony Richardson, wegen Entführung und schwerer Körperverletzung eines Kindes unter zehn Jahren und zahlreicher Fälle von sexueller Nötigung und Belästigung. Es wurde auch erwähnt, dass die Polizei nach einer Frau sucht, und Shelby weiß, dass damit ihre Mutter gemeint ist. Ein Verbrechen zu verheimlichen ist auch ein Verbrechen.

Sie muss daran denken, wie sie Trevor zum ersten Mal traf, nachdem ihre Mutter einige Wochen mit ihm zusammen war. Sie hatten sich online auf einer Datingseite kennengelernt, auf der ihre Mutter immer offen gesagt hatte, dass sie eine alleinerziehende Mutter war. War das der Grund, warum Trevor sie gut fand – sich für sie entschieden hatte? Dieser Gedanke ekelte Shelby an. Als sie ihn das erste Mal getroffen hatte, war er ihr völlig normal vorgekommen, einfach nur irgendein Typ, der ihre Mutter zum Lachen brachte. Erst als sie verheiratet waren, erst nach der kleinen Hochzeit, bei der ihrer Mutter das Kleid nur ein klein wenig zu eng gewesen war, wurde deutlich, was für ein Mann er war. Aber immer wenn Shelby darüber nachdachte, etwas zu sagen, es einfach geradeheraus zu sagen, hatte sie beobachtet, wie ihre Mutter mit Trevor redete oder lachte, und jedes Mal hatte sie gedacht: Sie ist so glücklich. Das darf man nicht zerstören.

Das Schlimmste ist wohl, dass ihre Mutter die ganze Zeit wusste, wo Millie war, dass sie wusste, was Trevor getan hatte, und dass sie eine Entscheidung getroffen hatte – sie hatte diesen Menschen über ihre eigene Tochter, über die Tochter ihres Ex-Mannes und über alle anderen gestellt.

Ihre Mutter hat sich nicht bei ihr gemeldet, und selbst wenn sie es versucht hätte, wüsste Shelby nichts davon. Die Polizei hat ihr Handy, für den Fall, dass sie sich meldet. Ohne ihr Handy fühlt Shelby sich zwar seltsam, aber auch ein wenig erleichtert. Sie möchte nicht auf die endlosen Nachrichten antworten, die bestimmt in ihrem Instagram-Postfach warten, und sie hat auch keine Ahnung, was sie ihrer Mutter sagen würde, wenn sie sie anrufen würde. Sie will nicht mit ihr sprechen, jetzt gerade nicht und vielleicht nie wieder.

Ihr Vater nimmt seine Brille ab und putzt sie. Das macht er immer, wenn er einen Moment für sich braucht. Shelby weiß das und gibt ihm diesen Moment, indem sie schweigt. Jetzt, da er hier ist, rasen ihre Gedanken nicht mehr so, ihr Körper entspannt sich ein bisschen.

Als er seine Brille auf den Couchtisch legt, rückt Shelby auf dem Sofa näher an ihn heran. Sie nimmt die Hälfte der Decke, die sie um sich gewickelt hat, und deckt seine Beine damit zu. Er ist blass, seine Augen sind blutunterlaufen, und seine Kleidung riecht nach Krankenhausdesinfektionsmittel.

»Ich finde allein hinaus. Versuchen Sie, sich auszuruhen«, sagt die Polizistin zu den beiden, und ihr Vater nickt.

»Danke«, sagt er noch einmal.

Sie warten, bis sie gegangen ist und die Tür leise hinter sich zugemacht hat.

»Sag's mir, Dad«, fleht Shelby dann. »Sag mir, wie es ihr geht.«

Er seufzt. »Sie hat eine Gehirnerschütterung. Wenn sie früher ins Krankenhaus gekommen wäre, wäre nichts passiert, aber jetzt hat sie eine Blutung im Gehirn. Es kann sein, dass sich das von selbst löst, sonst muss sie operiert werden, deshalb wissen sie nicht, ob …«, er beugt sich vor und hält sich die Hände vors Gesicht, »… ob sie wieder gesund wird.«

Seine Schultern beben; Shelby weiß, dass er weint, und dieses furchtbare Gefühl, das sie in sich trägt, seitdem das alles passiert ist, steigt in ihrer Kehle auf. Sie hält sich die Hand vor den Mund und schluckt schnell. »Es ist meine …«, beginnt sie.

»Nein«, ruft er, setzt sich auf und wischt sich Tränen aus den Augen. »Sag das nie wieder, Shelby. Es ist *unsere* Schuld. Meine Schuld und die Schuld deiner Mutter. Wir haben dich nicht vor ihm beschützt. Wir hätten etwas merken müssen, hätten Fragen stellen müssen, aber wir waren so sehr mit uns selbst beschäftigt, dass wir es nicht gemerkt haben. Es ist unsere Schuld, Shelby. Du bist noch ein Kind und solltest auch ein Kind sein dürfen.«

Obwohl ihr Vater sie anschreit, obwohl er wütend zu sein scheint, trösten seine Worte Shelby und setzen sich in ihr fest, damit sie ihnen glauben kann. Jeder Tag der letzten sechs Monate war schwer, und sie wollte unbedingt jemandem – irgendjemandem – erzählen, was passierte, aber sie konnte es nicht, weil sie Angst hatte. Angst, dass man ihr nicht glauben würde. Angst, dass sie sich das alles nur einbildete. Angst, dass es alles ihre Schuld war. Angst, ihrer Mutter wehzutun.

Aber es war nicht ihre Schuld, es ist nicht ihre Schuld, und jetzt kann sie nur noch hoffen und beten, dass es Millie gut geht und dass ihr das alles eines Tages, in einer fernen Zukunft, wie ein böser Traum vorkommen wird.

Sie weiß nicht, ob sie Trevor finden und dafür ins Gefängnis stecken werden, dass er Millie wehgetan und den Mädchen, die er unterrichtet hat, die gleichen ekelhaften Dinge angetan hat wie Shelby, aber er ist jetzt aus ihrem Leben verschwunden und das ist alles, was zählt.

Bei ihrer Mutter sieht das Ganze noch mal anders aus.

Aber sie ist zu müde, um jetzt an ihre Mutter zu denken.

Ihr Vater lehnt sich zurück, seufzt und schließt die Augen, und Shelby rückt wieder näher an ihn heran und legt ihren Kopf auf seine Schulter. Er hebt den Arm und legt ihn um sie, hält sie fest, gibt ihr Sicherheit, und gemeinsam schlafen sie ein.

ACHTUNDVIERZIG

RUTH

»Miss Thornton, ich weiß, wir sind das Ganze jetzt schon oft durchgegangen, aber könnten Sie es uns noch einmal erklären?«, fragt der Detective. Ich nicke, es macht mir nichts aus, ihm alles noch einmal zu erklären. Ich weiß, wonach sie suchen – nach Ungereimtheiten. Außerdem suchen sie nach dem Warum, und das habe ich bisher ausgespart. Es ist meine Geschichte, und sie müssen nicht alles wissen.

Draußen ist die Sonne aufgegangen, und ich frage mich, ob es ein warmer Tag werden wird oder ob der letzte Hauch von Winter noch in der Luft liegt. Ich bin es gewohnt, drinnen zu sein, aber jetzt, wo ich hier sein muss, hierbleiben muss, sehne ich mich nach dem Freien. Aber ich muss ihre Fragen beantworten. Das ist nur fair. Ich habe etwas Falsches getan. Ich dachte, ich würde das Richtige tun, aber ... aber ...

»Ich habe ihn in einem Café wiedererkannt«, sage ich. »Ich hatte ihn seit mehr als zwanzig Jahren nicht mehr gesehen und konnte es nicht glauben. Und dann habe ich einfach ...«

»Angefangen, ihn zu verfolgen«, sagt der Detective, ein großer, schlanker Mann mit einer langen römischen Nase. Neben ihm sitzt eine Kriminalbeamtin, die aber nichts sagt. Sie nickt, während ich spreche, und schreibt alles mit, obwohl das Gespräch aufgezeichnet wird. Aber sie hat freundliche braune Augen, und ich glaube, dass sie ein gewisses Mitgefühl für mich empfindet. Ab und zu steht sie auf und bringt mir eine Tasse Kaffee mit zwei Stück Zucker und Vollmilch, um mir durch die endlose Befragung zu helfen. Am liebsten würde ich nach Hause gehen und tagelang schlafen, aber ich bin mir nicht sicher, ob ich überhaupt nach Hause gehen darf. Ich hätte das Kind sofort ins Krankenhaus bringen sollen. Ich hätte es nie von seiner Familie fernhalten dürfen, selbst wenn ich dachte, diese Familie bestünde aus Touchy Tony – oder Trevor, wie er jetzt heißt. Aber ich kann die Zeit nicht zurückdrehen, darum ist es sinnlos, weiter darüber nachzudenken.

»Komme ich ins Gefängnis?«, frage ich die Frau.

»Sie werden wegen einer Reihe von Straftaten angeklagt, aber am Ende entscheidet ein Richter. Wenn wir hier fertig sind, wird ein Pflichtverteidiger für Sie bestellt, und dann können Sie eine Kaution beantragen. Es sei denn, Sie haben einen Anwalt, den wir kontaktieren sollen?« Ein kurzes Lächeln. Sie wünschte, es wäre anders – vielleicht weil sie eine Frau ist und versteht, was ich durchgemacht habe.

Meine Augen fühlen sich heiß an und ich kneife sie zusammen, in der Hoffnung, nicht zu weinen. »Ich verstehe«, sage ich. »Ich habe keinen Anwalt.« Die Wahrheit ist, dass ich niemanden habe, und das war meine Wahl. Ich habe mich geschützt, indem ich mich vor der ganzen Welt versteckt habe.

»Und was wollten Sie erreichen, indem Sie ihm gefolgt sind?«, fragt der Detective.

»Ich weiß nicht, ob ich damit etwas erreichen wollte«, sage ich. »Ich wollte nur ... ich weiß nicht«, murmle ich dann. Ich bin mir nicht sicher, was ich getan hätte, wenn er mich entdeckt hätte, wenn er mit mir gesprochen, mich erkannt hätte. Aber ich glaube, es hätte sich so angefühlt wie damals, als ich ein Kind war. Das Gefühl, keine Kontrolle zu haben, wie erstarrt zu sein und von entsetzlicher Angst und Abscheu erfüllt zu sein, wäre zurückgekehrt.

»Haben Sie ihn gefunden?«, frage ich, anstatt auf seine Frage zu antworten.

»Nein, aber wir sind zuversichtlich.«

»Australien ist ein großes Land«, sage ich. »Er könnte überall sein. Nachdem er aus meinem Leben verschwunden ist, habe ich ihn jahrzehntelang nicht gesehen.«

»Wir sind zuversichtlich«, wiederholt er.

»Werden Sie alle seine ehemaligen Schülerinnen befragen? Das sollten Sie nämlich. Es gibt bestimmt eine Menge, die er …«

»Das werden wir«, sagt die Detective. »Seitdem die Nachrichten die Geschichte aufgegriffen haben, sind bereits viele Anrufe eingegangen. Sehr viele Anrufe.«

»Entschuldigen Sie«, sagt der Detective und reibt sich die Augen, »aber wie alt waren Sie, als Sie in seiner Klasse waren?«

»Ich war dreizehn, als er mich unterrichtet hat, dreizehn. Er war Erdkunde- und Informatiklehrer, aber ich bin ihm nie aufgefallen, bis meine Mutter zu ihm gegangen ist, um ihn darauf anzusprechen, was ich ihr darüber erzählt hatte, was er mit den anderen Mädchen macht. Er hatte mich vorher nie beachtet, aber dann tat er es plötzlich.« Es war so viel besser gewesen, als ich ihm noch nicht aufgefallen war, als ich zu dünn, zu unscheinbar, zu sehr ich selbst war. Niemand will unsichtbar sein, aber manchmal ist Unsichtbarsein das Beste, was einem passieren kann.

»Okay, und er hat Sie ein oder zwei Jahre lang unterrichtet … oder wie lange?«, fragt der Detective.

»Nur eins, aber in der Schule hätte ich es aushalten können. Das hätte ich irgendwie geschafft, wenn ich nicht …«

»Wenn Sie nicht was?«, fragt die Beamtin, und mir wird klar, dass ich bei all den Fragen und in all den Gesprächen, die wir geführt haben, diesen einen Punkt, diesen einen sehr wichtigen Punkt, nicht erwähnt habe.

»Wenn ich nicht seine Stieftochter geworden wäre«, sage ich, und beide Polizisten lehnen sich in ihren Stühlen zurück.

»Entschuldigen Sie, das heißt also, dass er Ihr Stiefvater war?«, fragt die Detective – ich glaube, sie heißt Marci, aber mein Gehirn ist vor Erschöpfung ganz wirr.

»Für eine kurze Zeit.« Ich nicke. »Nachdem meine Mutter zu ihm gegangen ist, um mit ihm zu reden, kam sie wieder nach Hause und meinte, ich soll aufhören, so fiese Dinge über ihn zu verbreiten, dass ich aufhören soll zu lügen. Und dann hat er mich beiseitegenommen und gesagt, wir sollten Freunde sein und …« Ich halte einen Moment inne, um die Dinge in meinem Kopf zu ordnen. Ich muss an den Tag denken, an dem er mit seinem Auto neben mir anhielt und mir anbot, mich nach Hause zu fahren. Ich wusste, dass ich nicht zu ihm ins Auto hätte steigen sollen, aber ich war schon fast zu Hause und er war mein Lehrer und zu einem Lehrer sagt man nicht Nein. Zumindest habe ich es nicht getan. Sonst wäre vielleicht nichts passiert. Er legte seine Hand auf mein Bein und schob sie ein wenig hoch, aber ich schlug meine Beine übereinander, und er nahm seine Hand weg. Er hatte es perfektioniert, aufzuhören, kurz bevor er etwas tat, das wirklich indiskutabel war. Aber als wir bei mir zu Hause ankamen, parkte er und sagte, er würde mich zur Tür begleiten. Ich sagte, das sei nicht nötig, und bedankte mich dafür, dass er mich mitgenommen hatte, aber er folgte mir trotzdem. Meine Mutter hörte, wie ich die Tür mit meinem Schlüssel öffnete, und kam, um mich zu begrüßen. Als sie ihn sah, zwitscherte sie regelrecht vor Freude, lud ihn zum Abendessen ein und machte eine gute Flasche Wein auf. Er war stundenlang da, und schließlich ging ich ins Bett und überließ die beiden ihren Witzen und ihrem Gelächter. Als ich im Bett lag, wurde mir übel und ich bekam Angst, mein Magen quälte mich die ganze Nacht, während ich mir eine schreckliche Zukunft ausmalte. Ich befürchtete, dass er Teil meines Raums, meines Zuhauses, meines Lebens werden würde.

Am nächsten Morgen bestand meine Mutter darauf, mich zur Schule zu bringen, und ich wusste, dass sie nur hoffte, ihn zu sehen, und da wusste ich, dass ich wirklich ein Problem hatte. Sie war immer noch auf der Suche nach einem Ersatz für meinen Vater, und sie fand wohl, dass er sich gut eignen würde – obwohl er viel jünger war als sie. Er hatte einen festen Job und er brachte sie zum Lachen. Mit ihm hätte der Alltagstrott ein Ende. Das alles brauchte sie mir nicht zu sagen. Ich konnte es sehen.

»Sie waren erst ein paar Monate zusammen«, erzähle ich den Polizisten. »Und sie waren verliebt und er hat ihr einen Antrag gemacht und sie war so ... glücklich.« Während ich darüber nachdenke, schweige ich. Ich weiß jetzt, dass ich wahrscheinlich die erste Stieftochter war, die er sich holte. Ich weiß, dass er mit der Mutter des Mädchens verheiratet ist, das auf das kleine Kind aufgepasst hat. Ich weiß, dass sie erst zwölf ist, und ich fühle mich plötzlich schuldig. Wenn ich mir vor all den Jahren nicht den Mund hätte verbieten lassen, hätte ich sie vielleicht vor ihm retten können. Und wenn meine Vermutung stimmt, wie viele andere Stieftöchter gab es dann nach mir? Ich war wahrscheinlich die erste, und ich kann mir vorstellen, dass er sich dachte: *Ein eigenes junges Mädchen in meinem eigenen Haus. Wie praktisch, dass ich mein auserwähltes Opfer nicht nur in der Schule sehe. Wie wunderbar, sie direkt bei mir im Haus zu haben.* Das sage ich den beiden Detectives nicht, die geduldig darauf warten, dass ich weiterspreche, während ich über das hübsche junge Mädchen nachdenke, die Babysitterin. Ich hatte angenommen, dass junge Mädchen heutzutage viel stärker sind und sich nicht zum Schweigen bringen lassen, aber dieses Mädchen hatte sein Geheimnis bewahrt, so wie wir alle. Offensichtlich haben wir noch einen langen Weg vor uns, bis Frauen und Mädchen es schaffen, immer die Stimme zu erheben, wenn ihnen Unrecht widerfährt.

»Nachdem er eingezogen war, hat er, hat er ... ständig. Er

kam nachts in mein Zimmer oder ins Badezimmer, während ich geduscht habe. Es war nie ... es waren immer nur kleine Dinge. Manchmal bin ich aufgewacht und er stand über mir und hat mich angesehen, und mein Oberteil war hochgeschoben und er hat es wieder heruntergezogen, fast wie ein Vater, aber seine Hände haben dabei meine Brust berührt. Ich konnte mich nie sicher fühlen, wissen Sie«, erzähle ich. »Es gab keinen sicheren Ort mehr für mich, nicht in der Schule, nicht zu Hause, nicht einmal in meinem Zimmer. Bis ich mit meinen Sammlungen begann.« Die beiden Detectives nicken, sagen aber nichts. Sie wissen, was sich in meinem Haus befindet, und ein Anflug von Panik lässt mich husten. Haben die Polizisten, die mein Haus durchsucht haben, meine Stapel durcheinandergebracht? »Er hat mich nie in Ruhe gelassen, bis ich angefangen habe, Dinge in meinem Zimmer zu stapeln«, erkläre ich.

»Ja, wir haben ... Ähm, können Sie mir sagen, was Sie damit genau meinen? Wofür sind die Stapel?«

»Es sind Stapel von ganz normalen, nützlichen Dingen«, sage ich, begierig darauf zu erklären, was mir Sicherheit bringt. »Bücher und Tassen und leere Einmachgläser, Steine und Zeitschriften und Pappkartons. Ich habe alles schön ordentlich gestapelt, und dann ...« Plötzlich muss ich lachen. Ich kann es mir nicht verkneifen, als ich an die letzte Nacht denken muss, die er in unserem Haus verbracht hat, unter demselben Dach wie ich. Ich hatte einen Stapel mit Einmachgläsern direkt neben meinem Bett ganz ordentlich und immer höher gestapelt, und als er hereinkam und zu mir kommen wollte, fielen sie alle um, sie klirrten und zerbrachen und das Geräusch schallte durch das Haus. Angesichts des Geräuschs von zerbrechendem Glas kam meine Mutter in mein Zimmer gerannt, und endlich konnte er nicht mehr leugnen, was er tat. Er stand in seiner Unterwäsche da, sein Gesicht erschien ganz blass im gelben Licht, das mein Zimmer erhellte, als meine Mutter das Licht einschaltete. Er konnte es nicht leugnen oder die Schuld von sich weisen oder lügen.

Sie hat ihn nicht einmal zu Wort kommen lassen, sondern warf ihn hinaus, schmiss seine Kleider auf den Rasen und nahm mich dann mit in ihr Bett. Wir wechselten die Laken und sie versprach mir, sie würde mich für immer beschützen. »Es ist nichts passiert«, sagte sie immer wieder, »es ist nichts passiert«, und ich stimmte ihr zu. Doch das stimmte nicht, denn es war so viel passiert, aber ich stimmte ihr zu, damit sie nicht wegen der Wahl ihres Mannes leiden musste. Ich stimmte ihr zu und wandte mich von der Welt ab, damit ich es ihr nicht erzählen musste. Sie würde es nie erfahren und wir könnten gemeinsam weiterleben. Ich habe meine Mutter gerettet, aber ich habe mich selbst und das Leben, das ich hätte haben können, dafür geopfert, und sie hat das zugelassen. Sie war nicht perfekt, aber sie liebte mich, und gemeinsam bewahrten wir das Geheimnis vor der Welt und vor uns selbst. Doch ich fing an, immer mehr Dinge zu sammeln, um mich zu schützen und zu verhindern, dass so etwas jemals wieder passierte.

Es ist zu viel, um es alles zu erklären, deshalb höre ich auf zu lachen und schüttle den Kopf. Auf das Lachen folgen Tränen, die mir in die Augen schießen, weil ich an all die anderen Stieftöchter denken muss, die vielleicht nicht von ihren Müttern gerettet worden waren.

»Das Einzige, was Sie wissen müssen, ist, dass er mich belästigt hat, bis meine Mutter ihn erwischt hat, und dass ich mich nie wirklich davon erholt habe. Doch jetzt konnte ich es nicht mitansehen, dass er ein anderes Kind verletzt, und deshalb habe ich ihn verfolgt. Als ich gesehen habe, was er getan hat, war ich so wütend auf mich selbst, weil ich zu spät gekommen war. Ich wusste, dass ich ihn vor der Welt entlarven musste, dass ich laut schreien musste, damit die Leute endlich, endlich zuhören. Ich wusste, dass er ihr Leben zerstören würde, wenn sie zu ihm nach Hause kam, wenn Millie zu ihm nach

Hause geschickt wurde. Ich dachte, sie wäre seine Tochter. Ich wusste nicht, dass es noch ein anderes Kind gab. Ich wusste nicht, dass er einer anderen Stieftochter wehtat.«

»Okay, ich glaube, das reicht für den Moment«, sagt die Detective.

Sie bringen mich in eine Zelle, wo ich auf einem Bett liege, das fremd und neu und unangenehm riecht, und ich ziehe eine Decke über mich und versuche zu schlafen, bis ich wieder klar denken kann. Durch das kleine Fenster spüre ich etwas Wärme und ich weiß, dass das Wetter heute schön wird.

Sie haben ihn nicht gefunden, das heißt, er ist frei, er kann es wieder tun. Und während ich meine Augen schließe, frage ich mich, wie vielen anderen Frauen er das angetan hat, wie vielen anderen Mädchen und Frauen, und wie viele er noch verletzen wird, bevor sie ihn erwischen.

SHELBY

Die Frühlingssonne taucht den Garten in ihr leuchtend gelbes Licht, der blaue Himmel ist völlig wolkenlos. Shelby blickt auf den Tisch voller Essen und die tanzenden blauen und goldenen Heliumballons, die mit Schnüren an Stühlen, Tischbeinen und den Holzpfosten des Balkons befestigt sind.

»Sieht gut aus, oder?«, fragt sie.

»Es sieht am besten aus«, antwortet Millie. »Und jetzt sind wir fertig und können beide einen Cupcake essen.«

Shelby lacht. »Wir warten, bis alle da sind, Millie.«

»Aber es ist meine Party«, jammert Millie. »Es ist mein Geburtstag und ich bin vier.« Sie hält vier dicke Fingerchen hoch, um das zu unterstreichen.

»Okay, ich verrate dir was«, sagt Shelby und bückt sich, um ihrer kleinen Schwester in die Augen zu sehen. »Du kannst einen Cupcake mit mir teilen, aber nur einen.« Sie stehen auf der Treppe des Balkons an der Rückseite des Hauses.

»Juhu«, quietscht Millie, springt die letzten Stufen hinunter und landet auf dem frischen grünen Gras.

»Nicht rennen«, ruft Leslie, die gerade mit einem Tablett mit Obst, das sie in verschiedene Formen geschnitten hat, vom

Haus auf den Balkon tritt. »Ich hoffe, das wird nach all der Arbeit, die es gemacht hat, auch gegessen«, sagt sie zu Shelby.

»Wahrscheinlich nicht«, lacht Shelby, »aber wir können morgen mit den Resten Smoothies machen.«

»Gute Idee«, sagt Leslie und geht die Treppe hinunter, um das Tablett auf den Tisch zu stellen. Dann richtet sie sich auf und beobachtet, wie Millie den Teller mit den Cupcakes beäugt und sich den besten aussucht, wobei sie Leslie erklärt, dass sie und Shelby sich einen teilen werden. Leslie nimmt das Törtchen vom Teller und reicht es ihr. »Nicht rennen«, ruft sie noch einmal, als Millie die Treppe zu Shelby hinaufspurtet. Der Cupcake ist köstlich, und Shelby lacht über die blaue Glasur auf den Lippen ihrer Schwester.

Der Sommer steht vor der Tür, und sie und Millie freuen sich auf die Schulferien und das Strandhaus, das ihr Vater für einen ganzen Monat gemietet hat. »Direkt am Strand, nur wir und der Sand und sonst nichts«, hatte er ihnen verkündet.

»Und vor allem keine Arbeit«, ergänzte Leslie.

»Keine Arbeit«, stimmte er zu.

Leslie hatte ihr gesagt, sie dürfe eine Freundin mitnehmen, aber Shelby will mit niemandem außer ihrer Familie zusammen sein. Sie redet nicht mehr mit Kiera und hofft, dass die Gerüchte wahr sind, dass Kiera nächstes Schuljahr auf eine andere Highschool gehen wird. Sie möchte nie wieder mit ihr reden, und sie nimmt sich vor, in Zukunft bei der Wahl ihrer Freundinnen vorsichtiger zu sein.

Shelby wird nur drei Wochen im Strandhaus verbringen, weil sie sich bereit erklärt hat, eine Woche bei ihrer Mutter zu sein, die zur Strafe Sozialstunden ableisten muss. Sie muss viele Stunden im Gemeindezentrum arbeiten und darf den Bundesstaat zwei Jahre lang nicht verlassen. Außerdem muss sie sich regelmäßig bei der Polizei melden, und Shelby weiß, dass sie das hasst. Aber sie wusste es nun mal. Sie wusste es, und sie hatte nichts dagegen unternommen, während Leslie und ihr

Vater immer verzweifelter wurden und Shelby sich mit Schuldgefühlen plagte. Sie hatte nichts unternommen, als die Leute den Park und die Nachbarschaft durchsuchten und immer mehr Polizisten hinzugezogen wurden. Sie hatte nichts dagegen unternommen, nur um Trevor und sich selbst zu schützen.

Nachdem Trevor Millie genommen hatte und mit ihr aus dem Haus gelaufen war, hatte er seine Frau angerufen, die vorschlug, er solle das kleine Mädchen doch im Park zurücklassen, solle es dort einfach abladen und weggehen. Der Plan war gewesen, dass er es finden und als Held gefeiert werden würde. Aber Ruth hatte sich eingemischt und verhindert, dass dieser Plan in die Tat umgesetzt werden konnte.

Ruth ist eine ungewöhnliche Frau, sie ist nervös und unsicher, aber Shelby fühlt eine Verbindung zu ihr, weil Ruth weiß, wie es sich anfühlt, auf eine so falsche Art und Weise angefasst zu werden und sich selbst deshalb infrage zu stellen. Sie und Ruth haben ein wenig miteinander gesprochen, und sie hofft, dass sie noch mehr miteinander reden können. Shelby mag ihre Therapeutin, aber nur Ruth versteht sie wirklich.

Zu viele Leute wissen, was mit Shelby passiert ist, aber sie verstehen es nicht. In der Schule fühlt sie sich deshalb unwohl und oft ist sie wütend, vor allem auf ihre Mutter. Sie kann ihr die Lügen und den Betrug einfach nicht verzeihen. Fast zwei Monate lang hat sie sich geweigert, mit Bianca zu sprechen. Aber eines Abends, als sie neben Leslie auf ihrem Bett saß, sagte Leslie: »Du willst das nicht später mal bereuen. Triff dich mit ihr, lass sie sich erklären oder sich entschuldigen, lass sie sprechen. Und dann kannst du dich immer noch entscheiden. Ich kann ihr nicht verzeihen, aber sie ist auch nicht meine Mutter, und ich weiß, dass sie sich selbst nie verzeihen wird. Sie war ... Ich weiß nicht, wie ich das erklären soll, aber ich weiß, dass Männer wie Trevor selbst die stärksten Menschen davon überzeugen können, ihnen zu glauben. Er war sehr gut darin, Ausreden zu finden, anderen die Schuld zu geben und den

Fokus von sich selbst wegzulenken. Und sie wusste wohl nicht mehr weiter, deine Mutter, sie war verzweifelt und traurig, weil sie so verliebt in ihn war, und darum hat sie etwas Schreckliches und Wahnsinniges getan. Aber ich weiß, dass sie voller Reue ist. Das habe ich vor Gericht gemerkt. Gib ihr also vielleicht eine Chance, es zu erklären, und entscheide dann, ob du sie noch sehen willst oder nicht.«

Shelby hatte zugestimmt und trifft sich nun wieder mit ihrer Mutter. Aber irgendetwas fehlt. Und es wird immer fehlen. Sie wird ihr nie wieder vertrauen können. Aber sie hat ja noch ihren Vater, und sie hat Leslie und Millie. Sie hat eine Familie, und das ist immerhin etwas. Sie wird Zeit mit ihrer Mutter verbringen, doch Bianca wird nie wieder wirklich ihre Mutter sein. Aber das ist in Ordnung, denn sie hat eine Stiefmutter, und diese fünf Buchstaben am Anfang des Wortes machen sie für Shelby nicht weniger wertvoll – im Gegenteil.

Letzte Woche hat sie sich mit Leslie gestritten, weil sie eine Arbeit für den Kunstunterricht nicht abgegeben hatte, und sie war so wütend geworden, dass sie geschrien hatte: »Hör auf, mir Vorschriften zu machen, du bist nicht meine …«

»Wage es ja nicht«, hatte Leslie zurückgeschrien. »Ich *bin* deine Mutter … *Ich* bin deine Mutter, Shelby. Du hast zwei Mütter. Zwei.« Und das hatte Shelby zum Weinen gebracht, weil sie wusste, dass es wahr war, dass Leslie recht hatte. Leslie half ihr danach, das Bild fertigzustellen, und es war so gut, dass sie eine Eins bekam.

»Guck mal, guck mal«, ruft Millie und lenkt Shelby von ihren Gedanken ab. »Die Hüpfburg!«

Shelby hebt ihre kleine Schwester hoch und gemeinsam sehen sie zu, wie das rosa Prinzessinnenschloss Gestalt annimmt.

»Sie wächst«, sagt Shelby und Millie schlingt die Arme um ihren Hals. »Sie wächst.«

LESLIE

Als die ersten Gäste kommen, gibt Leslie es auf, Millie zu sagen, sie solle nicht rennen. Sie ist zu aufgeregt, während sie ihren Freundinnen und Freunden den Basteltisch und die Schminkstation zeigt, wo eine hübsche junge Frau mit wallenden blonden Locken sitzt und bereit ist, jeden Schminkwunsch der Kinder zu erfüllen. Millies Gesicht ist von einem großen blau-goldenen Schmetterling bedeckt, und sie rennt immer wieder zu der Frau zurück, um einen Blick in deren Handspiegel zu werfen und sich zu vergewissern, dass ihr Schmetterling nicht verschmiert ist.

Millie soll sich auf ärztliche Anweisung hin schonen und sich ruhig verhalten und nicht zu viel toben, aber Leslie kann ihrer vierjährigen Tochter nicht verbieten, Dinge zu tun, die sich gut anfühlen. Wenn man sie sich jetzt anschaut, kann man sich kaum vorstellen, dass sie nach der Operation, bei der die Blutung in ihrem Gehirn gestoppt wurde, drei Tage lang bewusstlos war, dass sie keine Ahnung hatten, wer sie sein würde, wenn sie aufwacht, und wozu sie noch in der Lage sein würde; dass sie keine Ahnung hatten, ob sie überhaupt aufwachen würde.

Ihr Haar ist kurz, aber so frisiert, dass es die Stelle verdeckt, an der die Ärzte es abrasieren mussten, um an die Blutung zu gelangen. Leslie zwingt sich um der Partygäste willen zu einem Lächeln, obwohl ihr bei dem Gedanken an ihr Kind auf dem Operationstisch ein Schauer über den Rücken läuft. »Ich werde die besten Chirurgen der Welt einfliegen lassen. Sie wird nur die beste Behandlung bekommen. Es ist mir egal, was es kostet«, hatte Randall in seiner verzweifelten Bemühung gesagt, eine unkontrollierbare Situation irgendwie unter Kontrolle zu bringen. Aber sie wusste, dass ihre Tochter bereits die bestmögliche Behandlung bekam. Sie wusste, dass sie nicht mehr als das tun konnten.

Leslie blieb die ganze Zeit bei ihrer Tochter. Sie verließ das Krankenhaus nur einmal am Tag, um nach Hause zu gehen, zu duschen und sich umzuziehen, während Randall bei ihr war. Selbst im Schlaf achtete sie darauf, ob sich Millies Atmung veränderte, ob im Zimmer irgendwelche Geräusche waren. Sie hatte sich daran gewöhnt, dass sich jede Bewegung so anfühlte, als befände sie sich unter Wasser, und ihr Gehirn hatte Mühe, die Geschehnisse zu verarbeiten. Randall versuchte immer wieder, sie zum Essen zu animieren, ihr irgendetwas zu bringen, damit sie aß, aber sie konnte nicht essen, während sie zusah, wie ihre Tochter mit Schläuchen am Leben gehalten wurde. Essen war ein Kampf für sie, aber auch für Shelby, die von Schuldgefühlen geplagt wurde und mit dem Verrat ihrer Mutter zu kämpfen hatte. Das merkte Leslie.

»Ich mache mir Sorgen um sie«, sagte Leslie eines Abends zu Randall, als sie an Millies Bett saßen und es auf Mitternacht zuging.

»Sie wird aufwachen, Les«, sagte er und wiederholte damit das, was er seit der Operation immer wieder gesagt hatte.

»Nicht um Millie. Ich meine ... Was Millie angeht, nun, das ist mehr als nur Sorge. Ich sorge mich um Shelby. Ihr Päckchen ist zu schwer für eine Zwölfjährige. Sie braucht Hilfe.«

Randall hatte zugestimmt, und Leslie hat das Gefühl, dass die junge Frau, mit der Shelby jetzt regelmäßig spricht, ihr hilft, und sie hofft, dass sie ihr weiterhin helfen wird.

Und dann, endlich, öffnete Millie die Augen. Diesen Tag, diesen Moment wird Leslie nie vergessen. Er wird in ihrem Gedächtnis genauso viel Platz einnehmen wie die Erinnerung an Millies Geburt, als der Moment, in dem sich plötzlich alles veränderte.

Es war ein Donnerstagnachmittag, der Wind heulte vor dem Fenster des warmen Krankenhauszimmers, und Shelby saß neben Millies Bett und las ihr aus *Matilda* von Roald Dahl vor. Shelby gab den verschiedenen Figuren eigene Stimmen, als würde sie vor einem ganzen Publikum von Kindern sitzen und nicht nur vor einem einzigen Kind, das im Koma lag. Leslie döste in einem Stuhl und lauschte der Geschichte und den leisen Pieptönen der Maschine, die Millies Herz überwachte.

»Und das ist das Ende von Kapitel zehn«, schloss Shelby, legte das Buch weg und nahm einen Schluck aus ihrer Wasserflasche.

»Ich habe auch Durst«, hörten sie eine leise Stimme sagen, und Leslie öffnete sofort die Augen und sprang von ihrem Stuhl auf. »Millie«, rief sie, beugte sich über ihre Tochter und streichelte ihr das Haar. »Millie, Millie, Millie«, wiederholte sie, während Shelby zur Tür rannte.

»Bitte kommen Sie«, rief Shelby einer vorbeikommenden Krankenschwester zu, ihre Stimme war von panischer Aufregung erfüllt. »Sie ist aufgewacht, meine Schwester ist aufgewacht.«

Die Krankenschwester war ins Zimmer geeilt und stürzte zum Bett, ihre Hände auf Millies Kopf und Armen und dann auf ihrem Handgelenk. »Nur einen Moment«, sagte sie sanft, und Leslie war zurückgetreten, hatte Shelby neben sich gespürt und sie fest umarmt, während der Arzt gerufen wurde und Millie untersuchte.

»Wie viele Finger sind das?«, fragte er und hielt zwei Finger hoch.

Millie sah einen Moment lang verwirrt aus, und Leslie rutschte das Herz in die Hose, aber dann lächelte ihre kleine Tochter. »Zwei«, sagte sie, »und Shelby hat mir gesagt, dass zwei plus zwei vier ist. An meinem nächsten Geburtstag werde ich vier, und Mummy sagt, ich darf eine Hüpfburg haben.«

Der Arzt lachte und Leslie sagte: »Du kannst haben, was immer du willst, Millie Molly, was immer du willst.«

Sie hatte Randall angerufen und so heftig geweint, dass er das Schlimmste annahm, bis Shelby ihr den Hörer aus der Hand nahm und ihrem Vater erklärte, was passiert war. Leslie hörte, wie die heiseren Freudenschreie ihres Mannes den Raum erfüllten.

Und jetzt sind sie heute hier, und Millie weiß wohl, dass man ihr nichts verwehren wird. Darum hat sie sich eine Party mit allem Drum und Dran gewünscht. Leslie beobachtet sie dabei, wie sie einer Freundin die verschiedenen Arten von Glitzer zeigt, die sie an der Schminkstation haben. Sie weiß, dass sie noch wochenlang überall Glitzer finden wird, aber das ist ihr egal. Wichtig ist nur, dass ihre Tochter in Sicherheit, gesund und glücklich ist. Als sie zu Shelby hinüberschaut, die ganz gewissenhaft den Basteltisch beaufsichtigt, flüstert sie: »Wichtig ist nur, dass meine beiden Töchter in Sicherheit sind.«

»O Les«, sagt Randall leise und tritt hinter sie. »Du bist einfach ... du bist einfach der beste Mensch, den ich kenne.« Er legt seine Arme um ihre Taille. »Haben wir nicht ein Glück?«, fragt er.

»Ja«, stimmt Leslie zu, »das haben wir wirklich.«

Sie arbeitet im Moment daran, Bianca für das zu verzeihen, was sie getan hat, aber sie ist noch nicht sehr weit gekommen. Im Gerichtssaal hatte sie eine gebrochene Person gesehen.

Bianca hatte abgenommen und ihr schönes blondes Haar war fettig und dünn.

»Ich habe ihn geliebt«, war alles, was sie sagen konnte, und: »Es tut mir leid, so leid.« Randall hatte seine Ex-Frau mit verschränkten Armen und angespanntem Kiefer beobachtet.

Sie sind beide zutiefst schockiert von dem, was passiert ist. Bianca wusste nicht, was Trevor Shelby angetan hatte, und in ihren gnädigeren Momenten versucht Leslie sich einzureden, dass sie ihn verlassen hätte, wenn sie es gewusst hätte. Das Leben und die Liebe sind kompliziert, und manchmal muss sich eine Mutter fragen, ob sie ihr Kind oder sich selbst retten soll. Für Leslie wäre die Antwort eindeutig, aber vielleicht war Biancas Leben zu schwer gewesen, vielleicht hatte sie deshalb in einem Dilemma gesteckt. Sie kann ihr immer noch nicht verzeihen, und sie findet auch nicht, dass sie das muss.

Sie versucht, nicht an Trevor zu denken. Er ist immer noch da draußen, immer noch auf freiem Fuß. Und immer wenn sie in einem Einkaufszentrum flüchtig einen Mann mit lockigem blondem Haar und einer ähnlichen Statur sieht, dann hämmert ihr das Herz in der Brust. Wenn Millie in diesen Momenten bei ihr ist, drückt sie sie fest an sich, zu fest, sodass ihre Tochter sich beschwert: »Lass mich los, Mum.« Die Polizei sucht noch immer nach ihm, und Constable Dickerson hat ihr versichert, dass sie nicht aufgeben werden, bis sie ihn gefunden und zur Rechenschaft gezogen haben.

Leslie fällt es schwer, sich auch nur ein bisschen zu entspannen und darauf zu vertrauen, dass ihre Tochter auch ohne sie zu Hause sicher ist. Sie vertraut sie niemandem mehr an, aber sie versucht es. Letzte Woche hat Shelby am Samstagabend für ein paar Stunden auf sie aufgepasst. Sie schrieb Leslie alle zwanzig Minuten eine Nachricht, um ihr zu versichern, dass alles in Ordnung war, bis Leslie ihr schließlich selbst sagte, sie solle sich entspannen. Shelby kämpft damit, sich selbst zu vertrauen, was irgendwie noch schlimmer ist.

Leslie ist sich sicher, dass sie es beide schaffen werden, denn sie und Randall wollen wirklich darüber hinwegkommen und auch Shelby dabei helfen. Leslie will, dass ihre Familie eine Einheit ist. Sie vier gegen den Rest der Welt.

An einem Tag wie heute kann man sich kaum vorstellen, dass Millie fast gestorben wäre. Fast, fast …

»Komm hüpfen, Mum, komm mit mir und Shelby in der Hüpfburg hüpfen«, ruft Millie und ergreift ihre Hand. Und Leslie lacht und folgt ihren Töchtern in die Hüpfburg, die bis in den Himmel reicht und von Kindergekicher erfüllt ist.

Fast, fast … aber sie ist noch hier. Leslie hält ihre Töchter an den Händen und gemeinsam hüpfen sie im Schloss auf und ab, ihre Körper fliegen durch die Luft, während sie fast, fast den Himmel berühren.

RUTH

Seit zwanzig Minuten sitze ich jetzt in meinem Auto und beobachte, wie Kinder von Eltern gebracht werden. Jedes Kind hat ein hübsch verpacktes Geschenk für Millie dabei. Ich möchte unbedingt aussteigen, aber meine Angst lässt mich nicht.

»Wir würden uns sehr freuen, wenn du kommst«, hatte Leslie am Telefon gesagt, als sie anrief, um mich einzuladen. Menschen können wirklich erstaunliche Wesen sein. Ich hatte vermutet, dass Leslie und ihre Familie mich nie wieder sehen wollten. Ich war sprachlos, als Randall eine Anwältin für mich eingeschaltet hatte, eine große Frau mit Dutt und einem maßgeschneiderten Anzug.

»Du dachtest, du würdest sie vor Trevor retten«, erklärte Randall, als ich ihn fragte, warum er das getan hatte. »Und du musstest schon genug durchmachen ... Du wolltest ihr nicht wehtun.«

»Sie hätte sterben können«, erwiderte ich. In der Zwischenzeit hatte ich mich schon unzählige Male entschuldigt, Leslie und Shelby und Randall E-Mails geschrieben und Nachrichten geschickt. Ich wusste nicht, was ich noch tun sollte. Und diese Familie, diese wunderbare Familie, hat mir verziehen.

Ich wurde wegen Störung von Amtshandlungen und Beweisvereitelung zu einer Bewährungsstrafe verurteilt. Die Anklage wegen Entführung wurde schnell fallen gelassen und meine Geschichte, die traurige kleine Geschichte, die mich mit meinen ordentlichen Stapeln in meinem Haus gefangen hielt, wurde berücksichtigt. Als ich hörte, wie die Anwältin dem Richter erklärte, was er mir angetan hatte, was wegen ihm aus meinem Leben geworden war, senkte ich vor Scham den Kopf. Ich konnte niemanden ansehen, während Entscheidungen über mein Leben getroffen wurden. Ich war wieder einmal machtlos und fühlte mich wie ein Kind, aber gleichzeitig kam ein Gefühl der Erleichterung in mir auf. Ich brauchte mich nicht mehr zu verstecken.

Einmal die Woche gehe ich zur Therapie, und obwohl ich mir nie vorstellen konnte, dass es helfen würde, über das Geschehene zu sprechen, scheint es doch so zu sein. Ich muss das Geheimnis nicht mehr für mich behalten. Stattdessen erzähle ich Jenny alles, wirklich alles, und es ihr zu erzählen, hilft.

Letzte Woche habe ich das Wohnzimmer in meinem Haus entrümpelt. Das war schwer. Ich fühlte mich nackt und ungeschützt, ich glaubte, nicht mehr atmen zu können, doch dann rief ich Jenny an und sie sprach mit mir, bis ich mich ruhiger und sicherer fühlte. Ich habe auch angefangen, nach einem Job zu suchen, vorzugsweise in einem Büro oder einem geschützten Raum. Es wird dauern, aber immerhin bin ich auf der Suche.

Ich gehe jeden Tag in das Café, in dem ich ihn das erste Mal gesehen habe, denn ich muss mich vergewissern, dass er nicht dort ist, dass er nicht zurückgekehrt ist, um mich wieder zu terrorisieren. Ich weiß, dass er das nicht tun wird. Er ist weit weggegangen, genau wie damals, nachdem meine Mutter ihn erwischt hatte, oder nachdem er von jemandem an der letzten

Schule, an der er unterrichtet hatte, erwischt worden war. Aber ich muss mich trotzdem vergewissern.

Der Besitzer des Cafés, ein Mann namens Lance, kennt mich mittlerweile und begrüßt mich mit »Hallo, Ruth, das Übliche?«, wenn ich hereinkomme. Er hat mich ein paarmal nach Hause gefahren, als der Frühlingsregen besonders stark war. Er fährt einen albernen Sportwagen, einen lilafarbenen Porsche, der überhaupt nicht zu ihm passt, und als er mich das erste Mal mitnahm, musste ich den Atem anhalten, denn das Chaos im Fußraum, die leeren Verpackungen und Getränkeflaschen machten mich nervös und unsicher. Als er mir erneut anbot, mich mitzunehmen, wollte ich erst ablehnen, aber dann merkte ich, dass es ihm wirklich ein Anliegen war, mich in dem Unwetter nach Hause zu bringen. Das Auto war diesmal ganz sauber und glänzend von innen. »Ich weiß, dass du Unordnung nicht magst«, sagte er mir. »Das habe ich gemerkt.«

»Es macht mir nichts aus, solange Dinge ordentlich gestapelt sind ... egal was, solange es ordentlich ist«, erklärte ich.

»Dann los«, sagte er.

Gestern bat er mich, einen neuen Kuchen zu probieren, den er in die Karte aufnehmen wollte, und wir unterhielten uns eine Weile. Er ist single, geschieden und hat keine Kinder, aber zwei Hunde. Er hat mich gefragt, ob ich vorbeikommen und sie kennenlernen will, und ich glaube, dass ich das tun werde, wirklich.

Die Straße ist jetzt ruhig, alle Kinder sind da, und aus dem Garten hinter dem Haus dringt schallendes Gelächter.

Du schaffst das, Ruth, sage ich mir. Und bevor ich noch weiter darüber nachdenke, öffne ich die Tür und gehe zum Haus, in der Hand das Geschenk, das ich für Millie gekauft habe. Es ist ein Nagellackset. Als sie bei mir zu Hause war und in meinem alten Zimmer auf dem Bett lag, bin ich manchmal zu ihr gegangen, um ihre kleine Hand zu halten, ihre weiche Haut zu streicheln und mit den Fingerspitzen über ihre glatten blauen Nägel mit den Goldstreifen zu fahren. Ich hoffe, sie mag ihr Geschenk.

Die Haustür steht offen, und ich folge dem Lärm auf die Rückseite des Hauses.

Zuerst sehe ich Shelby, die ihr blondes Haar hochgesteckt hat und einen Klecks Glitzer auf der Wange trägt. In der Hand hält sie ein Getränk. »Ruth«, ruft sie, »komm her, komm und hilf mir beim Basteln.«

Ich lege das Geschenk auf den Geschenketisch, während Leslie mir vom Essenstisch aus zuwinkt und Randall aus der Nähe der Hüpfburg »Hey, hi!« ruft.

Du schaffst das, Ruth, wiederhole ich in meinem Kopf und setze mich neben Millie an den Basteltisch, die mich mit ihrem wunderschönen Lächeln anstrahlt.

Du schaffst das.

TREVOR

Das kleine Café liegt am Rande des winzigen Küstenstädtchens. Drinnen gibt es nur fünf Tische, aber draußen ist der Bürgersteig voller Menschen, die den Sonnenschein genießen.

Im Innern teilen sich eine Frau und ihre Tochter ein Stück Karamellkäsekuchen.

»Der Typ hat zu dir rübergeschaut, Mum«, sagt das Mädchen.

Die Mutter errötet leicht. »Ich bin sicher, dass er das nicht getan hat.« Sie blickt zu dem Mann, von dem ihre Tochter spricht, und sieht, dass er tatsächlich zu ihr hinüberschaut. Er lächelt und sie lächelt zurück, bewundert seine breiten Schultern und sein blondes Haar. Er sieht gut aus, hat blaue Augen.

»Es ist schon ewig her, dass ihr euch habt scheiden lassen, Mum, und ich bin jetzt dreizehn. Du solltest wirklich wieder anfangen zu daten.«

»Oh, ich weiß ja nicht«, sagt ihre Mutter und streicht sich mit der Hand die Haare hinter die Ohren.

Der Mann steht auf und hält dabei den Blickkontakt.

»Er kommt, er kommt her«, flüstert das Mädchen aufgeregt.

Als er auf ihren Tisch zugeht, betreten zwei Polizistinnen das Café. Sie gehen auf den Mann zu, doch er konzentriert sich auf die Mutter und das Mädchen, sodass er sie nicht bemerkt. Er sieht die Polizistinnen erst, als ihm eine von ihnen die Hand auf die Schulter legt. »Trevor Richards?«, fragt sie.

Der Mann dreht sich um, Panik in seinen Augen. »Ich bin nicht …«, beginnt er.

»Tony Richardson«, sagt die andere Polizistin, und der Mann wird rot bis zu den Ohrenspitzen. »Wir nehmen Sie wegen sexueller Nötigung einer Minderjährigen, Entführung und schwerer Körperverletzung fest.«

Die Mutter steht auf.

»Ich habe meinen Kuchen noch nicht aufgegessen«, protestiert die Tochter, die fasziniert ist von dem, was sie da gerade beobachtet.

»Den nehmen wir mit«, sagt die Mutter entschlossen und führt ihre Tochter aus dem Café hinaus in die Sonne, um am Strand spazieren zu gehen.

»Seltsam«, sagt die Tochter nach ein paar Minuten. »Stell dir mal vor, du wärst mit ihm zusammen gekommen oder so.«

»Ja«, sagt die Mutter, »stell dir das mal vor.«

MEHR VON BOOKOUTURE DEUTSCHLAND

Für mehr Infos rund um Bookouture Deutschland und unsere Bücher melde dich für unseren Newsletter an:

deutschland.bookouture.com/subscribe/

Oder folge uns auf Social Media:

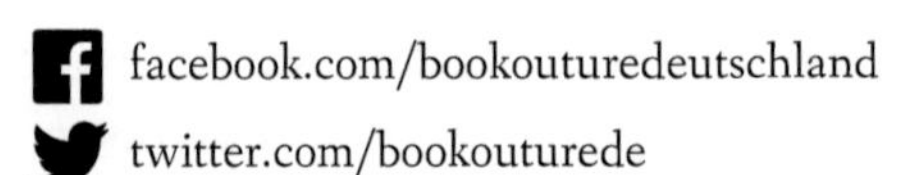

instagram.com/bookouturedeutschland

EIN BRIEF VON NICOLE

Liebe Leser:innen,

ich möchte mich bei euch bedanken, dass ihr euch die Zeit genommen habt, *Das Kind meines Mannes* zu lesen. Wenn es euch gefallen hat und ihr über meine Neuerscheinungen auf dem Laufenden gehalten werden möchtet, meldet euch einfach unter folgendem Link an. Eure E-Mail-Adresse wird nicht weitergegeben und ihr könnt euch jederzeit wieder abmelden.

deutschland.bookouture.com/subscribe/

Ruth steht auf der Liste meiner Lieblingsfiguren aus meinen eigenen Büchern. Sie ist eine Frau, die als Kind von allen Erwachsenen in ihrem Leben versehrt und verletzt wurde. Und doch versucht sie immer noch, einen Weg zu finden, in der Welt zu existieren. Ihr Charakter tauchte einfach eines Tages auf – ebenso wie ihr Bedürfnis, gewöhnliche Alltagsgegenstände zu sammeln. Ihre Stapel von Dingen haben sie lange beschützt, und nun, da sie sich sicherer fühlt, hoffe ich, dass sie einen Weg für sich und vielleicht sogar die Liebe findet.

Wenn man über sexuelle Übergriffe schreibt, muss man sich die schockierende Tatsache ins Gedächtnis rufen, dass es nur wenige Frauen auf diesem Planeten gibt, die nicht in irgendeiner Form davon betroffen sind. Kleine Berührungen, schmutzige Witze und Hände, die nur ein klein wenig zu weit wandern, mögen nicht besonders schlimm erscheinen, aber wir alle sind gezeichnet davon, dass wir schweigen, dass wir glauben, schweigen zu müssen.

Die #MeToo-Bewegung hat Dinge ans Licht geholt, von denen viele Frauen glaubten, sie einfach akzeptieren zu müssen, und das glauben sie immer noch. Wir haben noch einen langen Weg vor uns.

Dabei ist es auch immer wichtig, daran zu denken, dass es überall gute Männer gibt, dass unter unseren Vätern, Brüdern, Ehemännern und Söhnen gute Männer sind, die ändern können, wie die Dinge seit Generationen gehandhabt werden.

Ich bin so froh, dass Randall und Leslie es geschafft haben, dass Shelby sich wieder sicher fühlt und dass sie eine liebevolle Familie hat, die sie unterstützt. Ich glaube, Shelby und Millie werden sich immer nahestehen und sich gegenseitig unterstützen, während sie älter werden.

Es ist traurig, dass Shelby nicht in der Lage sein wird, ihrer Mutter wirklich zu verzeihen, aber zumindest lässt sie den Kontakt zu. Bianca war eine einsame, traurige, wütende Frau und sie versucht, ihre schrecklichen Fehler wiedergutzumachen.

Wenn euch dieser Roman gefallen hat, wäre ich euch sehr dankbar, wenn ihr euch die Zeit nehmen würdet, eine Rezension zu verfassen. Ich lese sie alle und finde es wunderbar, wenn sich Leser:innen mit den Figuren, über die ich schreibe, identifizieren können.

Außerdem würde ich mich auch freuen, von euch zu hören. Ihr findet mich auf Facebook, Twitter und Instagram, und ich freue mich immer, wenn ich mich mit Leser:innen austauschen kann.

Nochmals vielen Dank fürs Lesen

Nicole x

BLEIB IN KONTAKT MIT NICOLE TROPE

facebook.com/NicoleTrope
twitter.com/nicoletrope
instagram.com/nicoletropeauthor

DANKSAGUNG

Ich möchte Christina Demosthenous für ihre ermutigende, liebevolle Unterstützung und ihren unerschütterlichen Glauben an meine Fähigkeiten danken. Wie schwierig die Dinge in den letzten zwei verrückten Jahren auch waren, ich konnte mir immer ihrer Aufmerksamkeit und ihres Engagements sicher sein. Ich stelle nie infrage, ob sie das Beste für meine Arbeit und für mich will – ich vertraue absolut darauf, dass sie es tut.

Vielen Dank an Victoria Blunden für ihre aufschlussreiche erste Bearbeitung.

Ich möchte auch Sarah Hardy für ihre harte Arbeit danken, mit der sie diesen Roman bekannt gemacht hat. Danke an das gesamte Team von Bookouture, einschließlich Alexandra Holmes und Lizzie Brien.

Vielen Dank an Jane Selley für das Lektorat und an Liz Hatherell für das Korrekturlesen.

Danke an meine Mutter Hilary, die alle meine Bücher liest.

Danke auch an David, Mikhayla, Isabella und Jacob – einfach dafür, dass ihr da seid.

Und noch einmal vielen Dank an alle, die meine Bücher lesen, rezensieren, über meine Arbeit bloggen und mich auf Facebook, Instagram oder Twitter kontaktieren, um mir zu schreiben, dass ihnen ein Roman gefallen hat. Jede Nachricht bedeutet mir mehr, als ihr ahnen würdet.

Printed in Poland
by Amazon Fulfillment
Poland Sp. z o.o., Wrocław

20252356R00165